GRAÇA
TRANSFORMADORA

LUCIANO SUBIRÁ
GRAÇA TRANSFORMADORA

Editora Vida
Rua Conde de Sarzedas, 246 – Liberdade
CEP 01512-070 – São Paulo, SP
Tel.: 0 xx 11 2618 7000
atendimento@editoravida.com.br
www.editoravida.com.br

Editor responsável: Gisele Romão da Cruz
Editor-assistente: Amanda Santos
Preparação: Sônia Freire Lula Almeida
Revisão de línguas originais: Marcos Almeida
Revisão de provas: Josemar de Souza Pinto
Diagramação: Claudia Fatel Lino
Capa: Arte Vida

©2021, Luciano Subirá

Todos os direitos desta obra reservados por Editora Vida.

Proibida a reprodução por quaisquer meios, salvo em breves citações, com indicação da fonte.

Todos os grifos são do autor.

Scripture quotations taken from Bíblia Sagrada, Nova Versão Internacional, NVI®. Copyright © 1993, 2000, 2011 Biblica Inc. Used by permission. All rights reserved worldwide. Edição publicada por Editora Vida, salvo indicação em contrário.

Todas as citações bíblicas e de terceiros foram adaptadas segundo o Acordo Ortográfico da Língua Portuguesa, assinado em 1990, em vigor desde janeiro de 2009.

1. edição: nov. 2021
1ª reimp.: jan. 2022
2ª reimp.: jan. 2022
3ª reimp.: fev. 2022
4ª reimp.: abr. 2022
5ª reimp.: maio 2022
6ª reimp.: jul. 2022
7ª reimp.: ago. 2022

Dados Internacionais de Catalogação na Publicação (CIP)
(Câmara Brasileira do Livro, SP, Brasil)

Subirá, Luciano
  Graça transformadora / Luciano Subirá. -- São Paulo : Editora Vida, 2021.

  ISBN 978-65-5584-250-0
  e-ISBN 978-65-5584-253-1

  1. Cristianismo 2. Graça (Teologia) 3. Teologia 4. Vida cristã I. Título.

21-85754   CDD-234.1

Índices para catálogo sistemático:
1. Graça transformadora : Teologia : Cristianismo   234.1
Maria Alice Ferreira - Bibliotecária - CRB-8/7964

DEDICATÓRIA

Dedico este livro à memória do querido e saudoso amigo *Drummond Lacerda* (1983-2021).

Dru, como o chamávamos, foi um extraordinário e admirável mestre bíblico. Exemplar como cristão, marido, pai e amigo, contribuiu muito com avaliações e sugestões preciosas para este e outros livros meus. Instruiu e inspirou milhares de pessoas ao longo do seu ministério, tanto no Seminário Teológico Carisma, onde lecionava, como em suas ministrações em que servia ao Corpo de Cristo sem fronteiras denominacionais. Ele partiu para o Lar Celestial, por consequências da covid-19, enquanto esta publicação estava em fase final de preparação. Deixou não apenas saudades, mas também um grande legado na vida de milhares a quem ensinou a Palavra (e também por meio dos seus livros e cursos gravados). Chorei sua partida, mas também decidi expressar gratidão a Deus pelo tempo que tivemos Drummond conosco e honrar sua vida e seu legado. Sugiro a todos que procurem conhecer suas obras e ser edificado por meio delas como eu também fui.

SUMÁRIO

Prefácio..9

Introdução..11

Capítulo 1 **Entendimento correto** 13

Capítulo 2 **Antes da Lei** 33

Capítulo 3 **Prazo e propósito da Lei**...........................57

Capítulo 4 **Salvação no Antigo Testamento** 75

Capítulo 5 **Caráter profético da Lei**............................91

Capítulo 6 **Mudança de lei**...107

Capítulo 7 **A imutabilidade de Deus**........................121

Capítulo 8 **Enfim, a justificação chegou!**................139

Capítulo 9 **Depois da justificação**.............................163

Capítulo 10 **Obediência na graça**................................183

Capítulo 11 **Força capacitadora** 205

Capítulo 12 **Graça irresistível?**....................................225

Capítulo 13 **A interação com a graça** 245

Capítulo 14 **Liberdade responsável** 265

Capítulo 15 **Santificação progressiva** 287

Capítulo 16 **Esforço e dedicação** 311

Capítulo 17 **Boas obras** 325

Capítulo 18 **Galardão** 339

Capítulo 19 **Disciplina e juízo** 357

Capítulo 20 **O perigo dos extremos** 381

Apêndice **Uma parábola reveladora** 403

Bibliografia 413

PREFÁCIO

Para mim, é um grande privilégio escrever o prefácio desta obra. A primeira razão é porque conheço Luciano Subirá há trinta anos, desde quando ainda era um jovem missionário itinerante, solteiro, que tinha uma paixão muito grande pelo Senhor (e já nos abençoava muito desde então).

A partir daquela época, começamos a andar juntos, num grupo que intitulávamos "igrejas ligadas". Posteriormente, veio a tornar-se no MFI-Brasil — a Comunhão Internacional de Ministros — que hoje tenho a honra de presidir. Luciano caminha conosco desde a fundação desse movimento interdenominacional que promove relacionamento entre ministros, bem como capacitação e auxílio para a jornada ministerial.

Além da amizade de três décadas, atesto que tem sido um privilégio conhecê-lo e testemunhar quanto Deus tem usado a vida dele. Reconheço o Luciano não apenas como um excelente mestre do ensino bíblico (é minha referência principal no Brasil), como também pela voz profética que o Senhor tem dado à igreja por intermédio dele. Eu sempre leio todas as suas obras, mais de uma vez, porque são profundamente abençoadoras.

A segunda razão por que prefacio esta obra é que *Graça transformadora*, com certeza, é um livro extremamente relevante para este tempo de grande confusão e engano, fruto de um ensino equivocado sobre o tema.

Como sempre, meu amigo Luciano, mais uma vez foi usado pelo Espírito Santo para trazer clareza e entendimento aos corações. Em um tempo no qual muitos têm feito que o rio da graça seja cada vez mais largo e, ao mesmo tempo, extremamente raso, o autor nos desvenda mistérios claramente escondidos nas Escrituras, alertando-nos de que esse rio é maravilhoso, que a graça nasce no trono de Deus, mas tem margens bem definidas e águas profundas em seus fundamentos, cujas correntes nos levarão a crescer em santidade e em intimidade com a presença do Pai. Com certeza, é um livro para ler e reler.

SAMUEL DE SOUSA JUNIOR,
Pastor da Comunidade Casa do Pai, em Araçatuba, SP,
e presidente do MFI-Brasil (Comunhão Internacional de Ministros),
setembro de 2021.

INTRODUÇÃO

O entendimento da graça divina é uma poderosa chave para a vida cristã, verdade que apresento já no primeiro capítulo desta obra. Vivemos dias em que a graça de Deus sofre distorções grotescas, tanto por parte de *legalistas* como de *liberalistas*. É fato que esses problemas remontam ao início da era cristã. Que não se ignore, entretanto, que as Escrituras apontam claramente que, nos fins dos tempos, haveria progressão quanto às ações malignas de disseminação do engano.

É necessário, portanto, que os cristãos tenham uma fundamentação bíblica que defina tanto *o que é* quanto *o que não é* a graça de Deus.

Para garantir a visão correta (e completa) do assunto, decidi trabalhar em uma construção lógica e cronológica dessa doutrina. Por esse motivo, sugiro a leitura dos capítulos na ordem em que são apresentados, uma vez que fundamentos essenciais à compreensão de capítulos posteriores serão estabelecidos desde os primeiros.

Meu propósito é "montar um quebra-cabeça" doutrinário, demonstrando quais são as peças e onde elas se encaixam. Para isso, foi necessária a construção do raciocínio ao longo dos 20 capítulos do livro. Além deles, um apêndice foi disponibilizado para destacar a importância da macrovisão bíblica, mais como recapitulação do que como conclusão.

Oro para que estas verdades sejam mais do que motivo de debate. Que elas, além de promoverem instrução e entendimento, fortaleçam a fé de muitos dos meus irmãos em Cristo. Que a compreensão bíblica, completa, da graça transformadora conduza muitos a uma vida de santidade que tanto reflete a imagem de Jesus quanto o exalta e glorifica.

CAPÍTULO 1

ENTENDIMENTO CORRETO

De fato, as maiores necessidades na teologia se dão pelo fato de não entendermos a graça de Deus.

J. I. Packer

Em alguns círculos do mundo evangélico, a transmissão de uma visão equivocada da graça tem roubado o crescimento e a frutificação de muitos cristãos. Concordo com o protesto de Dallas Willard (1935-2013), filósofo americano conhecido por seus escritos sobre a formação espiritual cristã: "Hoje em dia, não somos apenas salvos pela graça, mas também paralisados por ela".[1] Mais do que estagnação, acrescento que as deturpações do verdadeiro sentido de graça também geram retrocesso e incalculáveis perdas, ou seja, move o homem na direção errada, além de atrair uma série de males, levando-o para longe de onde deveria estar.

Costumo declarar que um entendimento equivocado conduz a uma crença equivocada; consequentemente, ao lugar errado. Em contrapartida, um entendimento correto conduz a uma crença correta; consequentemente, ao lugar correto.

---

[1] WILLARD, Dallas. **A grande omissão:** as dramáticas consequências de ser cristão sem se tornar discípulo. São Paulo: Mundo Cristão, 2009. p. 30.

Dessa forma, o *entendimento correto* da graça de Deus é não apenas importante, mas poderoso, porque pode produzir grande impacto na vida espiritual de quem o alcança.

O problema é que, por meio de justificativas infundadas sobre o que seria a graça divina, os crentes estão afastando-se da vida cristã piedosa, fervorosa e dedicada que deveriam viver, claramente revelada no ensino neotestamentário — e isso tem afetado a capacidade de crescer e frutificar.

A relação entre frutificação na vida cristã e entendimento da graça — não qualquer entendimento, mas a compreensão com base na instrução bíblica correta e coerente —, foi destacada por Paulo, a quem comumente denominamos "o apóstolo da graça". Observe sua declaração aos cristãos de Colossos:

> Damos sempre graças a Deus, Pai de nosso Senhor Jesus Cristo, quando oramos por vocês, desde que **ouvimos da fé que vocês têm em Cristo Jesus e do amor que vocês têm por todos os santos**, por causa da esperança que está guardada para vocês nos céus. Desta esperança **vocês ouviram falar anteriormente por meio da palavra da verdade do evangelho**, que chegou até vocês. Esse evangelho está **produzindo fruto e crescendo** em todo o mundo, assim como acontece entre vocês, **desde o dia em que ouviram e entenderam a graça de Deus na verdade.** Isso vocês aprenderam de Epafras, nosso amado conservo e, em relação a vocês, fiel ministro de Cristo (Colossenses 1.3-7, NAA).

Há muitas verdades contidas nessa porção da Escrituras Sagradas, mas quero destacar três fundamentos importantes e correlacionados apresentados pelo apóstolo.

Primeiramente, há uma ênfase sobre a questão da *frutificação*. O realce ao fato de que os crentes de Colossos estavam frutificando espiritualmente fica evidente em dois trechos: quando o apóstolo destaca o compromisso dos colossenses com a fé em Jesus e o amor por todos os santos (Colossenses 1.4) e, em seguida, quando reconhece que o evangelho estava "produzindo fruto" entre eles (v. 6).

Em segundo lugar, Paulo atestou que a frutificação provinha do *entendimento*. Tal resultado possui, como claramente expresso, um ponto de partida: "desde o dia em que ouviram e entenderam a graça de Deus na verdade" (v. 6). Tudo começou no dia em que não apenas ouviram, como também *entenderam* a graça divina. É justo afirmar, portanto, que a compreensão foi a base para o desenvolvimento da fé.

Em terceiro lugar, encontramos uma relação entre o entendimento que gera frutificação e a *instrução* que aqueles irmãos haviam recebido. Vale ressaltar que esse tão importante e necessário entendimento, que nos ajuda a frutificar, não chega de forma aleatória ou espontânea, mas é fruto de aprendizado: "Isso vocês *aprenderam* de Epafras, nosso amado conservo e, em relação a vocês, fiel ministro de Cristo" (v. 7). Os colossenses só alcançaram o entendimento correto acerca da graça porque houve alguém que os havia instruído.

Logo, presume-se que, para haver *frutificação* na vida cristã, se faz necessário *ser instruído* e obter o *correto entendimento* da graça divina. Tony Cooke, em *Graça: o DNA de Deus*, afirma:

> De forma geral, podemos dizer que o valor e a importância de uma doutrina podem ser medidos pela ênfase que a Bíblia dá a eles. Se a Bíblia fala muito sobre aquilo, então, provavelmente, deveríamos fazer o mesmo. [...]
>
> Já que esse é um tema tão presente e central por todas as Escrituras, poderíamos realmente esperar conhecer ou compreender a Deus e quem nós somos em Cristo Jesus sem entender a graça? Graça não é um assunto periférico ou uma espécie de "adendo" aos olhos de Deus, pois sua graça é a essência de quem ele é e também a base para as suas ações em nosso favor. Ela é também a força transformadora por trás de quem nos tornamos e de tudo o que somos capazes de fazer para ele. [...]
>
> Se a graça é tão proeminente na Bíblia, não deveria também ser soberana em seus estudos, para que você possa descobrir o que ela é e faz?[2]

---

[2] COOKE, Tony. **Graça:** o DNA de Deus. Campina Grande: Rhema Brasil, 2015. p. 27, 32.

Reiteramos que o entendimento da graça foi vital para a frutificação dos cristãos colossenses; contudo, continua sendo necessária uma instrução capacitadora nos nossos dias. Aos coríntios, Paulo afirmou: "vocês conhecem a graça de nosso Senhor Jesus Cristo" (2Coríntios 8.9). Essa compreensão só é possível se houver ensino, orientação — mas não qualquer instrução.

Epafras foi chamado pelo apóstolo Paulo de "fiel ministro de Cristo". O motivo do destaque à fidelidade de Epafras no ensino aos crentes de Colossos deu-se por haver muitos declarados ministros que *deturpavam* a graça de Deus. Em vez de promover a correta assimilação do que é graça divina, manchavam seu verdadeiro significado.

Observe a advertência de Judas, em sua epístola, falando acerca da distorção da verdade das Escrituras:

> Amados, quando eu me empenhava para escrever-lhes a respeito da salvação que temos em comum, senti que era necessário corresponder-me com vocês, para exortá-los **a lutar pela fé que uma vez por todas foi entregue aos santos**. Pois certos indivíduos, cuja sentença de condenação foi promulgada há muito tempo, se infiltraram no meio de vocês sem serem notados. São pessoas ímpias, que **transformam em libertinagem a graça do nosso Deus** e negam o nosso único Soberano e Senhor, Jesus Cristo (Judas 1.3,4, NAA).

Judas reconheceu a necessidade de exortar os irmãos a lutar pela fé. Por quê? Porque havia, já naqueles primeiros anos da fé cristã, ensinos que relativizavam a verdade do evangelho. De todas as possíveis ameaças envolvidas nessa advertência, uma é acentuada: a graça estava sendo transformada em *libertinagem*!

Portanto, em contraste à necessidade de entender a graça de Deus, constatamos um ataque maligno para impedir a compreensão acurada. Presume-se que o ataque proceda das trevas, tanto porque Satanás é classificado como *enganador* quanto pelo destaque bíblico de que foram *pessoas ímpias* que haviam se infiltrado no meio da igreja — e estavam transformando a graça divina em algo que não é, nunca foi e nunca será: *libertinagem*.

O doutor Russell Shedd, referência teológica na igreja brasileira, declarou que "graça sem compromisso não representa a realidade bíblica".[3] Fato é que, desde os primórdios da igreja de Cristo, há tentativas de definir a graça como uma espécie de permissão ou complacência ao pecado. Aliás, deturpações heréticas da verdade do evangelho têm batido à nossa porta ao longo de toda a história e com certa frequência, ainda que não seja possível detectar um padrão de periodicidade.

Hoje, em especial, interpretações grotescas da graça bombardeiam a igreja e atentam contra a sã doutrina. Em momentos como este, a importância da compreensão correta da graça divina, fundamentada na Palavra de Deus, salta em magnitude. Perceba a seriedade do protesto que faz John Bevere, em seu maravilhoso livro *Kriptonita*:

> Fico incomodado quando ministros fazem comentários como: "Não há diferença entre um cristão e um pecador; cristãos apenas foram perdoados". Isso é heresia e faz duas coisas horríveis: primeiro, diminui o que Deus fez por nós através de Jesus e, segundo, nulifica sua promessa, mantendo seu povo cativo à corrupção deste mundo que é criada por desejos imorais. [...]
>
> Esses perpetradores ímpios, que estão disfarçados de pastores, líderes ou crentes, ensinam ou, mais provavelmente, modelam através de seu estilo de vida aquilo que identificam como "graça permissiva", em vez da autêntica "graça habilitadora". Ou seja, a graça permissiva que é ensinada não nos protege da *kriptonita* [alusão simbólica ao pecado] nem nos capacita a nos afastarmos dela, mas nos permite viver com pouco ou nenhum limite. Isso prepara o caminho para que a sociedade dite o nosso estilo de vida, pois a graça está sendo reduzida meramente a um cobertor em vez de uma força habilitadora. Portanto, basicamente, crentes vulneráveis ficam livres para buscar os desejos de sua natureza decaída, como modelado pela sociedade, tornando-se então susceptíveis à *kriptonita*. Esse não é o propósito da graça de Deus.[4]

---

[3] SHEDD, Russell P. **Lei, graça e santificação.** São Paulo: Vida Nova, 1990. p. 104.
[4] BEVERE, John. **Kriptonita:** destruindo o que rouba a sua força. Rio de Janeiro: Luz às Nações, 2017. p. 34.

Por um lado, Shedd condena como antibíblica a graça sem compromisso; por outro, Bevere aponta que o propósito da graça de Deus não é dar permissão ao pecado. Como definir, então, o corrente destaque à permissividade, em detrimento da responsabilidade, em muitos sermões? Entendemos que se trata de uma flagrante *distorção* do que é graça. Não menos que isto: deturpação do conceito real e bíblico.

Lemos na carta à igreja de Éfeso, uma das sete igrejas da Ásia às quais o Senhor se dirigiu em Apocalipse, menções específicas aos nicolaítas: "Mas há uma coisa a seu favor: você odeia as práticas dos nicolaítas, como eu também as odeio" (Apocalipse 2.6). À igreja de Pérgamo, há mais uma referência: "De igual modo você tem também os que se apegam aos ensinos dos nicolaítas" (Apocalipse 2.15). Quem eram os tais nicolaítas? A maioria de nós apenas lê, sem tentar entender precisamente o que estava sendo dito. Hernandes Dias Lopes resume aspectos históricos por trás desse grupo, bem como suas crenças e práticas:

> Eles ensinavam que a liberdade em Cristo é a liberdade para o pecado. Diziam: Não estamos mais debaixo da tutela da Lei. Estamos livres para viver sem freios, sem imposições, sem regras. Esse simulacro da verdade era para transformar a graça em licença para imoralidade, a liberdade em libertinagem.
>
> Os nicolaítas ensinavam que o crente não precisa ser diferente. Quanto mais ele pecar, maior será a graça, diziam. Quanto mais ele se entregar aos apetites da carne, maior será a oportunidade do perdão. Eles faziam apologia ao pecado. Eles defendiam que os crentes precisam ser iguais aos pagãos. Eles deviam se conformar com o mundo. Por essa razão, o texto nos diz que Cristo odeia as obras dos nicolaítas. Ele odeia o pecado. O que era odiado em Éfeso era tolerado em Pérgamo.[5]

O que alguns chamam atualmente de "a nova revelação da graça" deveria ser classificado como "a velha heresia do gnosticismo". A seita que influenciou os nicolaítas tornou-se um problema tão sério no início do cristianismo

---

[5] Lopes, Hernandes Dias. **Comentário expositivo do Novo Testamento**. São Paulo: Hagnos, 2019. v. 3, p. 868.

que impulsionou a escrita de vários dos livros do Novo Testamento com o intuito específico de combatê-la. Russell Champlin explica:

> Nada menos de oito livros do NT foram escritos para combater ao gnosticismo, a saber: Colossenses, as três epístolas pastorais, as três epístolas joaninas e Judas. [...]
>
> Os gnósticos removeram do evangelho o "imperativo moral", não vendo [nele] nenhuma função "santificadora". Em sua suposta elevada "sabedoria" (mediada pelas artes mágicas, pelo cerimonialismo e por um falso misticismo), imaginavam-se "isentos" das exigências morais. Não há que se duvidar que muitos deles usavam passagens de escritos paulinos, como o décimo quarto capítulo da epístola aos Romanos ou o oitavo capítulo da primeira epístola aos Coríntios, para ensinarem que tudo era questão "indiferente", não meramente a observância externa de dias santificados, carnes, bebidas etc., conforme Paulo ensinara. Portanto, tinham tendências "antinominianas" extremas. Em outras palavras, não havia lei moral no evangelho deles.[6]

Aqui, temos o objetivo de não somente ajudar os que, pela compreensão correta, frutificarão ainda mais, como também vacinar o coração e a mente de cristãos que, sem uma compreensão bíblica abrangente, podem tornar-se vítimas dessa enganosa e libertina definição de graça divina — o que inevitavelmente atrai consequências não agradáveis. Thomas C. Oden, teólogo americano, é preciso em alertar que "o estudo da graça é o estudo da capacitação da liberdade".

> A liberdade à qual aqui me refiro não é política ou econômica, mas a mais fundamental liberdade, que secundariamente se expressa na vida econômica e política. A liberdade em cuja capacitação mais estamos interessados é classicamente chamada liberdade da escravidão do pecado, liberdade para viver uma vida que é bem-aventurada.[7]

---

[6] CHAMPLIN, Russell Norman. **O Novo Testamento interpretado versículo por versículo**. São Paulo: Hagnos, 2014. v. 6, p. 498.

[7] ODEN, Thomas C. **O poder transformador da graça**. Cuiabá: Palavra Fiel, 2019. p. 32.

Não é prudente ignorar as inúmeras advertências bíblicas contra falsos mestres e profetas, que apontam o perigo do engano e da deturpação da verdade. Tampouco se deve achar que tal perigo ficou confinado ao passado, ou que se refere somente ao futuro da igreja, em dias distantes. A ameaça mira o hoje; o alerta das Escrituras também nos diz respeito! Enquanto ignoramos a gravidade do problema, rejeitamos igualmente a necessidade — e, por que não, a responsabilidade — de preveni-lo e, ao mesmo tempo, combatê-lo.

Leiamos um trecho de outro livro da nossa autoria, *O impacto da santidade*, que retrata tanto a atemporalidade de ensinos enganosos quanto a importância de não ficarmos inertes:

> Observe outra afirmação de Paulo a Timóteo sobre os mesmos tempos do fim:
>
> "Ora, o Espírito afirma expressamente que, nos últimos tempos, alguns apostatarão da fé, por obedecerem a espíritos enganadores e a ensinos de demônios, pela hipocrisia dos que falam mentiras e que têm cauterizada a própria consciência" (1Timóteo 4.1,2).
>
> Novamente, quando citam como marcante a apostasia dos últimos tempos, as Escrituras não definem tal característica como exclusividade do fim. A própria Palavra de Deus relata casos de apostasia desde o início da era cristã. Mais uma vez, a ênfase do apóstolo está na piora significativa dos sintomas — eles já existiam, não são novos, mas serão bem piores. Não era pessimismo de Paulo, ou uma interpretação equivocada baseada nas circunstâncias daqueles dias. Ele credita a afirmação expressa ao Espírito Santo. Estamos diante de uma revelação importante acerca do futuro.
>
> Qual a razão da advertência? Para que a igreja não fosse pega de surpresa ou despreparada nos últimos dias.
>
> Fico feliz que o versículo não diz que todos apostatarão da fé — apenas alguns. Contudo, a Bíblia afirma que o reino das trevas, indicado nos termos "espíritos enganadores" e "demônios", terá armas para usar na guerra final contra a fé cristã: a hipocrisia, a mentira e uma consciência cauterizada.

Entendimento correto

Serão tempos difíceis para viver a sã doutrina, porque a oposição não virá somente do lado de fora, mas também do lado de dentro. Essa foi a preocupação que me moveu a fortalecer [...] a doutrina da santidade. A oposição interna se dará por meio de ensinos contrários, de uma doutrina enferma, não sadia. Homens terão sede de ouvir apenas aquilo que desejam, sede que será saciada por pregadores que, além de já terem a própria consciência cauterizada, ainda demonstrarão verdadeira fome de reconhecimento e popularidade humanos.

"Pois haverá tempo em que não suportarão a sã doutrina; pelo contrário, cercar-se-ão de mestres segundo as suas próprias cobiças, como que sentindo coceira nos ouvidos; e se recusarão a dar ouvidos à verdade, entregando-se às fábulas." (2Timóteo 4.3,4.) Sob o risco de ser repetitivo, afirmo mais uma vez: o apóstolo não diz que aquele tipo de pessoa só existiria no futuro, sem ocorrências em sua própria época. O foco é na predominância de tais características no fim dos tempos. [...]

"Assim como, no meio do povo, surgiram falsos profetas, assim também haverá entre vós falsos mestres, os quais introduzirão, dissimuladamente, heresias destruidoras, até ao ponto de renegarem o Soberano Senhor que os resgatou, trazendo sobre si mesmos repentina destruição. E muitos seguirão as suas práticas libertinas, e, por causa deles, será infamado o caminho da verdade; também, movidos por avareza, farão comércio de vós, com palavras fictícias; para eles o juízo lavrado há longo tempo não tarda, e a sua destruição não dorme." (2Pedro 2.1-3.)

Haverá falsos mestres. Mais uma vez, a conjugação futura não anula a existência anterior de falsos ensinos, a ênfase está no aumento deles. Atente para a expressão "entre vós". Pedro denuncia uma oposição interna à verdade da Palavra. Sim, os falsos mestres surgem dentro da própria igreja!

O adjetivo "destruidoras", aplicado a tais heresias, deixa claro o poder devastador contra a vida cristã daqueles que derem ouvidos. Além disso, o estilo de vida distorcido será imitado por muitos, o que difamará o caminho da verdade. Os falsos mestres defendem o pecado, em vez da santidade, com ações e com "palavras fictícias" para justificar as escolhas contrárias à Palavra de Deus. A Nova Versão Transformadora traduziu o v. 2 assim: "Muitos seguirão a imoralidade vergonhosa desses mestres, e por causa deles o caminho da verdade será difamado".

Penso que a maioria dos cristãos atuais, incluindo muitos ministros do evangelho, não mensuram o perigo já instalado em nosso meio. O pior é que seguirá crescendo. Em dias de globalização, o cristão pode ser exposto ao engano em larga escala, sem nunca ter deixado de frequentar a sua própria igreja, na qual a pregação se mantém fiel às Escrituras. As ferramentas de grande alcance podem "envenenar", com facilidade e rapidez, muita gente. Por isso, é necessário fundamentar, cada vez mais, a sã doutrina. Não basta não pregar o erro; devemos combatê-lo!

Era isso que os apóstolos faziam. Veja a preocupação de Paulo: "Quanto ao mais, irmãos meus, alegrai-vos no Senhor. A mim, não me desgosta e é segurança para vós outros que eu escreva as mesmas coisas. Acautelai-vos dos cães! Acautelai-vos dos maus obreiros! Acautelai-vos da falsa circuncisão!" (Filipenses 3.1,2).

O que o apóstolo estava dizendo?

Que ele não se permitiria cansar de falar as mesmas coisas. Sim, ele está falando sobre repetir as mesmas verdades já anunciadas e enfatizadas. Por quê? Porque "é segurança para vós". Em outras palavras, ele disse: "é para a proteção de vocês". Proteção de quem e do quê? Dos maus obreiros e seus falsos ensinos.

Leia mais uma instrução de Paulo, agora a Tito: "Porque é indispensável que o bispo seja irrepreensível como despenseiro de Deus, não arrogante, não irascível, não dado ao vinho, nem violento, nem cobiçoso de torpe ganância; antes, hospitaleiro, amigo do bem, sóbrio, justo, piedoso, que tenha domínio de si, apegado à palavra fiel, que é segundo a doutrina, de modo que tenha poder tanto para exortar pelo reto ensino como para convencer os que o contradizem. Porque existem muitos insubordinados, palradores frívolos e enganadores, especialmente os da circuncisão. É preciso fazê-los calar, porque andam pervertendo casas inteiras, ensinando o que não devem, por torpe ganância" (Tito 1.7-11; ARA).

Os ministros precisam estar fundamentados na verdade e pregar a Palavra, afinal são despenseiros de Deus. Recai sobre eles a responsabilidade de buscar alimento na despensa celestial para servir à família da fé. A abordagem de Paulo começa com o requisito "irrepreensível" e segue ao dar destaque para: "apegado à palavra fiel, que é segundo a doutrina". Além da bagagem doutrinária saudável, o ministro também deveria possuir "poder tanto para exortar pelo reto ensino como para convencer os que o contradizem". Exortar pelo reto ensino é prevenir o erro, para que ele não entre na vida dos fiéis. Convencer os que contradizem é combater o erro, que já encontrou guarida no coração e na mente de alguém.[8]

É nítido que estamos diante de questões sérias, que exigem zelosa atenção. Os apóstolos não teriam tratado aberta e insistentemente do assunto caso não fosse relevante. Aos gálatas, Paulo conceitua o ensino deturpado como "outro" evangelho:

> Estou muito surpreso em ver que vocês estão passando tão depressa daquele que os chamou na graça de Cristo **para outro evangelho**, o qual, na verdade, não é outro. Porém, há alguns que estão perturbando vocês e querem **perverter o evangelho de Cristo**. Mas, ainda que nós ou mesmo um anjo vindo do céu pregue a vocês um **evangelho diferente daquele que temos pregado**, que esse seja anátema. Como já dissemos, e agora repito, se alguém está pregando a vocês um evangelho diferente daquele que já receberam, que esse seja anátema (Gálatas 1.6-9, NAA).

O que o apóstolo chama de "outro evangelho" — embora tenha explicado posteriormente que não pode existir outro, pois o evangelho é um só — é a *tentativa de perverter* o evangelho. De acordo com Strong, a palavra grega traduzida por "perverter" é *metastrepho* (μεταστρεφω), que significa: "mudar, virar, dar volta".[9] Já o *Dicionário Vine* a define como "transformar em algo de caráter oposto" e, como exemplo de uso, cita Atos 2.20 (ARA): "O sol se *converterá* em trevas".[10]

---

[8] Subirá, Luciano. **O impacto da santidade**. Curitiba: Orvalho.Com, 2018. p. 322, 323, 326-328.
[9] Strong, James. **New Strong's Exhaustive Concordance of the Bible**. Nashville: Thomas Nelson Publishers, 1990.
[10] Vine, W. E.; Unger, Merril F.; White Jr., William. **Dicionário Vine**. Rio de Janeiro: CPAD, 2002. p. 874.

Tentativas de *mudar* o evangelho são comuns desde o início da igreja — não há motivos para acreditar em uma espécie de trégua nos nossos dias. Pelo contrário, há hoje um "evangelho transgênico" em plena proclamação. A essência da verdade está sendo convertida em algo muito — e cada vez mais — distante do padrão divino, revelado e estabelecido de forma irrevogável em sua Palavra. Cabem aqui as palavras de Gordon Anderson: "Certamente, a exegese e a hermenêutica sadias são, e sempre serão, o único antídoto eficaz contra muitas doutrinas 'novas', a maioria das quais não passam de heresias antigas".[11] Trata-se da "revolução da graça", segundo alguns. Respondo com uma citação que Philip Yancey faz de H. Richard Niebuhr: "As grandes revoluções cristãs não acontecem por meio da descoberta de algo desconhecido até então. Elas acontecem quando alguém aceita radicalmente algo que sempre esteve aí".[12]

MACROVISÃO

Além dos motivos já citados que me levam a publicar este ensino, acrescento a importância da cosmovisão bíblica. Não se constrói um entendimento doutrinário com *microvisão*, mas com *macro*. Antes de falar de graça, é necessário discorrer primeiramente acerca do que precedeu a manifestação dela: a Lei de Moisés. Antes mesmo de tratar da Lei mosaica, convém abordar o período anterior.

Portanto, nos próximos capítulos, seguirei uma construção tanto lógica quanto cronológica dos eventos, para projetar o panorama completo, não apenas um recorte. Desse modo, será possível compreender a progressão da revelação bíblica, mas não só isso — também ficarão evidentes as interpretações errôneas de graça que se baseiam em fundamentos insidiosos acerca do que era a Lei ou do que foi o período que a antecedeu.

Cresci ouvindo o meu pai, estudioso das Escrituras, falando sobre o mérito da macrovisão bíblica. Ele enfatizava quantos erros doutrinários advêm da ignorância da revelação das Escrituras como um todo. Certa vez, li uma observação de A. A. Hodge sobre o tema e nunca me esqueci:

---

[11] HORTON, Stanley M. **Teologia sistemática:** uma perspectiva pentecostal. Rio de Janeiro: CPAD, 2018. p. 258.
[12] YANCEY, Philip. **Maravilhosa graça.** São Paulo: Vida, 2007. p. 12.

as doutrinas da Bíblia não são isoladas, mas inter-relacionadas; portanto, o ponto de vista acerca de uma doutrina necessariamente afetará o ponto de vista aceito a respeito de outra.

Não se pode tomar uma parte das Escrituras em detrimento de outras. Esta é a razão pela qual, combatendo o Diabo na tentação do deserto, o Senhor Jesus declarou: "Também está escrito: 'Não ponha à prova o Senhor, o seu Deus' " (Mateus 4.7). Satanás usou um texto bíblico, com aplicação distorcida, na intenção de induzir Jesus ao erro. Além disso, gabou-se ao dizer "pois está escrito", quando citou parte do salmo 91. A réplica de Cristo foi imediata!

"Também está escrito" significa que uma parte da Bíblia não pode ser usada para anular outra. As partes se harmonizam, se complementam e se explicam. Gosto de como a Tradução Brasileira (TB) registra o texto de Salmos 119.160: "A *soma* da tua palavra é a verdade; cada um dos teus justos juízos dura para sempre". É atribuído a Richard Sibbes, teólogo anglicano, uma afirmação que explica esse ponto de forma simples, direta e primorosa: "a verdade de Deus sempre concorda consigo mesma". Tony Cooke, ao avaliar os desvios da doutrina da graça, utiliza os mesmos argumentos:

> Para compreender como esse erro surge, primeiro temos que compreender que a graça não está sozinha. Nunca foi a intenção de Deus que ela fosse uma força espiritual independente. Seja o amor, [seja] a fé, [seja] a graça, todas as expressões e todos os atributos de Deus são complementares e se conectam perfeitamente para nos fazer crentes saudáveis e produtivos. Se isolarmos a graça (ou qualquer outra doutrina) de forma exclusiva, ela ficará torta e fora de proporção em nossa vida. Falharemos em apreciar o fato de que Deus entrelaçou todos os aspectos do seu caráter e natureza para nos fazer completos e plenamente efetivos como seus filhos. [...]
>
> As verdades da Bíblia não são uma questão de "uma coisa ou outra"; elas são considerações todas inclusivas, e devemos abraçar todas as verdades de Deus.
>
> Nenhum estudo sobre qualquer tópico bíblico deveria construir um altar em torno daquela verdade em particular e fechar a porta para o resto

das doutrinas bíblicas. Nenhuma doutrina deveria ser elevada inapropriadamente acima de qualquer outra. [...]

Eu disse que esses atributos são complementares porque as verdades e bênçãos que fluem do coração de Deus para nós nunca estão em contradição ou em competição umas com as outras. Ele as colocou em nossa vida, e é por isso que devemos aprender a manejar bem a *palavra da verdade* (2Timóteo 2.15). Assim poderemos ver cada verdade, cada atributo de Deus, na combinação perfeita e harmoniosa que ele intencionava. [...]

Deus poderia ter escolhido se comunicar conosco de forma unidimensional, mas escolheu nos dar uma perspectiva multidimensional da sua natureza e da sua obra. Se isolarmos uma verdade acima de todas as outras, terminaremos com uma perspectiva distorcida de Deus e da sua Palavra, como também de nós mesmos e de como devemos viver como filhos de Deus. [...]

A graça não invalida nem transforma em obsoleta qualquer outra verdade do Novo Testamento. Ela honra e trabalha em conjunto com todos os atributos e expressões de Deus em nossa vida. [...]

Examine a relação de atividades entre a graça e as outras partes espirituais da sua vida. Você verá que não existe competição entre elas, elas não estão lutando umas contra as outras, rivalizando pela sua atenção contra todas as outras. Elas trabalham juntas para manter sua saúde espiritual.[13]

Tragicamente, lidamos hoje com a "teologia de uma página só" e, às vezes, com a "teologia de um versículo só", quando bobagens travestidas de sabedoria são advogadas por um trecho, mas ignoram os demais ensinos contidos na mesma página, para não dizer no restante de toda a Bíblia. Vejo *garotos* — na idade, na fé e na experiência ministerial — se levantando para fazer afirmações ousadas sobre lei e graça, construindo seu raciocínio em apenas alguns versículos. Desprezam o fato de que as explicações concernentes ao que vivemos hoje já constavam nas próprias figuras da Lei mosaica. O resultado é que, sem se aprofundarem no assunto, eles têm assassinado a interpretação bíblica e gerado confusão e prejuízo espiritual para muitos.

---

[13] COOKE, Tony, **Graça**: o DNA de Deus, p. 283-290.

Para explicar a justificação pela fé, por exemplo, Paulo recorre a eventos da vida de Abraão, descritos na Lei mosaica (Gálatas 3.16-18) — cita as duas mulheres com quem o patriarca gerou filhos como alegoria dos dois tipos de linhagem do pai da fé: a natural e a espiritual (Gálatas 4.21-31). Quando Estêvão, em seu sermão, deseja expor a ação divina aos judeus, ele percorre a história dos hebreus, começando por Abraão, passando pelos patriarcas, pela ida para o Egito, pelo êxodo liderado por Moisés, pela construção do tabernáculo, pela conquista de Canaã sob a liderança de Josué, pelo reinado de Davi e pelo templo construído por Salomão — somente então, depois de todo esse caminho, anuncia Jesus. Por quê? Porque estava apresentando o conceito de progressão no plano divino. Isso é macrovisão bíblica.

Insisto: é de suma importância enxergar o panorama completo, não somente uma parte. É crucial buscar o entendimento do todo, não apenas resumido, mas em detalhes. Da mesma forma, se almejamos uma revelação plena da graça de Deus, devemos entender profundamente cada uma das peças que compõem o quebra-cabeça bíblico.

Some-se ao mal da microvisão bíblica a recorrência histórica de assimilação da cultura secular pela igreja, que não mantém — pelo menos não o tempo todo — um posicionamento firme na contracultura. Desde o início da era cristã, foram propagadas heresias que, além da falta de respaldo da Bíblia como um todo, também eram determinadas por questões culturais — filosofia grega ou gnose, para ser específico. Em tempos modernos, nos quais os valores absolutos são culturalmente relativizados, vemos a mesma influência. Esta chega agora ao "relaxamento de valores". Para justificar o injustificável no meio cristão, difunde-se a história de que há uma nova "revelação" sobre graça.

Temos, assim, um casamento entre a distorção do ensino das Escrituras, que surge com base em porções descontextualizadas, e a influência cultural mundana. Classifico isso, sem medo, de *pseudograça*.

TEMPOS DISTINTOS DA HUMANIDADE

Propositalmente, mesmo que pareça óbvio, é necessário começar do começo. Antes de chegar à revelação correta e completa da graça divina, é preciso saber o que exatamente antecedeu e sucedeu a ela. Portanto, para levantar os primeiros tijolos nessa construção da macrovisão bíblica, abordaremos primeiramente *dois períodos distintos*: de Adão até Moisés, *período antes da Lei*, e de Moisés até Jesus, *período da Lei*. Além disso, como vimos no exemplo de Estêvão, a *progressão* também deve ficar clara. Somente depois de fundamentar como tais períodos serviram de preparação para a chegada da salvação divina aos homens é que passaremos a tratar efetivamente do que é graça e qual sua devida aplicação prática.

> Pois a **Lei** foi dada por intermédio de **Moisés**; a **graça** e a verdade vieram por intermédio de **Jesus Cristo**. (João 1.17)

Assim como em Moisés temos o início da Lei, em Cristo temos o marco da revelação da graça. Para entender lei e graça, não é sábio falar de um sem falar do outro, considerando, ainda, a respectiva ordem de chegada. É preciso primeiramente entender a Lei, para depois, somente depois, entender a graça. Em termos gerais, é simples: não podemos falar da graça que nos trouxe salvação sem abordar a Lei que nos encerrou sob condenação.

A Lei, por sua vez, também deve ser entendida em seu contexto, o que significa que o tempo anterior a ela não pode ser ignorado. Como tratar da Lei de Moisés sem antes falar da queda da humanidade? Atente para esta afirmação de Paulo aos crentes de Roma:

> Portanto, assim como **por um só homem entrou o pecado no mundo,** e pelo pecado, a morte, assim também a morte passou a todos os homens, porque todos pecaram. Porque **até ao regime da lei** havia pecado no mundo, mas o pecado não é levado em conta quando não há lei. Entretanto, reinou a morte **desde Adão até Moisés,** mesmo sobre aqueles que não pecaram à semelhança da transgressão de Adão, o qual prefigurava aquele que havia de vir (Romanos 5.12-14, ARA).

Essas verdades estão completamente interligadas; é perigoso ignorar a conexão, pois corre-se sério risco de perder o entendimento de que há uma construção progressiva, estabelecida pelo próprio Deus e revelada a nós pelas Escrituras.

Entendimento correto

Os tempos nos quais mergulharemos a seguir são muito claros e bem divididos no ensino do Novo Testamento. Caminharemos por eles respeitando a forma em que foram expostos biblicamente:

1. **De Adão até Moisés** (Romanos 5.12-14). Esse período abrange a queda do homem e suas consequências: o pecado entrou no mundo, e a morte passou a toda a humanidade. Apesar de haver pecado no mundo, contudo ele não é levado em conta quando não há Lei (Romanos 4.15). Ainda assim, a morte reinou de Adão até Moisés. Com a chegada da Lei, finda-se o primeiro período, ao qual farei referência como *"antes da Lei"*.
2. **De Moisés até Jesus** (João 1.17). Aqui temos a manifestação da Lei que pôs todos os seres humanos debaixo do pecado, realçando a força que este possui (Romanos 5.20; 1Coríntios 15.56), e que serviu de tutor para conduzir-nos a Cristo (Gálatas 3.23,24). Começa em Moisés e termina com a primeira vinda de Jesus. Citarei esse período como *"a Lei"*.
3. **Da primeira até a segunda vinda de Cristo.** Quando Paulo escreve a Tito, fala da *graça* de Jesus, que se manifestou salvadora aos homens, e nos ensina a viver uma vida sóbria, esperando sua vinda (Tito 2.11-13). A graça compreende, portanto, da primeira à segunda vinda de Cristo, quando experimentaremos a plenitude da salvação — que envolve a glorificação do homem e a redenção da natureza (Romanos 8.19-23). A esse período, chamarei de *"a graça"*.

Creio que este material pode servir de fonte de estudo — e assim espero, aconselho e oro para que seja. Considere, questione, reflita e, se possível, debata com outros. Há um caminho de milhares de anos que o convido a percorrer comigo nestas páginas, mas a recompensa está à nossa espera na linha de chegada. Que o Senhor nos ajude a crescer no entendimento de sua Palavra!

SINOPSE DO CAPÍTULO EM TÓPICOS

1. Entender corretamente não é só uma questão intelectual, mas tem o poder de conduzir à frutificação.

2. A graça não é, nunca foi e nunca será libertinagem.

3. A graça sem compromisso é antibíblica.

4. A "nova revelação da graça" é, na verdade, a "velha heresia do gnosticismo".

5. Desde o início da era cristã até o último dia, haverá tentativas de perverter, distorcer e alterar o evangelho.

6. Não se constrói entendimento doutrinário com microvisão, mas com a macrovisão bíblica — visão do todo; nunca de apenas uma parte.

7. Há uma progressão na revelação bíblica que não pode ser ignorada.

8. Historicamente, a igreja se apropria da cultura mundana. Hoje, a influência vem na forma do "relaxamento de valores".

9. Tempos bíblicos: de Adão até Moisés (antes da Lei), de Moisés até Jesus (a Lei), da primeira até a segunda vinda de Cristo (a graça).

Entendimento correto

PERGUNTAS PARA REFLEXÃO

1. Baseado na afirmação de Paulo aos colossenses (Colossenses 1.3-7), por que é tão importante alcançar o entendimento correto da graça?

2. Como a compreensão correta pode ser alcançada? Ou melhor, como evitar a compreensão *errônea*?

3. O que Paulo quis dizer ao utilizar a expressão "outro evangelho" (Gálatas 1.6-9)?

4. O que Judas quis dizer quando afirmou que havia pessoas transformando a graça divina em "libertinagem" (Judas 1.3,4)?

5. Se já havia deturpações da graça no primeiro século da era cristã, pode-se esperar o contrário no nosso tempo? Você pode identificar alguma deturpação sendo propagada atualmente no meio cristão?

6. Cinco textos bíblicos foram citados como advertência aos perigos do engano e da distorção doutrinária. Sugiro que você os localize no texto, leia-os novamente e pondere mais acerca do conteúdo de cada um deles.

CAPÍTULO 2

ANTES DA LEI

Todas as exortações da Escritura que se dirigem de maneira
indiscriminada aos homens, chamando-os ao arrependimento,
necessariamente pressupõem a universalidade do pecado.
Charles Hodge

Antes de tratar da queda, convém considerar a *origem do homem e seu estado primário*, porque isso reflete o propósito divino para a humanidade. A Bíblia diz que o Criador "nos escolheu nele antes da criação do mundo, para sermos santos e irrepreensíveis em sua presença" (Efésios 1.4), indicando a existência de um objetivo para a criação, que data de antes do início de tudo — em outras palavras, tal desígnio não pode ser ignorado. Além disso, se não entendermos bem aquilo que o homem perdeu com a queda, não compreenderemos plenamente a restauração disponibilizada pela redenção divina em Cristo.

Augustus H. Strong aponta que "o estado original deve (1) contrastar-se com o pecado; (2) ser um paralelo com o estado de restauração".[1] O autor ainda destaca, acerca da essência do estado original do homem, o seguinte:

---

[1] STRONG, Augustus Hopkins. **Teologia sistemática**. São Paulo: Hagnos, 2007. v. 2, p. 917-918.

Pode ser resumida na expressão "a imagem de Deus". Diz-se que o homem foi criado à imagem de Deus (Gênesis 1.26,27). Em que consiste essa imagem de Deus? Respondemos que 1. Na semelhança natural a Deus, ou personalidade; 2. Na semelhança moral com Deus ou santidade. [...]

É importante distinguir claramente entre os dois elementos compreendidos na imagem de Deus: o natural e o moral. Em virtude do primeiro, o homem possui certas *faculdades* (intelecto, sentimento, vontade); em virtude do segundo, ele tem *inclinações corretas* (tendência, propensão, disposição). Em virtude do primeiro, ele investe em certas *forças*; em virtude do segundo, imprime-se uma *direção* a tais forças. Criado à imagem natural de Deus, o homem tem um *caráter santo*. O primeiro lhe dá capacidade *natural*; o segundo, uma capacidade *moral*. Os pais gregos davam ênfase ao primeiro elemento, a *personalidade*; os pais latinos davam ênfase ao segundo elemento, a *santidade*.[2]

Concordo com as duas ênfases: natural e moral. Entendo que elas não concorrem entre si; antes, são complementares. Contudo, destacarei posteriormente o que é defendido pela ala latina dos pais da igreja: a *santidade* divina projetada para ser manifesta em nós. Esta é a ênfase bíblica, tanto no Antigo Testamento quanto no Novo Testamento. Pedro, citando o Antigo Testamento, faz uma aplicação precisa da doutrina da santidade no Novo Testamento: "Mas, assim como é santo aquele que os chamou, sejam santos vocês também em tudo o que fizerem, pois está escrito: 'Sejam santos, porque eu sou santo' " (1Pedro 1.15,16).

Sem perder de vista esse objetivo inicial de Deus, de manifestar sua santidade — ou seja, sua imagem — nos homens, é preciso passar pelo pecado, por seus danos e pela *progressão* do plano redentor do Criador. Assim, compreenderemos amplamente o que significa a restauração proporcionada pela graça de Deus.

Como vimos, o pecado entrou no mundo no início do primeiro período, com Adão e Eva, muito antes da Lei de Moisés. Para começar a esmiuçar o

---

[2] Ibidem.

tema do pecado original, cito Walter Brunelli, que comenta o episódio do jardim do Éden:

> O que para muitos não passa de um mito ou "conto de carochinha", o episódio do jardim do Éden é a base para a compreensão de todo o mistério da existência humana e sua escolha quanto ao futuro. Quem ignora a descrição bíblica do Gênesis jamais chegará à compreensão das verdades reveladas de Deus acerca do homem e do seu destino eterno. Por mais simples e propedêutica que possa parecer tal descrição, faz-se necessário considerá-la. A narrativa bíblica da queda do homem é recorrente em toda a Bíblia.[3]

O próprio Jesus fez referência ao livro de Gênesis, ao citar Deus como Criador, além de mencionar Adão e Eva e o propósito divino para o primeiro casal (Mateus 19.4,5). Não crer no relato da gênese do homem é pôr em xeque a credibilidade do próprio Cristo.

Aliás, em termos de macrovisão, é fundamental considerar que há menção a Adão em diversos trechos da narrativa bíblica. No Antigo Testamento, Jó (Jó 31.33) e Oseias (Oseias 6.7) fizeram referência a ele. No Novo Testamento, além de Jesus, Paulo (Romanos 5.14; 1Coríntios 15.45) e Judas (Judas 1.14) também o citaram. O apóstolo Paulo não tratou apenas da existência do cabeça dos seres humanos, mas também dos danos, consequentes do pecado deste, estendidos a toda a humanidade. Logo, para nós os que cremos nas Sagradas Escrituras, este é o ponto de partida. Para os que não querem crer em Adão, que sejam coerentes a ponto de tampouco crerem no restante do conteúdo bíblico. É tudo ou nada!

Dito isso, passo a abordar o pecado do primeiro homem e as consequências geradas. A Bíblia é explícita quanto à propagação dos efeitos daquele erro a toda a humanidade:

> Portanto, assim como por um só homem **entrou o pecado no mundo**, e pelo pecado veio a morte, assim também **a morte passou a toda**

---

[3] BRUNELLI, Walter. **Teologia para pentecostais**: uma teologia sistemática expandida. Rio de Janeiro: Central Gospel, 2016. v. 3, p. 112.

a humanidade, porque todos pecaram. Porque **antes de a lei ser dada havia pecado no mundo,** mas o pecado não é levado em conta quando não há lei. No entanto, **a morte reinou desde Adão até Moisés,** mesmo sobre aqueles que não pecaram à semelhança da transgressão de Adão, o qual prefigurava aquele que havia de vir (Romanos 5.12-14, NAA).

Apesar de, sem Lei, o pecado não ser levado em conta, sua consequência de morte espiritual manifestou-se e foi transmitida a todo ser humano. De que maneira? Por meio da reprodução.

TRANSMISSÃO DO PECADO

O pecado afetou a natureza de Adão. O primeiro homem, criado segundo a imagem e a semelhança de Deus, perdeu o que lhe fora dado. Expulso do jardim do Éden, passou a reproduzir uma natureza corrompida conforme sua linhagem, ou seja, todos os seres humanos: "pois todos pecaram e estão destituídos da glória de Deus" (Romanos 3.23).

Podemos especular o motivo que justifica a expulsão do jardim. Alguns acreditam que se trata de um livramento, para que o homem não comesse da árvore da vida e, assim, perpetuasse seu estado de morte espiritual por toda a eternidade. Outros entendem que o objetivo foi evitar que o primeiro casal tivesse acesso, sem arrependimento nem remissão — princípios divinos inegociáveis —, à vida eterna. Em todo caso, o que não se pode discutir é o efeito do pecado, que fez Adão e Eva serem desterrados do Éden.

Razões simples e claramente registradas nas Escrituras apontam o caminho da compreensão desse efeito, que podemos chamar de "transmissor". O Criador estabeleceu uma lei abrangente, não limitada ao homem em si, mas que envolve toda a criação, incluindo vegetais e animais: que cada um reproduzisse "segundo a sua espécie". Portanto, Adão, o primeiro homem, era o cabeça da humanidade, um protótipo, uma matriz reprodutora. Sua função envolvia reproduzir seres semelhantes a ele.

Infere-se que, como encargo divino de multiplicar-se segundo a sua espécie, o primeiro homem deveria reproduzir aquilo que o Criador primeiramente transferira a ele: a imagem e a semelhança do próprio Deus (Gênesis 1.27).

Ao pecar, contudo, Adão se desconectou do Criador, comprometendo a natureza divina que recebera. A partir de então, a matriz reprodutora corrompida pelo pecado passou a gerar filhos "segundo a sua espécie".

Por causa da queda, desde tal pecado original, os seres humanos já nascem em pecado, antes mesmo de cometerem qualquer ato de desobediência. Davi entendeu bem essa verdade: "Sei que sou pecador desde que nasci; sim, desde que me concebeu minha mãe" (Salmos 51.5); "Os ímpios erram o caminho desde o ventre; desviam-se os mentirosos desde que nascem" (Salmos 58.3).

Antes citei Romanos 5.12-14; agora, chamo a atenção para a continuidade do texto. Ao contrastar o papel de Adão com o de Cristo, o apóstolo Paulo ratifica a transmissão do pecado à humanidade:

> Mas o dom gratuito não é como a ofensa. Porque, **se muitos morreram pela ofensa de um só**, muito mais a graça de Deus e o dom pela graça de um só homem, Jesus Cristo, foram abundantes sobre muitos! O dom, entretanto, não é como no caso em que **somente um pecou**. Porque **o julgamento derivou de uma só ofensa**, para a condenação; mas a graça deriva de muitas ofensas, para a justificação. Se **a morte reinou pela ofensa de um e por meio de um só**, muito mais os que recebem a abundância da graça e o dom da justiça reinarão em vida por meio de um só, a saber, Jesus Cristo. Portanto, assim como, **por uma só ofensa, veio o juízo sobre todos** os seres humanos para condenação, assim também, por um só ato de justiça, veio a graça sobre todos para a justificação que dá vida. Porque, como, **pela desobediência de um só homem, muitos se tornaram pecadores**, assim também, por meio da obediência de um só, muitos se tornarão justos (Romanos 5.15-19, NAA).

A frase "pela desobediência de um só homem, muitos se tornaram pecadores" é taxativa. Ao longo da história da igreja, o conceito chamado de *pecado original* de Adão — expressão não usada pelos cristãos do primeiro século, embora ensinada por Paulo — foi ganhando terreno. Walter Brunelli destaca que Tertuliano, de Cartago, notável apologista cristão e opositor das heresias do segundo século, foi o primeiro teólogo cristão a ensinar claramente sobre o pecado original, o que fez em sua obra *De anima* — Sobre a alma. Ele ainda atesta que Agostinho popularizou tal ensino:

> Agostinho de Hipona foi um grande defensor dessa doutrina, dando continuidade à doutrina da imputação, em contraposição a Pelágio, que a negava. Agostinho dizia que as crianças já nascem em pecado, não porque os tenha praticado, mas por causa do pecado original, por isso ele defendeu o batismo de bebês. Os teólogos da Reforma apoiaram a doutrina do pecado original e, de modo geral, toda a comunidade cristã, sejam as igrejas tradicionais ou pentecostais, defendem a teologia do pecado original.[4]

A dedução consequente é a da *universalidade do pecado*. A origem do pecado, como determinamos, deu-se em Adão. No entanto, pouco tempo depois da queda, o estado da humanidade já era deplorável: "O Senhor viu que a perversidade do homem tinha aumentado na terra e que toda a inclinação dos pensamentos do seu coração era sempre e somente para o mal" (Gênesis 6.5). Charles Hodge afirma que "todas as exortações da Escritura que se dirigem de maneira indiscriminada aos homens, chamando-os ao *arrependimento*, necessariamente pressupõem a universalidade do pecado".[5] Em paralelo, Lewis Sperry Chafer define a natureza pecaminosa do homem como "a perversão da criação original de Deus e, nesse sentido, uma coisa anormal".[6]

A GRAÇA NO ÉDEN

A presença do pecado em todos os homens, mediante transmissão geracional, é evidente nas Escrituras. Vale ressaltar, porém, um contraponto: se houve pecado nesse primeiro período da história humana, também houve manifestação da graça divina. Sim, a graça não surgiu apenas no Novo Testamento! Sua revelação é demasiadamente ampliada na encarnação de Cristo, entretanto já existia. A graça é uma manifestação do caráter divino, e este, por sua vez, é eterno e imutável.

---

[4] Brunelli, **Teologia para pentecostais**, v. 3, p. 135.
[5] Hodge, Charles. **Teologia sistemática**. São Paulo: Hagnos, 2001. p. 656.
[6] Chafer, Lewis Sperry. **Teologia sistemática**. São Paulo: Hagnos, 1976. v. 1, p. 684.

Antes da Lei

O apóstolo Paulo, escrevendo a seu discípulo Timóteo, afirma, pelo Espírito de Deus, que a graça nos foi dada *antes dos tempos eternos* — portanto, antes mesmo da Lei — e manifesta *no devido tempo* (2Timóteo 1.9,10).

Quando o primeiro casal pecou, também descobriu sua condição espiritual de nudez. Na ocasião, ambos costuraram para si cintas de folhas de figueira (Gênesis 3.7). O homem queria resolver a questão da nudez — figura de pecado (2Coríntios 5.3; Apocalipse 3.18) — do seu próprio jeito. Obviamente, Deus não aceitou e agiu à sua maneira. Como? "O Senhor Deus fez *roupas de pele* e com elas vestiu Adão e sua mulher" (Gênesis 3.21).

Para que as vestes de pele, ou de couro, fossem produzidas, é certo que um animal teve de morrer. Trata-se da primeira menção bíblica de sacrifício pelo pecado, apontando figuradamente para a obra de Cristo em nosso favor. O registro desse episódio é uma indicação não só da necessidade de derramamento de sangue para remissão de pecados (Hebreus 9.22), como também do fato de que devemos nos *revestir* de Cristo: "Ao contrário, revistam-se do Senhor Jesus Cristo e não fiquem premeditando como satisfazer os desejos da carne" (Romanos 13.14). As novas vestes que o Criador providenciou para Adão e Eva prenunciavam um cenário futuro e centrado no sacrifício do Cordeiro de Deus, embora já contivessem a manifestação do perdão divino e revelassem o derramamento de sua graça.

Logo, encontramos no Éden não somente a presença do pecado, como também a manifestação da graça divina: o perdão foi proporcionado, ao mesmo tempo que foi feita a primeira promessa messiânica: "Porei inimizade entre você e a mulher, entre a sua descendência e o descendente dela; este ferirá a sua cabeça, e você lhe ferirá o calcanhar" (Gênesis 3.15).

NOVOS COMEÇOS

O relato bíblico mostra que, mesmo com expressões da graça divina e promessas redentoras sendo liberadas, a humanidade, já nas primeiras gerações, corrompeu-se terrivelmente. A situação ganhou proporções tais que o Criador resolveu "resetar", zerar a humanidade:

> O Senhor viu que **a maldade das pessoas havia se multiplicado na terra** e que **todo desígnio do coração delas era continuamente mau**. Então o Senhor ficou triste por haver feito o ser humano na terra, e isso lhe pesou no coração. O Senhor disse:
>
> — **Farei desaparecer da face da terra o ser humano que criei**. Destruirei não apenas as pessoas, mas também os animais, os seres que rastejam e as aves dos céus; porque estou triste por havê-los feito (Gênesis 6.5-7, NAA).

Não significa que não havia graça, e sim que o pecado não mais podia ser contido — não existia perspectiva de arrependimento. O versículo seguinte, então, evidencia mais uma manifestação da graça divina no período anterior à Lei mosaica: "Porém Noé *achou graça* diante do Senhor" (Gênesis 6.8, ARA). O restante da história, você conhece. Mesmo julgando e destruindo a humanidade, o Senhor revela sua graça em Noé e na salvação tipificada na arca (1Pedro 3.20,21).

O primeiro começo, com Adão, foi frustrado, pois obviamente a falha estava no lado humano, não no divino. Em Noé, houve um recomeço, uma espécie de segunda tentativa; contudo, esse novo início também descumpriu o propósito divino. Não me refiro apenas à bebedeira de Noé ou à maldição que ele próprio lançou sobre parte de sua linhagem, os descendentes de Cam, pai de Canaã — de fato, os cananeus se corromperam espantosamente, a ponto de o Senhor expulsá-los da terra em que habitavam. A verdade é que as gerações que sucederam a Noé lançaram-se à corrupção e afastaram-se do Senhor Deus, como um *déjà-vu* do que acontecera aos primeiros homens depois de Adão. Apesar de mais um desvio, o Criador nunca desistiu do plano inicial nem de seu intento para toda a humanidade; ele buscou um novo começo. Mais um novo começo.

Aqui se encontra um ponto importante do período antes da Lei: o recomeço com Abraão. O Senhor o escolheu e chamou para que andasse alinhado com os propósitos divinos, fazendo-lhe uma promessa, seguida de juramento (Hebreus 6.13,14): em Abraão seriam benditas todas as famílias da terra (Gênesis 12.3). Desde aquele momento, o Deus Altíssimo já apontava para a verdadeira solução, que seria capaz de abençoar não menos que todos os povos da terra: a futura manifestação de Cristo, descendente do patriarca.

Por conseguinte, conclui-se que Deus escolheu Abraão e sua linhagem com o claro objetivo de resolver a situação do pecado. O plano era demonstrar, mediante a descendência do pai da fé, justiça, amor e graça, como capítulos de uma longa história, até chegar ao ato final, no qual entraria em cena o Messias. A solução definitiva não se manifestaria no período de vida de Abraão, tampouco nos séculos seguintes, mas a preparação para isso já tivera início.

El Shadday firmou uma aliança na qual prometia dar à descendência de Abraão a terra de Canaã (Gênesis 15.18). A linhagem abraâmica viria, no futuro, se estabelecer ali como nação. A ideia de um cumprimento não imediato da promessa pode ser percebida em detalhes antecipados pelo próprio Senhor:

> Então o Senhor lhe disse: "Saiba que os seus descendentes serão estrangeiros numa terra que não lhes pertencerá, onde também serão escravizados e oprimidos por quatrocentos anos. Mas eu castigarei a nação a quem servirão como escravos e, depois de tudo, sairão com muitos bens. Você, porém, irá em paz a seus antepassados e será sepultado em boa velhice. Na quarta geração, os seus descendentes voltarão para cá, porque a maldade dos amorreus ainda não atingiu a medida completa" (Gênesis 15.13-16).

O pai da fé também recebeu instruções sobre a preparação e a continuidade geracional da fé e da obediência a Deus (Gênesis 18.19). Além disso, o Novo Testamento revela um detalhe particular da fé dos patriarcas, o que inclui Abraão: "Todos esses viveram pela fé e morreram sem receber o que tinha sido prometido; viram-no de longe e de longe o saudaram, reconhecendo que eram estrangeiros e peregrinos na terra" (Hebreus 11.13).

Em suma, a solução não chegaria depressa, mas a preparação havia começado.

Por que Deus escolheu Abraão? Como premissa, é importante lembrar que os planos divinos parecem intencionar sempre mais do que apenas o indivíduo em si — Deus pensa em gerações, em séculos, em milhares de anos à frente. A resposta, então, não é que o Senhor desejava a multiplicação do homem Abraão, tornando-o uma grande nação em seu próprio tempo e nada além disso. Qual era o propósito divino para aquela nação abraâmica embrionária? O Senhor almejava tocar toda a terra! Sim, foi por isso que fez a promessa ao patriarca: "por meio de você todos os povos da terra serão abençoados" (Gênesis 12.3).

Ao escolher o povo hebreu para si, Deus não objetivava que somente os hebreus conhecessem o Criador. Seu desejo era que todas as nações fossem influenciadas e, portanto, abençoadas pelo que aconteceria com aquela linhagem e por meio dela. Dela viria o Cristo, nada menos que a solução definitiva para todos os povos da terra. É importante destacar o amplo propósito divino. Depois do começo com Adão e de um novo começo com Noé, houve um recomeço com Abraão e a continuidade maravilhosa com a chegada de Jesus Cristo.

Outro aspecto a salientar é a agenda predefinida e adiantada com Abraão pelo Senhor, que define um marco de transição do primeiro para o segundo período: a linhagem do patriarca seria reduzida à escravidão em terra alheia, mas na quarta geração, quatrocentos anos depois, seria liberta. Somente depois de quatro séculos, portanto, os hebreus se tornariam a nação numerosa da qual Deus falara, que entraria e tomaria posse da terra prometida: "Ao se aproximar o tempo em que Deus cumpriria sua promessa a Abraão, aumentou muito o número do nosso povo no Egito" (Atos 7.17).

Em seguida, mais uma vez, o relato bíblico enfatiza o tempo: "Naquele tempo nasceu Moisés, que era um menino extraordinário" (Atos 7.20; nota da NVI: "era bonito aos olhos de Deus") — por meio de Moisés, a Lei foi dada, e o novo período teve início, ou seja, o tempo da Lei. Os dois versículos de Atos são palavras de Estêvão, o primeiro mártir, proferidas na pregação que antecedeu sua execução. Ele ainda definiu Moisés não apenas como o libertador dos israelitas, mas como um legislador, que recebera revelações divinas para um novo tempo na história da humanidade: "Ele estava na congregação, no deserto, com o anjo que lhe falava no monte Sinai e com os nossos antepassados, *e recebeu palavras vivas, para transmiti-las a nós*" (Atos 7.38).

Antes de tratarmos de Moisés, da Lei e de detalhes desse período por vezes mal interpretado, é necessário mergulhar um pouco mais na história de Abraão, símbolo do recomeço do plano divino.

REVELAÇÕES DIVINAS A ABRAÃO

Abraão, além de ter seu nome anterior mudado por Deus, recebeu vários outros títulos. É chamado de pai de nações (Gênesis 17.4), patriarca (Hebreus 7.4), homem de fé (Gálatas 3.9), pai da circuncisão (Romanos 4.12), amigo de Deus (2Crônicas 20.7), escolhido (Neemias 9.7), servo de Deus (Salmos 105.6), além de ser reconhecido como intercessor (Gênesis 18.22-33) e pai dos que creem (Romanos 4.11).

No entanto, há algo sobre esse homem de Deus que pouca gente percebe: ele foi chamado de **profeta**. Não, ele não se autodenominou profeta; o próprio Senhor foi quem o chamou assim! Quando se encontrava em Gerar, Abraão, receoso, mentiu ao rei Abimeleque acerca de Sara; negou que ela fosse sua esposa, afirmando tratar-se de sua irmã. O rei decidiu, então, tomá-la para si como mulher. Levou-a para casa; antes de ter relações sexuais com ela, porém, o Senhor apareceu a ele em sonho, advertindo sobre o pecado que estava prestes a cometer, o que o levou a ordenar a restituição de Sara ao marido: "Agora devolva a mulher ao marido dela. *Ele é profeta* e orará em seu favor, para que você não morra. Mas, se não a devolver, esteja certo de que você e todos os seus morrerão" (Gênesis 20.7).

Ao olhar para Abraão como profeta, é necessário destacar as manifestações divinas em sua vida, principalmente as revelações que recebia. Quero enumerar algumas e, desse modo, destacar o que, em geral, é ignorado: o pai dos que creem era um homem que recebia revelações divinas.

1. "*O Senhor disse a Abrão* [...]" (Gênesis 12.1). Este é o momento do chamado inicial, que impulsionou o patriarca a seguir rumo a uma terra desconhecida, ainda a ser apontada por Deus.

2. "*O Senhor apareceu a Abrão e disse* [...]" (Gênesis 12.7). Ao chegar a Canaã, o pai da fé recebe a primeira promessa acerca da terra prometida que seria entregue à sua linhagem.

3. *"Disse o Senhor a Abrão [...]"* (Gênesis 13.14). Logo depois de separar-se de seu sobrinho Ló (instrução divina inicial que o patriarca havia ignorado), Deus volta a falar com Abraão a respeito da herança prometida.

4. *"Depois dessas coisas o Senhor falou a Abrão numa visão: 'Não tenha medo, Abrão! Eu sou o seu escudo; grande será a sua recompensa!'"* (Gênesis 15.1). Depois da guerra contra os reis que haviam levado cativo seu sobrinho Ló e do encontro com Melquisedeque, o Senhor fala novamente com seu servo por meio de uma visão. Foi nela que o Altíssimo revelou os quatrocentos anos de escravidão que os hebreus enfrentariam no Egito, embora também tenha anunciado que sairiam de lá com muitos bens e voltariam para possuir Canaã.

5. *"Quando Abrão estava com noventa e nove anos de idade, o Senhor lhe apareceu e disse: 'Eu sou o Deus todo-poderoso; ande segundo a minha vontade e seja íntegro'"* (Gênesis 17.1). Este foi o episódio no qual Deus reafirmou a aliança com Abraão e sua descendência, além de instituir o rito da circuncisão como sinal dela (Gênesis 17.13). O Senhor também mudou o nome de Sarai, sua esposa, para Sara. Falou, ainda, a respeito de Sara dar à luz um filho, que se chamaria Isaque — logo após tal declaração, a manifestação divina se encerrou: *"Quando terminou de falar com Abraão, Deus subiu e retirou-se da presença dele"* (Gênesis 17.22).

6. *"O Senhor apareceu a Abraão perto dos carvalhos de Manre [...]"* (Gênesis 18.1). Antes de comunicar a destruição das cidades de Sodoma e de Gomorra, Deus visitou seu amigo. A teologia classifica esse tipo de aparição divina de "teofania" — uma espécie de "manifestação limitada" da presença de Deus. Na mesma ocasião, o nascimento de Isaque é novamente anunciado, e Sara, ouvindo atrás da tenda, riu da notícia.

7. *"Mas Deus lhe disse* [a Abraão] *[...]"* (Gênesis 21.12). No dia do banquete de celebração pelo desmame de Isaque, Sara se aborrece com Ismael, que caçoava do irmão mais novo, e decide que ele não seria herdeiro com o filho dela. Isso pareceu penoso aos olhos de Abraão, tanto que foi necessário o Senhor falar com o patriarca para que desse ouvidos à esposa.

8. *"Passado algum tempo, Deus pôs Abraão à prova, dizendo-lhe: 'Abraão!' Ele respondeu: 'Eis-me aqui'"* (Gênesis 22.1). Aqui encontramos o clássico episódio em que o Altíssimo pede ao patriarca que ofereça seu próprio filho em sacrifício no monte Moriá.

9. *"Mas o Anjo do Senhor o chamou do céu: 'Abraão! Abraão!' 'Eis-me aqui', respondeu ele. 'Não toque no rapaz', disse o Anjo. 'Não lhe faça nada. Agora sei que você teme a Deus, porque não me negou seu filho, o seu único filho'"* (Gênesis 22.11,12). Logo depois da solicitação divina da oferta de Isaque, o amigo de Deus levantou cedo e, em obediência ao comando, seguiu rumo ao lugar indicado. No terceiro dia de viagem, viu o lugar do sacrifício ainda a distância. Quando finalmente chegou e estava pronto para imolar o filho, o Senhor pediu que não concluísse o que estava disposto a fazer. Em lugar de Isaque, Abraão sacrificou o cordeiro provido pelos céus. Então, naquela hora, Deus falou a Abraão novamente: "Pela segunda vez o Anjo do Senhor chamou do céu a Abraão e disse: *'Juro por mim mesmo', declara o Senhor, 'que, por ter feito o que fez, não me negando seu filho, o seu único filho, esteja certo de que o abençoarei e farei seus descendentes tão numerosos como as estrelas do céu e como a areia das praias do mar. Sua descendência conquistará as cidades dos que lhe forem inimigos e, por meio dela, todos os povos da terra serão abençoados, porque você me obedeceu'"* (Gênesis 22.15-18).

A segunda vez que o Anjo do Senhor falou com Abraão é o último relato de uma manifestação sobrenatural, registrada nas Escrituras, antes da morte do pai de nações. Agrupei ambas na mesma experiência porque se deram no mesmo evento, no mesmo dia. A ideia é mostrar que o patriarca, além de ser chamado por Deus de *profeta*, era familiarizado tanto com a voz divina quanto com as visões celestiais.

Outra verdade que merece destaque é uma declaração do próprio Senhor a respeito do pai de fé:

O Senhor disse: — Será que eu devo esconder de Abraão **o que estou para fazer,** visto que Abraão certamente virá a ser uma grande e poderosa nação, e **nele serão benditas todas as nações da terra**? (Gênesis 18.17,18, NAA).

Essa declaração divina foi feita antes da destruição de Sodoma e Gomorra, comunicada pelo próprio Deus, em primeira mão, a seu servo Abraão. Alguns podem pensar que a antecipação do Senhor ao patriarca acerca do que estava por vir limita-se apenas ao episódio específico de juízo sobre as duas cidades ímpias; entretanto, a dedução é equivocada e incompleta. Na lista de experiências proféticas, enumerada parágrafos atrás, é notório que muitos eventos futuros foram revelados pelo Senhor a Abraão. Não se trata de coincidência ou aleatoriedade, mas de um *padrão*, encontrado de forma recorrente nas Escrituras Sagradas. Como bem registrou o profeta Amós:

> Certamente o Senhor Deus **não fará coisa alguma**, **sem primeiro revelar o seu segredo aos** seus servos, os **profetas** (Amós 3.7, NAA).

Observe ainda que, voltando ao trecho de Gênesis 18, quando o Senhor disse que não esconderia de Abraão o que estava para fazer, não disse que faria isso porque o patriarca era profeta ou por ser seu amigo. Não; a razão apresentada pelo próprio Criador foi: "visto que [...] nele serão benditas todas as nações da terra". Para fins elucidativos, poderíamos expressá-lo da seguinte maneira: "Já que a minha solução redentora para toda a humanidade partirá desse homem e sua linhagem, quero que ele saiba coisas que acontecerão no futuro da humanidade, acerca do estabelecimento do meu Reino na terra".

Insisto em apresentar esse panorama antes de entrar no conteúdo das revelações que Abraão teve, devidamente autenticado no Novo Testamento. As revelações celestiais recebidas pelo patriarca não se limitavam a informar quando nasceria Isaque, o filho da promessa, em qual posição geográfica habitaria sua linhagem e quanto tempo os hebreus seriam escravizados antes de regressarem a Canaã. Todas essas revelações envolvem também a obra redentora de Deus em favor de toda a humanidade, que alcançaria o ápice em Jesus Cristo.

Revelação de Cristo

>Abraão, o pai de vocês, **alegrou-se por ver o meu dia; e ele viu esse dia e ficou alegre**. Então os judeus lhe perguntaram: — Você não tem nem cinquenta anos e viu Abraão? Jesus respondeu: — Em verdade, em verdade lhes digo que, antes que Abraão existisse, Eu Sou. (João 8.56-58, NAA)

Os judeus não entenderam a afirmação de Jesus. Enquanto o Mestre procurava explicar o fato de Abraão ter visto profeticamente o dia do Filho, eles interpretaram que o patriarca apenas avistara Cristo fisicamente. Eles enfatizaram a idade de Jesus, na tentativa de salientar a impossibilidade de um encontro entre ambos, ao que o Deus encarnado responde destacando sua preexistência: "antes que Abraão existisse, Eu Sou". A resposta de nosso Senhor, se isolada, poderia até sugerir que ele falava realmente de um encontro pessoal com o patriarca. Entretanto, o início da conversa evidencia o que, de fato, o pai da fé viu: **o dia de Cristo**.

Quando exatamente Abraão *viu* esse dia?

Na ocasião em que Deus pediu a ele que sacrificasse Isaque, seu filho. Ele seguiu, por direção divina, rumo ao monte Moriá (Gênesis 22.2), lugar onde seria posteriormente determinada a construção do templo de Salomão (2Crônicas 3.1), perto também do local onde Cristo seria crucificado. Aqui há figuras espirituais por trás do evento em si. O autor de Hebreus estabelece a "recuperação" de Isaque, então sentenciado à morte, como figura da ressurreição:

>Pela fé, Abraão, quando posto à prova, ofereceu Isaque. Aquele que acolheu as promessas de Deus estava a ponto de sacrificar o seu único filho, do qual havia sido dito: "A sua descendência virá por meio de Isaque." Abraão considerou que Deus era poderoso até para **ressuscitar Isaque dentre os mortos**, de onde também **figuradamente o recebeu de volta** (Hebreus 11.17-19, NAA).

Contudo, ainda não chegamos ao ponto. Estamos apenas estruturando o raciocínio. Voltando ao relato de Gênesis 22, quando o Senhor pede a Abraão que ofereça Isaque em sacrifício, encontramos alguns detalhes importantes. Comecemos pela pergunta feita pelo garoto que, até então, não fazia a menor ideia do que estava para acontecer:

> Abraão pegou a lenha para o holocausto e a colocou nos ombros de seu filho Isaque, e ele mesmo levou as brasas para o fogo, e a faca. E, caminhando os dois juntos, Isaque disse a seu pai, Abraão: "Meu pai!" "Sim, meu filho", respondeu Abraão. Isaque perguntou: "As brasas e a lenha estão aqui, **mas onde está o cordeiro para o holocausto?**" (Gênesis 22.6,7).

Uma pergunta pertinente e lógica. Se alguém estava para oferecer um sacrifício, e a essência desse tipo de oferta era matar um cordeiro, então a preocupação óbvia seria com respeito ao animal a ser sacrificado. O menino ficou intrigado. Imagino que, no lugar dele, nós também ficaríamos. É como alguém chegar a um posto de gasolina e pedir ao frentista para encher o tanque, mas estar a pé. O que Abraão fez deve ter parecido tão ridículo quanto o pedido do pedestre ao frentista.

Pois bem, durante muitos anos, pensei que havia sido evasiva a resposta do pai ao filho que rumava para a morte: "Deus mesmo há de prover o cordeiro para o holocausto, meu filho" (Gênesis 22.8). Assim, dando-se por satisfeito, o garoto teria seguido com o pai ao lugar do sacrifício. Mas é justamente aqui que salta um sinal de alerta. Cristo afirmou taxativamente que Abraão viu *o seu dia*. Que dia? O dia de sua chegada como homem ao mundo? Não, a referência fora ao dia de sua morte!

Quero fazer uma interpretação da declaração profética do homem de Deus. Em sua resposta a Isaque, o pai da fé — homem escolhido por Deus para cooperar com os céus quanto à vinda do Redentor — estava dizendo: "Chegará o dia, meu filho, em que não apenas você escapará da morte à qual está sentenciado, mas cada um de nós, cada ser humano, será livre da necessidade de morrer, porque Jeová Jiré, o Deus Provedor, já proveu o *Cordeiro substituto* para todos nós!".

Esse princípio está de acordo com a revelação bíblica. Pedro afirmou que somos resgatados pelo precioso sangue de Cristo, o cordeiro "**conhecido**

antes da criação do mundo, revelado nestes últimos tempos" (1Pedro 1.20). A provisão do sacrifício de Jesus, no lugar do nosso sacrifício, foi predeterminada pelo Criador antes da fundação do mundo. Ao falar dessa provisão eterna, Isaías, o mais messiânico de todos os profetas, profetizou cerca de 700 anos antes de Cristo:

> Era desprezado e o mais rejeitado entre os homens, homem de dores e que sabe o que é padecer. E, como um de quem os homens escondem o rosto, era desprezado, e dele não fizemos caso. Certamente ele tomou sobre si as nossas enfermidades e as nossas dores levou sobre si; e nós o considerávamos como **aflito, ferido de Deus e oprimido**. Mas ele foi traspassado por causa das nossas transgressões e esmagado por causa das nossas iniquidades; **o castigo que nos traz a paz estava sobre ele**, e pelas suas feridas fomos sarados. Todos nós andávamos desgarrados como ovelhas; cada um se desviava pelo seu próprio caminho, mas **o Senhor fez cair sobre ele a iniquidade de todos nós**. Ele foi oprimido e humilhado, mas não abriu a boca. **Como cordeiro foi levado ao matadouro** e, como ovelha muda diante dos seus tosquiadores, ele não abriu a boca (Isaías 53.3-7, NAA).

Bendita graça divina! Desde o primeiro período da história da humanidade, antes da chegada da Lei mosaica, já havia anúncios do que nos aguardava: o sacrifício redentor de Cristo.

Inclusão dos gentios

Outra revelação divina a Abraão — dada, portanto, antes da chegada da Lei — diz respeito ao propósito divino para toda a terra, ou seja, incluía os gentios. Quem falou a esse respeito foi Paulo, na epístola aos cristãos da Galácia:

> Saibam, portanto, que os que têm fé é que são filhos de Abraão. Ora, tendo a Escritura **previsto** que Deus justificaria os gentios pela fé, **preanunciou o evangelho a Abraão**, dizendo: "Em você serão abençoados todos os povos." De modo que os que têm fé são abençoados com o crente Abraão (Gálatas 3.7-9, NAA).

A frase "preanunciou o evangelho a Abraão" é espetacular! "Preanunciar" significa anunciar antecipadamente. Os judeus passaram, ao longo dos anos, a gloriar-se por ser o povo descendente de Abraão. O que ignoraram foi que, embora o propósito eterno de Deus providenciasse o Redentor mediante a linhagem abraâmica, o alvo da oferta nunca fora somente os hebreus, e sim todos os povos da terra. A bênção prometida ao patriarca transbordaria para todas as nações da terra. Na interpretação neotestamentária retratada por Paulo aos gálatas, lemos: "para que em Cristo Jesus a bênção de Abraão chegasse também aos gentios" (Gálatas 3.14).

Voltaremos ao conceito de filhos da fé de Abraão, mencionado pelo apóstolo. Tal qual um quebra-cabeça doutrinário, encaixaremos, no momento certo, cada peça em seu devido lugar. A macrovisão, como vimos no capítulo anterior, é de suma importância, a qual, por sua vez, se constrói com a soma das microvisões, de forma paciente e ordenada.

Justificação pela fé

Não podemos dizer com precisão quanto Abraão entendeu da revelação antecipada, mas esta se tornou, de forma recorrente, parte fundamental do material usado no Novo Testamento para abordar a justificação pela fé. Quando Deus falou com seu servo, antes mesmo de firmarem uma aliança, a atitude de Abraão foi extraordinária, e isso foi registrado nas Sagradas Escrituras: "Abrão creu no SENHOR, e **isso lhe foi creditado como justiça**" (Gênesis 15.6).

Veja como Paulo explorou e aplicou no ensino do Novo Testamento essa relação entre fé e justiça:

> Que diremos, então, a respeito de Abraão, nosso pai segundo a carne? O que foi que ele conseguiu? Porque, se Abraão foi justificado por obras, tem do que se orgulhar, porém não diante de Deus. Pois o que diz a Escritura? Ela diz: "**Abraão creu em Deus, e isso lhe foi atribuído para justiça.**" Ora, para quem trabalha, o salário não é considerado como favor, mas como dívida. Mas, para quem não trabalha, **porém crê naquele que justifica o ímpio, a sua fé lhe é atribuída como justiça** (Romanos 4.1-5, NAA).

Logo em seguida, o apóstolo cita um salmo de Davi para retomar a relação entre Abraão, fé e justificação:

> Esta bem-aventurança vem apenas sobre os circuncisos ou será que ela vem também sobre os incircuncisos? Porque dizemos: "**A fé foi atribuída a Abraão para justiça.**" Como, pois, lhe foi atribuída? Estando ele já circuncidado ou sendo ainda incircunciso? Não foi no regime da circuncisão, mas quando ele ainda não havia sido circuncidado. E Abraão **recebeu o sinal da circuncisão como selo da justiça da fé que teve quando ainda não havia sido circuncidado.** E isto para que ele viesse a ser o pai de **todos os que creem**, embora não circuncidados, a fim de que a justiça fosse atribuída também a eles. Ele é também pai da circuncisão, isto é, daqueles que não são apenas circuncisos, mas **também andam nas pisadas da fé que teve Abraão**, nosso pai, antes de ser circuncidado. **A promessa de que seria herdeiro do mundo não veio a Abraão ou à sua descendência por meio da lei, e sim por meio da justiça da fé.** Pois, se os da lei é que são os herdeiros, **anula-se a fé** e cancela-se a promessa. Porque a lei suscita a ira; mas onde não há lei, também não há transgressão. **Essa é a razão por que provém da fé, para que seja segundo a graça**, a fim de que a promessa seja garantida para toda a descendência, não somente à descendência que está no regime da lei, mas também à descendência que tem a fé que Abraão teve — porque Abraão é pai de todos nós(Romanos 4.9-16, NAA).

Os eventos e as revelações que antecedem a chegada da Lei de Moisés ajudam a entender que, antes da chegada dela, que marca o *segundo* período da história da humanidade, o Senhor Deus já estava preparando simultaneamente a chegada do período posterior à Lei, o *terceiro* período: a graça — ou a fé, como, às vezes, Paulo opta por definir o período pós-Lei mosaica. Cabe aqui um comentário, que adaptamos, de H. Ray Dunning:

> Quando nos voltamos para o Antigo Testamento, não encontramos uma revelação contraditória, mas, antes, uma revelação preparatória que, sem dúvida, não tornou suficientemente clara a forma em que Deus lida com

o homem; por isso, depressa os recipientes da revelação perverteram o "evangelho" da revelação anterior ao legalismo. Uma leitura cuidadosa do acontecimento central do Antigo Testamento, ou seja, do Êxodo, revelará que este foi um ato explícito da graça da natureza do evangelho. Deus veio a um povo fraco e escravizado, sem nenhuma preparação ou merecimento de sua parte, e realizou uma libertação poderosa que os tornou, de fato, em um povo. A Lei não precedeu, mas seguiu esse ato salvífico como "resposta à graça".[7]

Essa construção lógica do apóstolo, tanto na epístola aos Romanos quanto na aos Gálatas, elucidam o motivo de Paulo resistir tanto à pregação da circuncisão, que alguns judeus insistiam em levar aos gentios. Ele estabelece que Abraão foi justificado ainda incircunciso; a circuncisão, à semelhança do batismo (Colossenses 2.11,12), foi dada apenas como selo da fé.

JUNTANDO PEÇAS

Finalizamos este capítulo com os pontos importantes do tempo que antecedeu a Lei, utilizando as informações já apresentadas, mas também acrescentando outras igualmente pertinentes, para facilitar uma visualização mais ampla.

Além de reconhecer a entrada do pecado na humanidade e os prenúncios da graça, deve-se salientar que alguns princípios e verdades se firmaram e ficaram muito bem definidos no primeiro período da história da humanidade. Julgo importante enumerar tais constatações:

O homem pecou e passou a ter a **necessidade de um futuro Salvador**. A promessa do descendente da mulher (Gênesis 3.15) alcançaria cumprimento literal: "Deus enviou seu Filho, nascido de mulher" (Gálatas 4.4).

A obediência era necessária, mesmo sem existir uma lei escrita. Isso fica evidente quando o Senhor instrui Abraão a preparar sua

---

[7] DUNNING, H. Ray. **Graça, fé & santidade:** uma teologia sistemática wesleyana. Lisboa: Literatura Nazarena Portuguesa, 2018. p. 170.

linhagem para o cumprimento do propósito: " 'De sua parte', disse Deus a Abraão, '*guarde* a minha aliança, tanto você como os seus futuros descendentes. Esta é a minha aliança com você e com os seus descendentes, aliança que terá que ser guardada: Todos os do sexo masculino entre vocês serão circuncidados na carne' " (Gênesis 17.9,10). Posteriormente, o patriarca também recebeu advertência divina específica sobre obediência: "Pois eu o escolhi, para que ordene aos seus filhos e aos seus descendentes que se conservem no caminho do Senhor, fazendo o que é justo e direito [...]" (Gênesis 18.19). Ainda podemos destacar a referência do apóstolo Pedro aos que "há muito tempo *desobedeceram*, quando Deus esperava pacientemente nos dias de Noé, enquanto a arca era construída. Nela apenas algumas pessoas, a saber, oito, foram salvas por meio da água" (1Pedro 3.20).

A fé também era necessária desde antes da Lei. As Escrituras são claras:

Pela fé, *Abel* ofereceu a Deus um sacrifício mais excelente do que Caim, pelo qual obteve testemunho de ser justo, tendo a aprovação de Deus quanto às suas ofertas. Por meio da fé, mesmo depois de morto, ainda fala. Pela fé, *Enoque* foi levado a fim de não passar pela morte; não foi achado, porque Deus o havia levado. Pois, antes de ser levado, obteve testemunho de que havia agradado a Deus. De fato, sem fé é impossível agradar a Deus, porque é necessário que aquele que se aproxima de Deus creia que ele existe e que recompensa os que o buscam. Pela fé, *Noé*, divinamente instruído a respeito de acontecimentos que ainda não se viam e sendo temente a Deus, construiu uma arca para a salvação de sua família. Assim, ele condenou o mundo e se tornou herdeiro da justiça que vem da fé (Hebreus 11.4-7, NAA).

Depois de falar de Abel, Enoque e Noé, o autor da carta aos Hebreus ainda fala da fé de Abraão, Sara, Isaque, Jacó e José. Somente depois é que aparecem declarações da fé de Moisés, sinalizando a chegada da Lei divina.

A pregação da justiça já acontecia. Observe o que Pedro falou acerca de Noé: "Ele não poupou o mundo antigo quando trouxe o Dilúvio sobre aquele povo ímpio, mas preservou Noé, *pregador da justiça*, e mais sete pessoas" (2Pedro 2.5). Se o apóstolo definiu Noé como pregador e afirmou que pessoas foram desobedientes à mensagem dele (1Pedro 3.20), é porque seguramente foi assim; já havia pregação da justiça e resposta de obediência ou desobediência.

O plano divino sempre incluiu os gentios. Ao anunciar que na descendência de Abraão seriam benditos os povos da terra (Gênesis 12.3), Deus deixou claro aquilo que, depois da Lei mosaica, seria claramente entendido e ratificado: o evangelho é para todos. O Concílio de Jerusalém entendeu e estabeleceu tal verdade de forma permanente, como visão e propósito da igreja (Atos 15.13-20).

Estabelecidos os fundamentos do primeiro período, passemos à chegada da Lei de Moisés e aos detalhes do tempo em que vigorou.

* * *

Antes da Lei

SINOPSE DO CAPÍTULO EM TÓPICOS

1. O pecado original mudou a natureza do homem: essencialmente pecador.

2. Universalidade do pecado: por uma questão de reprodução, todos os descendentes de Adão já nascem pecadores, antes mesmo de cometer pecado.

3. Não só o pecado, mas também a graça se manifestou no Éden: a pele de um cordeiro sacrificado vestiu os pecadores, apontando para a obra de Cristo.

4. Três começos: Adão, Noé e Abraão.

5. O profeta Abraão vislumbrou o dia da morte de Cristo e entendeu que não apenas Isaque teria um "cordeiro substituto": preanunciou o evangelho de que todos os homens poderiam ser livres da necessidade de morrer por meio da morte substitutiva do Cordeiro Jesus.

6. O plano da redenção, que teve início em Abraão, já abrangia todos os povos: o evangelho é para todos.

7. Desde Abraão, obediência era necessária, a justificação acontecia pela fé e já havia pregação da justiça.

PERGUNTAS PARA REFLEXÃO

1. É correto dizer que, sem entender os danos do pecado, não poderemos mensurar a abrangência da salvação?

2. Como Adão se tornou o grande disseminador do pecado a toda a humanidade?

3. Como você explicaria a expressão "universalidade do pecado"?

4. Seria justo dizer que, assim como o pecado, a graça divina também esteve no Éden? Por quê?

5. O livro de Gênesis (cuja palavra significa "começo") é conhecido como "o livro dos começos". Nele, encontramos três tentativas distintas do Criador para com a redenção da humanidade. Quais são elas?

6. O que significa a declaração de Jesus: "Abraão viu o meu dia e se alegrou"?

7. A Bíblia revela que, apesar de Deus ter escolhido Abraão e sua linhagem, também previu a justificação, pela fé, dos gentios. Quando isso se deu?

CAPÍTULO 3

PRAZO E PROPÓSITO DA LEI

A Lei foi concedida por Deus para que busquemos a graça, e a graça nos é oferecida para que possamos cumprir a Lei.

Agostinho de Hipona

Uma vez que o entendimento correto a respeito da graça está atrelado ao entendimento correto da Lei, é hora de falar o que era — e, é claro, o que não era — a Lei de Moisés. O conteúdo dessa manifestação divina foi comunicado ao líder e libertador do povo hebreu, para servir de guia aos homens por um período específico.

> Porque **a lei foi dada por meio de Moisés;** a graça e a verdade vieram por meio de Jesus Cristo. (João 1.17, NAA)

Vimos que, antes de Moisés, não existia nem vigorava uma lei, embora já houvesse mandamentos específicos a serem observados — a circuncisão, por exemplo. Além disso, em todo o primeiro período da história dos homens, não se contava com uma solução definitiva para a queda e suas consequências.

Não quero dizer que não houvesse salvação para as pessoas daquele tempo, porque o próprio Jesus ressaltou: "Eu digo que muitos virão do oriente e do ocidente e se sentarão à mesa com Abraão, Isaque e Jacó no Reino dos céus. Mas os súditos do Reino serão lançados para fora, nas trevas, onde haverá choro e ranger de dentes" (Mateus 8.11,12). Com tais palavras, Cristo não apenas anunciou a salvação dos gentios e a exclusão de alguns israelitas do Reino dos céus, como também garantiu a presença dos patriarcas, que viveram antes da Lei e da graça, em uma mesa posta na glória celestial. No capítulo seguinte, veremos em detalhes como se dava essa dinâmica de salvação para o povo daquela época; no entanto, vale clarificar desde já que a ausência de uma lei não implicou ausência de salvação.

Biblicamente, vemos que a Lei, cuja chegada marcou o início do segundo período, também não foi capaz de reverter a situação de pecado dos seres humanos — aliás, nem era para ser, uma vez que este não era seu objetivo. É preciso destacar, contudo, que ela não foi dada *sem propósito*. Houve um motivo, mas devemos delinear seu mérito. Mesmo não trazendo solução permanente, a Lei revelou ainda mais a seriedade do pecado e de seus consequentes danos à humanidade, além de realçar tanto a necessidade quanto a importância da obra de um Salvador, de um Redentor — Cristo —, solução divina real e definitiva para a queda do homem.

Uma das primeiras coisas a discernir acerca da Lei é sua *condição temporária*, o que é de grande ajuda para se evitarem equívocos doutrinários. Houve um período anterior à Lei, assim como um posterior, quando esta foi substituída pela nova aliança. Vejamos várias definições neotestamentárias que mostram, entre outras coisas, o porquê da descontinuidade.

É com temor e cuidado que abordaremos o conceito da caducidade da Lei de forma abrangente, tão ampla quanto as Escrituras permitem, com consciência de que a ignorância descamba em desvios doutrinários. Como resultado, há aqueles que, de um lado, querem *inutilizar* praticamente a totalidade do Antigo Testamento; também há os que tentam *judaizar* o cristianismo, preservando a Lei em seus velhos moldes, ao mesmo tempo que criam uma aliança híbrida, isto é, uma espécie de mistura entre a antiga aliança e a nova aliança. Nem estes, nem aqueles.

PRAZO DE VALIDADE

Alguns livros do Novo Testamento tratam de Lei e graça de forma minuciosa e holística, em especial as epístolas de Romanos, Gálatas e Hebreus.

Prazo e propósito da Lei

Contudo, ao longo de todo o texto neotestamentário, há citações do Antigo Testamento e suas devidas aplicações, o que ajuda a entender o peso e a relevância daquilo que passou para a formação do que vigora atualmente: a doutrina cristã da nova aliança. A própria declaração do apóstolo João, citada no início do capítulo, denota que houve substituição de uma era por outra: Lei, depois graça e verdade. O que fica evidente no decorrer dos escritos do Novo Testamento é esse caráter *transitório* da Lei, que teve seu tempo, embora não mais — durante o qual foi a preparação para algo superior que estava por vir, sendo substituída por algo melhor.

Nesse sentido, o autor de Hebreus destaca a supremacia de Cristo em relação ao primeiro legislador, Moisés:

> No entanto, assim como aquele que edifica uma casa tem maior honra do que a casa em si, também **Jesus tem sido considerado digno de maior glória do que Moisés**. Pois toda casa é edificada por alguém, mas aquele que edificou todas as coisas é Deus. E **Moisés foi fiel**, em toda a casa de Deus, **como servo**, para testemunho das coisas que haviam de ser anunciadas. **Cristo**, porém, como **Filho**, é fiel em sua casa. Esta casa somos nós, se guardarmos firme a ousadia e a exultação da esperança (Hebreus 3.3-6, NAA).

Aliás, ao longo de toda a carta dirigida aos crentes hebreus, o escritor prova a *superioridade* do sacerdócio de Jesus Cristo em relação ao sacerdócio levítico, estabelecido juntamente com a Lei. Consideremos uma dessas declarações:

> Mas agora **Jesus** obteve um ministério tanto mais excelente, quanto é também **Mediador de superior aliança** instituída com base em **superiores promessas**. Porque, se aquela **primeira aliança** tivesse sido **sem defeito**, de maneira alguma estaria **sendo buscado lugar para uma segunda aliança** (Hebreus 8.6,7, NAA).

A ênfase na *imperfeição* da Lei é a justificativa para sua substituição. Ao usar a expressão "se aquela primeira aliança tivesse sido sem defeito", o escritor se refere a uma deficiência de essência, incorrigível.

Qual é essa deficiência? Paulo responde: a justificação do homem diante de Deus dá-se por fé, não pelo cumprimento da Lei. O apóstolo direciona o holofote das Escrituras uma vez mais para o caráter temporário da Lei por sua ineficiência na obra de justificar o pecador. Veja as afirmações esclarecedoras que ele fez aos cristãos da Galácia:

> E é evidente que, **pela lei, ninguém é justificado diante de Deus**, porque "o **justo viverá pela fé**". Ora, **a lei não procede de fé**, mas "aquele que observar os seus preceitos por eles viverá" (Gálatas 3.11,12, NAA).

Logo depois de fundamentar a importância da fé, coisa que a Lei mosaica não fazia, o apóstolo menciona outro aspecto importante. Os gálatas haviam sido afetados pelo ensino equivocado de alguns judeus que não admitiam o fim da Lei. Mesmo sendo gentios, estavam sendo convencidos a praticar a circuncisão e a guardar os estatutos antigos. A obstinação daqueles falsos mestres em não renunciar à Lei justifica-se por atribuírem a ela caráter irrevogável em vez de entenderem que fora dada com *prazo de validade*. Visando a combater tal lógica, Paulo atestou que, antes de pensar na Lei, era necessário entender o período anterior a ela, ou seja, a estação em que Deus começou a pavimentar o caminho da redenção mediante sua aliança com Abraão. O desenvolvimento do raciocínio do apóstolo é elucidativo:

> Irmãos, falo em termos humanos. Ainda que uma aliança seja meramente humana, uma vez ratificada, ninguém a revoga ou lhe acrescenta coisa alguma. Ora, **as promessas foram feitas a Abraão e ao seu descendente**. Não diz: "e aos descendentes", como falando de muitos, porém como falando de um só: **"e ao seu descendente", que é Cristo**. E digo isto: uma aliança já anteriormente confirmada por Deus não pode ser revogada **pela lei, que veio quatrocentos e trinta anos depois, a ponto de anular a promessa**. Porque, se a herança provém de lei, já não decorre de promessa. Mas foi pela promessa que Deus a concedeu gratuitamente a Abraão (Gálatas 3.15-18, NAA).

Observemos que Paulo, dando destaque à promessa divina feita a Abraão, salienta que ela tanto aponta para Cristo como também se cumpre nele.

O apóstolo, dessa forma, contra-ataca a alegação de que a pregação da fé não poderia anular a Lei — com base nessa alegação, muitos se recusavam a aceitar um fim para a Lei mosaica. Paulo defende que a verdade é justamente o oposto: a Lei é que não tem condições de anular a promessa estabelecida *antes* da existência da própria Lei.

Este é um ponto crucial na exposição do apóstolo sobre graça.

A Lei de Moisés é apenas um desdobramento temporário da promessa divina feita a Abraão; não anula a promessa preexistente, baseada no plano original do Criador, nem foi instituída para concentrar toda a solução em si mesma — havia imperfeição, o plano não terminou de cumprir-se nela. A Lei não pode ser considerada maior do que a promessa que, desde Abraão, demandava fé.

Juntando as peças, podemos resumir que a estratégia divina de como redimir o homem já estava em curso antes do estabelecimento da Lei em si, continuou em curso por intermédio da Lei e teve seu cumprimento na vida, na morte e na ressurreição do Redentor — início de uma nova era. Desde o início, a justificação sempre foi pela fé, até mesmo no tempo de vigor da Lei, e a fé continuou sendo o acesso após a obra do Messias.

Na sequência, depois de construir esse fundamento, o escritor de Gálatas questiona e responde sobre qual era o propósito da Lei:

> Logo, **para que é a lei?** Ela foi **acrescentada** por causa das transgressões, **até que viesse o descendente** a quem se fez a promessa, e foi promulgada por meio de anjos, pela mão de um mediador. Ora, o mediador não é de um só, mas Deus é um só.
>
> **Seria, então, a lei contrária às promessas de Deus?** De modo nenhum! Porque, se fosse promulgada uma lei que pudesse dar vida, então a justiça seria, de fato, procedente de lei. Mas a Escritura encerrou tudo sob o pecado, para que, **mediante a fé em Jesus Cristo, a promessa fosse concedida aos que creem** (Gálatas 3.19-22, NAA).

O prazo e o propósito da Lei são nitidamente especificados no versículo 19: "foi acrescentada *por causa das transgressões, até que* [...]".

Primeiro, denota-se que a Lei foi adicionada por uma razão: "por causa das transgressões". Lembre-se de que o pecado é um problema de natureza, não apenas de comportamento. A Lei, sendo um guia voltado a comportamentos, não conseguia resolver o problema em si, mas foi um remédio para tratá-lo, como se um movimento intermitente estivesse lidando com o pecado da humanidade antes da aparição da solução definitiva. Nesse sentido, é o autor de Hebreus quem aponta para o fato de que os sacrifícios executados durante a Lei *cobriam*, mas não *removiam* os pecados: "nesses sacrifícios ocorre recordação de pecados todos os anos, porque *é impossível que o sangue de touros e de bodes remova pecados*" (Hebreus 10.3,4, NAA). Voltando ao versículo 19 de Gálatas 3, Paulo assegura o caráter temporário da Lei e seu cumprimento na pessoa de Cristo com um simples "até que". Ela teve propósito e também prazo de validade: veio para lidar com o pecado, mesmo que de forma imperfeita, e terminou com a chegada do "Descendente", o Justificador, o único capaz de fazer o que ela jamais pôde ou poderia fazer por si mesma.

Diante da verdade sobre a Lei, Paulo lança, de forma esplêndida, o seguinte complemento:

> Mas, antes que viesse a fé, estávamos **sob a tutela da lei** e nela encerrados, **para essa fé que, no futuro, haveria de ser revelada**. De maneira que **a lei se tornou nosso guardião para nos conduzir a Cristo**, a fim de que fôssemos justificados pela fé. Mas, **agora que veio a fé, já não permanecemos subordinados ao guardião** (Gálatas 3.23-25, NAA).

O apóstolo classificou a Lei como um *guardião*, ou *tutor* (NVI), que conduziria o homem a Cristo. Disse que os homens permaneceriam sob sua tutela até um dia futuro em que a fé haveria de revelar-se. Portanto, se o propósito para o qual a Lei estava guardando os homens cumpriu-se com a chegada da fé — na primeira vinda de Cristo —, já não há necessidade de permanecer subordinado ao guardião. A tutela da Lei se encerrou!

É necessário abrir parênteses aqui, para explicar o que poderia aparentar contradição. Quando Paulo menciona a *chegada* da fé, ao utilizar a expressão "antes que viesse a fé" (Gálatas 3.23), refere-se a crer em Jesus como o Salvador aguardado, aquele sobre o qual a promessa feita a Abraão já anunciava. Não quer dizer, contudo, que não havia fé antes de Cristo, porque a frase "o justo viverá pela fé" consta nos escritos do Antigo Testamento. Aquela fé que justificou Abraão e muitos outros justos antes da era cristã referia-se, portanto, a uma promessa futura; a fé da nova aliança, mencionada pelo apóstolo, referia-se ao presente, ou seja, à concretização da promessa.

O conceito de alianças, abordado na carta dirigida aos hebreus, também é revelador sobre a caducidade da Lei. Depois de afirmar que "se aquela primeira aliança fosse perfeita, não seria necessário procurar lugar para outra" (Hebreus 8.7), o autor expande a explicação ao resgatar promessas do Antigo Testamento:

> E, de fato, repreendendo-os, diz: "Eis aí **vêm dias**, diz o Senhor, e **firmarei nova aliança** com a casa de Israel e com a casa de Judá, **não segundo a aliança que fiz com os seus pais**, no dia em que os tomei pela mão, para os tirar da terra do Egito; pois **eles não continuaram na minha aliança**, e eu não dei atenção a eles, diz o Senhor.
>
> Quando ele diz "nova aliança", **torna antiquada a primeira**. Ora, **aquilo que se torna antiquado e envelhecido está prestes a desaparecer** (Hebreus 8.8,9,13, NAA).

A nova aliança é distinta da antiga, e a prova é a afirmação "não segundo a aliança que fiz com os seus pais". Além disso, a nova aliança tornou antiquada a primeira. O resultado? O versículo 13 esclarece: "aquilo que se torna antiquado e envelhecido *está prestes a desaparecer*". O caráter temporário da Lei é inquestionável no ensino do Novo Testamento.

Ainda assim, alguns alegam que o propósito do Concílio de Jerusalém, registrado em Atos 15, foi *aliviar os gentios* da obrigação de guardar a Lei, sem, contudo, mudar as práticas dos judeus. A epístola aos Hebreus desconstrói por completo tal argumento! Direcionada a um povo que vivera séculos sob a Lei de Moisés, mas que havia recentemente crido em Cristo, a carta atesta categoricamente que essa Lei estava fadada a desaparecer. Como ignorar isso?

É importante questionar: qual era exatamente a aliança anterior? O próprio Senhor fez a referência: "no dia em que os tomei pela mão, para os tirar da terra do Egito". Trata-se da aliança firmada, no Sinai, com aquela geração de israelitas que deixou o Egito e recebeu a Lei. Visitando a história, atente para as palavras de instrução do Altíssimo acerca do pacto:

> No terceiro mês **depois da saída dos filhos de Israel da terra do Egito,** no primeiro dia desse mês, eles **chegaram ao deserto do Sinai.** Tendo partido de Refidim, vieram ao deserto do Sinai, no qual acamparam; ali Israel acampou **em frente ao monte.** Moisés subiu para encontrar-se com Deus. E do monte o Senhor o chamou e lhe disse:
>
> — Assim você falará à casa de Jacó e anunciará aos filhos de Israel: "Vocês viram o que fiz aos egípcios e como levei vocês sobre asas de águia e os trouxe para perto de mim. Agora, pois, se ouvirem atentamente a minha voz e **guardarem a minha aliança,** vocês serão a minha propriedade peculiar dentre todos os povos. Porque toda a terra é minha, e vocês serão para mim um reino de sacerdotes e uma nação santa." São estas as palavras que você falará aos filhos de Israel (Êxodo 19.1-6, NAA).

Outra alegoria usada na carta aos crentes hebreus é a do tabernáculo de Moisés: "Ora, a primeira aliança tinha regras para a adoração e também um *santuário terreno*" (Hebreus 9.1). Qual a razão de mencionar esse santuário? O escritor da epístola prossegue com uma explicação sobre a divisão de ambientes, os móveis e utensílios (Hebreus 9.2-5), embora conclua assim: "A respeito dessas coisas não cabe agora falar detalhadamente". Há uma rica mensagem na *tipologia* do tabernáculo, mas o propósito do escritor não era explicar em detalhes o significado de todas aquelas figuras. Então, qual é o objetivo? Era reconhecer a mensagem principal por trás:

> Dessa forma, **o Espírito Santo estava mostrando** que ainda não havia sido manifestado o caminho para o Lugar Santíssimo **enquanto permanecia o primeiro tabernáculo.** Isso é **uma ilustração para os nossos dias,** indicando que as ofertas e os sacrifícios oferecidos não podiam dar ao adorador uma consciência perfeitamente limpa. Eram apenas

prescrições que tratavam de comida e bebida e de várias cerimônias de purificação com água; essas ordenanças exteriores foram **impostas até o tempo da nova ordem** (Hebreus 9.8-10).

O Espírito Santo, que inspirou as Escrituras (1Pedro 1.21) — incluindo a Lei e seus detalhes — revelou, na nova aliança, que a mensagem do santuário divino erguido por Moisés era uma parábola, uma ilustração para o tempo presente. Além do mais, todas aquelas ordenanças foram "impostas até o tempo da nova ordem" ("até o tempo oportuno de reforma", NAA). Novamente temos a indicação do prazo de validade da Lei! Ela havia sido imposta *até o tempo oportuno de reforma*, mas não continuaria depois. Que reforma é essa, que fez findar o tempo da Lei? A reforma de graça e fé, marcas do início da nova aliança. Uma aliança findou, dando lugar ao início de outra.

Encerro a apresentação destes argumentos de caducidade da Lei citando duas declarações de Paulo. Na carta aos Efésios, ele reforça que a Lei foi abolida por Jesus: "*anulando* em seu corpo a Lei dos mandamentos expressa em ordenanças" (Efésios 2.15). Já aos romanos, dá ênfase ao caráter antigo da Lei, enquanto exalta a liberdade da nova maneira de servir:

>Agora, porém, **estamos livres da lei**, pois **morremos para aquilo a que estávamos sujeitos**, para que **sirvamos da maneira nova**, segundo o Espírito, **e não da maneira antiga**, segundo a letra (Romanos 7.6, NAA).

Aponto que trataremos acuradamente do significado de "o fim da lei é Cristo" (Romanos 10.4). Por ora, queremos apenas comprovar sua efemeridade. Esclarecido o caráter temporário, portanto, passemos a um entendimento aprofundado do *propósito* pelo qual a Lei foi dada.

PROPÓSITO DA LEI

Uma das deficiências do ensino moderno a respeito da graça deriva da falta de entendimento sobre o *propósito* da Lei. Sem entender o objetivo pelo qual foi estabelecido um tutor, ou guardião, para conduzir o homem a Cristo, provavelmente será difícil entender a razão de sua substituição; indo além, não se saberá bem o porquê de a graça ter sido instituída nesta nova época da humanidade.

Já reconhecemos que a Lei foi "acrescentada *por causa* das transgressões, até que viesse o Descendente a quem se referia a promessa" (Gálatas 3.19). Quem resolveria de forma plena o problema do pecado seria Cristo, o descendente a quem se fez a promessa. Até que ele viesse, o pecado, não removido, precisava ser tanto *contido* quanto *coberto*.

Ao usar o termo "contido", não me refiro à capacidade da Lei de parar a força do pecado, mas de *definir* claramente os *limites* divinos quanto ao comportamento humano. Com a chegada da Lei, não havia mais relativização de certo e errado. Ao mesmo tempo, definiu-se a base de julgamento sobre a qual as pessoas seriam julgadas ao falharem, o que salientou a necessidade da misericórdia e do perdão divinos.

Em relação a esse padrão, estabelecido como régua para medir a humanidade, citamos o doutor Russell Shedd (1929-2016), renomado teólogo que abençoou muito a igreja brasileira, por tantos anos, com fundamentações bíblicas claras e precisas:

> Tudo o que está errado neste mundo é consequência do desvio da retidão divina. Deus, sendo absoluto na sua justiça, não pode afastar-se do padrão estabelecido pela sua própria natureza. Quando Deus gravou a sua imagem de forma indelével no coração do homem, todos passaram a ser responsáveis diante dele (Hebreus 9.27). Tornou-se inevitável o senso de responsabilidade diante de alguém superior. A justiça gravada na consciência dos homens faz com que todos sejam responsáveis perante Deus e explica a capacidade universal de reconhecer a distinção que há entre justiça e injustiça. Por isso, o ideal de justiça se eleva entre os homens como um ponto de honra dos mais respeitados. A própria capacidade universal de distinguir o certo do errado veio do Criador. [...]
>
> Deus também exige justiça dos homens. Se Ele "não levou em conta os tempos da ignorância" (Atos 17.30) antes da manifestação da graça "salvadora a todos os homens" (Tito 2.11), agora ordena a todos que se arrependam. Seu governo sobre o universo reflete esta realidade. Deus não é apenas justo em si mesmo, mas também não admite a permanência do mal moral sem punição na sua criação. Todo ser criado à sua imagem é responsável. Daí a conhecida declaração de Paulo: "Portanto, a ira de

Deus é revelada dos céus contra toda impiedade e injustiça dos homens que suprimem a verdade pela injustiça" (Romanos 1.18). Não existe um foco sequer de iniquidade, provocada pela maldade dos homens, contra a qual Deus não direcione a sua ira. Na hora do julgamento final, todo ser humano terá de admitir suas falhas e transgressões diante desse padrão, mesmo que nunca tenha ouvido falar de Deus e de sua lei (Romanos 2.9).[1]

Ou seja, a afirmação paulina de que a Lei "foi acrescentada por causa das transgressões" diz respeito à definição do padrão de retidão divina, não ao aperfeiçoamento do homem, pecador por natureza. Aliás, as declarações neotestamentárias sobre a *incapacidade* da Lei de *aperfeiçoar* o ser humano são recorrentes. Observemos algumas delas, apresentadas em Hebreus:

> Portanto, **se a perfeição fosse possível por meio do sacerdócio levítico — pois foi com base nele que o povo recebeu a lei —**, que necessidade haveria ainda de que se levantasse outro sacerdote, segundo a ordem de Melquisedeque, e não segundo a ordem de Arão? [...]
>
> Portanto, por um lado, se revoga a ordenança anterior, por causa de sua fraqueza e inutilidade, pois **a lei nunca aperfeiçoou coisa alguma**; e, por outro lado, se introduz esperança superior, pela qual nos chegamos a Deus (Hebreus 7.11,18,19, NAA).
>
> Isso é uma parábola para a época presente, na qual se oferecem dons e sacrifícios, embora estes, no que diz respeito à consciência, sejam **ineficazes para aperfeiçoar aquele que presta culto,** pois não passam de ordenanças da carne, baseadas somente em comidas, bebidas e diversas cerimônias de purificação, impostas até o tempo oportuno de reforma (Hebreus 9.9,10, NAA).
>
> Ora, visto que a lei é apenas uma sombra dos bens vindouros, não a imagem real das coisas, **nunca consegue aperfeiçoar aqueles que se aproximam de Deus** com os mesmos sacrifícios que, ano após ano, continuamente, eles oferecem (Hebreus 10.1, NAA).

---

[1] SHEDD, **Lei, graça e santificação**, p. 10-11.

Se, por um lado, as Escrituras reconhecem que a primeira aliança foi revogada "porque era fraca e inútil" (Hebreus 7.18), por outro, também fornecem o motivo de sua anulação: "pois a Lei não havia aperfeiçoado coisa alguma" (Hebreus 7.19). Se a causa da ab-rogação é justamente a inaptidão de produzir aperfeiçoamento, surge a pergunta: por qual outro motivo a graça se manifestaria como substituta da Lei, exceto para finalmente possibilitar à humanidade tal aperfeiçoamento? Apesar de ser assunto para outro momento, esse fundamento precisa ser estabelecido desde já. O *aperfeiçoamento* pela graça, que seria disponibilizado no futuro, nada mais é que *a chave da obediência* — missão impossível aos que viviam sob o regime da antiga aliança.

A Lei veio para desenhar a régua divina, mostrar a existência de um prumo. Com isso, é de suma importância reconhecer que ela acabou ressaltando a força do pecado e da natureza corrompida do homem em vez de trazer solução aos maus comportamentos. Paulo mencionou "as paixões pecaminosas despertadas pela Lei" (Romanos 7.5) e pontuou o resultado da Lei para o homem:

> Que diremos, então? Que a lei é pecado? De modo nenhum! Mas **eu não teria conhecido o pecado, a não ser por meio da lei.** Porque eu não teria conhecido a cobiça, se a lei não tivesse dito: "Não cobice." Mas o pecado, aproveitando a ocasião dada pelo mandamento, despertou em mim todo tipo de cobiça. Porque, **sem lei, o pecado está morto.** Houve um tempo em que, sem a lei, eu vivia. Mas, **quando veio o mandamento, o pecado reviveu, e eu morri**. E verifiquei que o mandamento que me havia sido dado para vida, esse se tornou mandamento para morte. Porque **o pecado, aproveitando a ocasião dada pelo mandamento, me enganou e, por meio do mandamento, me matou** (Romanos 7.7-11, NAA).

É nesse sentido que a Lei serviu de tutor ou guardião para levar até Cristo (Gálatas 3.24), porque a obediência plena a Deus estava além da capacidade daquela natureza corrompida. A Lei veio para levar-nos a admitir a nossa falência, a nossa servidão ao pecado. É por isso que, com a chegada do evangelho, descobrimos que, antes de a fé dar acesso à graça (Romanos 5.2), ela deve ser precedida por *arrependimento*. A Lei preparou essa base de reconhecimento da natureza pecaminosa.

Jesus, em seu tempo terreno, pregou arrependimento: " 'O tempo é chegado', dizia ele. 'O Reino de Deus está próximo. Arrependam-se e creiam nas boas-novas!' " (Marcos 1.15). As epístolas também indicam que ter fé em Deus vem depois do arrependimento (Hebreus 6.1). Essa sequência de arrependimento e fé foi considerada parte dos "ensinos elementares a respeito de Cristo".

Não há outra forma de aproximarmo-nos de Cristo, o descendente prometido, a não ser pelo reconhecimento de que somos desobedientes às leis divinas, ou seja, pecadores. Lamentavelmente, a pregação moderna tem excluído a proclamação do arrependimento e pulado direto para o chamado à fé. Algo não permaneceria sem consequência. Percebemos que muitos cristãos parecem acreditar que o problema da humanidade seja qualquer outra coisa, menos o pecado.

Um evangelho que foca apenas a remoção da condenação e da culpa pelos pecados cometidos, mas não apresenta o poder *transformador* da graça que viabiliza ao homem viver em obediência, nunca levará ninguém ao lugar esperado por Deus. É necessário parar de brincar de cristianismo. É tempo de entender e proclamar, com fidelidade, o que, de fato, é a mensagem bíblica!

Enquanto as Escrituras pregam sobre o cerne do problema humano, alguns sermões, contraditoriamente, ignoram a causa e amenizam as consequências, o efeito colateral. Simplificando, se comparássemos o verdadeiro problema a uma árvore, o que estamos fazendo é atacar as folhas ou os frutos, não a raiz.

Voltando à inabilidade da Lei em aperfeiçoar os homens e à essência da obra da graça, vale lembrar aqui outra importante declaração de Paulo aos cristãos de Roma:

> Porquanto **o que fora impossível à lei**, no que **estava enferma pela carne**, isso fez Deus enviando o seu próprio Filho em semelhança de carne pecaminosa e no tocante ao pecado; e, com efeito, condenou Deus, na carne,

o pecado, a fim de que o preceito da lei se cumprisse em nós, que não andamos segundo a carne, mas segundo o Espírito (Romanos 8.3,4, ARA).

A Lei não era o problema! Fico admirado quando vemos pregadores falando mal da Lei, como se ela tivesse sido o distúrbio, o defeito da humanidade. A Palavra de Deus aponta que a Lei estava *enferma pela carne*. A palavra grega utilizada nos manuscritos originais e traduzida por "enferma" é *astheneo* (ασθενεω), que, de acordo com o *Dicionário Vine* significa, literalmente, "estar fraco, enfraquecer".[2] Também destaca que é "formada de *a*, elemento de negação, e *sthenos*, 'força' ". Strong, por sua vez, apresenta um sentido mais abrangente, com variadas aplicações: "ser fraco, débil, estar sem força, sem energia; estar carente de recursos, indigente, pobre; estar debilitado, doente".[3] O que tornou a Lei tão fraca, doente e inoperante? A carne!

Que fique claro: o problema não era a Lei; por isso, o apóstolo dos gentios declarou que "De fato a Lei é santa, e o mandamento é santo, justo e bom" (Romanos 7.12). Apenas revelou e realçou o verdadeiro transtorno: a natureza pecaminosa do homem; aquilo que costumeiramente denominamos como *natureza adâmica* (Romanos 5.12). Nesse sentido, também encontramos a afirmação de Paulo que "é mediante a Lei que nos tornamos plenamente conscientes do pecado" (Romanos 3.20).

Cabe aqui, mais uma vez, uma citação de Shedd:

> Longe de ser uma mera lista de obrigações legais que oferecia salvação ao israelita, em troca de seu cumprimento perfeito, o que se encontra na lei é o caminho para o judeu manter boas relações com Deus. O sacerdócio, os sacrifícios, as festas, enfim o culto todo, deveriam expressar o reconhecimento da imperfeição do homem.
>
> O ritual que a lei de Deus impôs sobre Israel tinha a finalidade de salientar a santidade de Javé e a imperfeição do seu povo. Se Israel pensou no início que, pela lei, a nação poderia abandonar o pecado e viver santa e piamente, logo ficou decepcionada.[4]

---

[2] VINE et al., **Dicionário Vine**, p. 592.
[3] STRONG, **New Strong's Exhaustive Concordance of the Bible.**
[4] SHEDD, **Lei, graça e santificação**, p. 14.

Insisto: a Lei não apenas revelou a força do pecado, como também destacou a incapacidade do homem de, por si mesmo, andar em obediência a Deus. Ao trazer à tona a natureza pecaminosa, sacramentou o estado de morte espiritual — já presente desde o Éden (Gênesis 2.17). Por essa razão, foi chamada por Paulo, na carta aos coríntios, de *ministério de morte* (2Coríntios 3.2-8); já na carta aos gálatas, afirmou que era impossível a Lei dar vida (Gálatas 3.21). Tony Cooke resumiu o conceito com as seguintes palavras:

> Antes que possamos entender e apreciar plenamente como a graça de Deus nos salva, é bom compreender por que a Lei não poderia fazer isso.
> 1. A Lei nunca fora dada para nos salvar, mas para nos mostrar que precisávamos de salvação.
> 2. A Lei nunca fora dada para nos fazer justos, mas para nos mostrar que éramos injustos.
> 3. A Lei nunca fora dada para nos justificar, mas para mostrar que precisávamos de justificação.
>
> Antes de buscarmos ajuda ou de nos abrirmos para recebê-la, temos que aceitar e compreender que precisamos de ajuda. A Lei de Deus, sem qualquer sombra de dúvida, nos revela que pecamos e ficamos destituídos do padrão santo de Deus.[5]

Na mesma obra, o autor fez uso de uma ilustração simples e acurada para explicar o papel da Lei de revelar a condição e necessidade humana. Acompanhe:

> Imagine que você acabou de fazer uma refeição com alguns dos seus amigos e está se preparando para deixar o restaurante. Se um deles mencionasse que você tem molho de espaguete no queixo, isso faria com que seu amigo fosse uma má pessoa? Na verdade, ele estaria lhe fazendo um favor ainda que lhe deixasse constrangido por um momento.

---

[5] COOKE, **Graça:** o DNA de Deus, p. 110.

E se você estivesse comendo sozinho, fosse ao banheiro e no espelho visse que tem molho em seu queixo? O espelho seria algo ruim porque lhe fez ver seu problema? Você deveria ficar com raiva do espelho e quebrá-lo? Claro que não! O problema não tem nada a ver com o espelho; o problema está em você. Mesmo que o espelho pareça estar fazendo algo ruim, ele está, na realidade, revelando o problema sobre o qual você precisa saber. Somente uma pessoa insensata se queixaria no espelho.

Contudo, aquele espelho tem limitações. Ele somente pode mostrar onde o molho está; não pode limpá-lo do seu queixo. Da mesma forma, a Lei que veio por meio de Moisés revela o seu pecado, mas não pode removê-lo.

A Lei é o professor que ensina onde você errou. Você precisa de um Salvador. É aí onde Jesus entra com a graça e com a verdade. [...]

A Lei por si mesma é boa, mas ela revelou algo em nós que não era bom. O problema não estava na Lei, mas em nós. A Lei não criou o problema; ela simplesmente revelou o problema que era intrínseco à nossa natureza caída e que se manifestou através do nosso comportamento pecaminoso (pensamentos, palavras e obras). A Lei revelou o problema; Jesus é a nossa solução![6]

Se o propósito da Lei era provar a incapacidade do homem de viver em plena obediência e, assim, guiá-lo a Cristo — único que poderia reverter o problema da natureza pecaminosa —, surge a pergunta: havia salvação para aqueles que viviam sob a tutela da Lei?

Responderemos no capítulo seguinte com mais definições de Lei, antes de detalhar a chegada da fé e a maneira pela qual Deus, por meio de sua graça, opera em nós.

---

[6] Cooke, **Graça:** o DNA de Deus, p. 111-112.

SINOPSE DO CAPÍTULO EM TÓPICOS

1. A Lei, entregue por Deus por intermédio de Moisés, tinha prazo de validade, ou seja, era de caráter temporário.

2. A ênfase na *imperfeição* da Lei é a justificativa bíblica para sua substituição.

3. A promessa divina da vinda de Cristo e a justificação pela fé — que incluía os gentios —, feita a Abraão, precedem a Lei.

4. A Lei de Moisés foi um desdobramento temporário da promessa divina feita a Abraão; não anula a promessa preexistente, baseada no plano original do Criador, nem foi instituída para concentrar toda a solução em si mesma. A Lei não pode ser considerada maior do que a promessa que, desde Abraão, demandava fé.

5. A estratégia divina de como redimir o homem já estava em curso antes do estabelecimento da Lei em si, continuou em curso por intermédio da Lei e teve seu cumprimento na vida, na morte e na ressurreição de Cristo.

6. O motivo do prazo de validade da Lei está relacionado ao seu propósito: ela veio para lidar com o pecado, mesmo que de forma imperfeita, e terminou com a chegada do "Descendente", o Justificador, Jesus Cristo, o único capaz de fazer o que ela jamais poderia fazer por si mesma.

7. A Lei tinha propósito claro: conduzir-nos a Cristo e também demonstrar a incapacidade humana, proveniente de uma natureza pecaminosa, de obedecer aos mandamentos divinos sem a capacitação do Altíssimo.

8. Um evangelho que foca apenas a remoção da condenação e da culpa pelos pecados cometidos, mas não apresenta o poder *transformador* da graça que viabiliza ao homem viver em obediência, nunca levará ninguém ao lugar esperado por Deus.

9. O prazo de validade da Lei está relacionado ao seu propósito e vice--versa. Se o propósito da Lei era provar a incapacidade do homem de viver em plena obediência e, assim, guiá-lo a Cristo — único que poderia reverter o problema da natureza pecaminosa —, logo, em Jesus, ambos se cumprem.

PERGUNTAS PARA REFLEXÃO

1. O verdadeiro evangelho, assim como a Lei, expõe a condição pecaminosa do ser humano? Se sim, qual a diferença entre eles?

2. Se vivemos nos dias da nova aliança, e Cristo já consumou sua obra, qual a importância de se entender a progressão da revelação bíblica?

3. Se a observância da Lei, depois da vinda de Cristo, fosse aceitável, Paulo teria classificado isso como "separar-se de Cristo" e "cair da graça" (Gálatas 5.4)?

CAPÍTULO 4

SALVAÇÃO NO ANTIGO TESTAMENTO

> Se a Lei, sendo nosso aio, nos encerra debaixo dela, não é um adversário, mas um colaborador da graça. Mas se, após a chegada da graça, ela continua a nos subjugar, torna-se um adversário, porque restringe os que deveriam progredir para a graça e consequentemente destrói a nossa salvação.
>
> *Crisóstomo*

Durante sua vigência, a Lei nunca foi capaz de transformar o homem. A pergunta é: ela levava o pecador a alcançar a salvação? Ou melhor, como os homens eram salvos no período do Antigo Testamento?

Há textos que relacionam a observância da Lei com a salvação; entretanto, sem entender corretamente a perspectiva bíblica, podemos seguir rumo à conclusão equivocada. Consideremos alguns trechos, para constatar, em primeiro lugar, o que eles têm em comum:

O rico, Lázaro e Abraão. "Ele respondeu: 'Então eu te suplico, pai: manda Lázaro ir à casa de meu pai, pois tenho cinco irmãos. Deixa que ele os avise, a fim de que eles não venham também para este lugar de tormento'.

Abraão respondeu: 'Eles têm Moisés e os Profetas; que os ouçam'. 'Não, pai Abraão', disse ele, 'mas se alguém dentre os mortos fosse até eles, eles se arrependeriam.' Abraão respondeu: 'Se não ouvem a Moisés e aos Profetas, tampouco se deixarão convencer, ainda que ressuscite alguém dentre os mortos' " (Lucas 16.27-31).

Sem entrar no mérito de ser ou não uma parábola, Cristo queria ensinar algo. Mas o quê? Que os familiares do rico podiam *ser salvos* da condenação, à qual o próprio rico fora sentenciado, por meio de um testemunho: *a Lei*, as Escrituras, então conhecidas por "Moisés e os Profetas".

Jesus e o jovem rico. "Eis que alguém se aproximou de Jesus e lhe perguntou: 'Mestre, que farei de bom para ter a vida eterna?' Respondeu-lhe Jesus: 'Por que você me pergunta sobre o que é bom? Há somente um que é bom. Se você quer entrar na vida, obedeça aos mandamentos'. 'Quais?', perguntou ele. Jesus respondeu: 'Não matarás, não adulterarás, não furtarás, não darás falso testemunho, honra teu pai e tua mãe' e 'Amarás o teu próximo como a ti mesmo' " (Mateus 19.16-18).

Aquele rapaz, cujo nome não foi registrado, questiona o próprio Cristo acerca da vida eterna e ouve uma resposta clara sobre a necessidade de guardar os mandamentos. Quando o jovem pergunta quais seriam, então, tais mandamentos, Jesus responde apontando para a Lei.

Jesus e Zaqueu. "Todo o povo viu isso e começou a se queixar: 'Ele se hospedou na casa de um pecador'. Mas Zaqueu levantou-se e disse ao Senhor: 'Olha, Senhor! Estou dando a metade dos meus bens aos pobres; e se de alguém extorqui alguma coisa, devolverei quatro vezes mais'. Jesus lhe disse: 'Hoje houve salvação nesta casa! Porque este homem também é filho de Abraão. Pois o Filho do homem veio buscar e salvar o que estava perdido' " (Lucas 19.7-9).

O coletor de impostos não era conhecido da vizinhança apenas pela baixa estatura, mas principalmente por ser um pecador. Até Jesus o retratou como tal, ao dizer que viera "salvar o perdido". Mas Zaqueu decidiu pautar sua vida pela Lei de Deus, coisa que, até então, não vinha fazendo. De repente, ouve de Cristo a declaração: "hoje houve salvação nesta casa!".

Em que ponto os três textos coincidem?

Todos relacionam a salvação com a Lei, as Escrituras da época; o Novo Testamento ainda não havia sido escrito, por isso usava-se a expressão "Moisés e os Profetas". A pergunta inicial faz eco: a Lei podia, então, salvar? Aqui, surge uma aparente contradição, uma vez que várias porções bíblicas afirmam que ela não podia. Observe:

> Ora, sabemos que tudo o que a lei diz é dito aos que vivem sob a lei, para que toda boca se cale, e todo o mundo seja culpável diante de Deus. Porque **ninguém será justificado diante de Deus por obras da lei**, pois pela lei vem o pleno conhecimento do pecado.
>
> Mas, agora, sem lei, a justiça de Deus se manifestou, sendo testemunhada pela Lei e pelos Profetas. É **a justiça de Deus mediante a fé em Jesus Cristo**, para todos e sobre **todos os que creem**. Porque não há distinção, pois todos pecaram e carecem da glória de Deus, sendo justificados gratuitamente, por sua graça, **mediante a redenção que há em Cristo Jesus**, a quem Deus apresentou como propiciação, no seu sangue, **mediante a fé** (Romanos 3.19-25a, NAA).

Constata-se no texto sagrado, portanto, que a Lei não conduz à salvação, certo? Errado! Digo mais uma vez, trata-se de uma *aparente* contradição. Destaco o termo "aparente" porque a Bíblia se explica, nunca se contradiz. Aparentes contradições são sempre sinal de uma interpretação equivocada e incompleta.

O texto diz que "ninguém será justificado diante de Deus por obras da lei". A expressão "por obras da lei" indica a mera observância dos mandamentos, o que de fato não salvava o homem. Havia, no entanto, uma relação entre Lei e salvação, que deve ser identificada e interpretada. Paulo escreveu sobre isso a Timóteo, seu discípulo e filho na fé:

> Quanto a você, permaneça naquilo que aprendeu e em que acredita firmemente, sabendo de quem você o aprendeu e que, desde a infância,

você conhece **as sagradas letras, que podem torná-lo sábio para a salvação** pela fé em Cristo Jesus (2Timóteo 3.14,15, NAA).

De acordo com o apóstolo, as Sagradas Letras — nítida referência às Escrituras — não salvariam Timóteo, mas poderiam "torná-lo sábio para a salvação". Ou seja, as Escrituras *direcionavam a fé* das pessoas.

A Bíblia informa, em Atos 16.1, que Timóteo era filho de uma judia crente e de um pai grego (termo usado para um gentio, não judeu). Isso indica outros dois fatos: 1) como *judia*, a mãe de Timóteo conhecia a Lei e comunicou-a ao filho (2Timóteo 1.5); 2) como *crente*, ela apontou a Palavra de Deus para a direção certa, levando Timóteo a Cristo. Por isso, Paulo destaca que o conhecimento das Sagradas Letras culminava na "salvação pela fé em Cristo Jesus". Timóteo era prova desse poder da Lei de contribuir para o que se tornaria salvação.

É fato que, antes de o evangelho se manifestar, o Senhor passou por cima dos pecados cometidos. Depois de falar da "justiça de Deus mediante a fé em Jesus Cristo para todos os que creem" (Romanos 3.22) e da "[...] redenção que há em Cristo Jesus. Deus o ofereceu como sacrifício para propiciação mediante a fé, pelo seu sangue" (Romanos 3.24,25), Paulo declara aos santos de Roma:

> Deus fez isso para manifestar a sua justiça, por ter ele, **na sua tolerância, deixado impunes os pecados anteriormente cometidos, tendo em vista a manifestação da sua justiça no tempo presente**, a fim de que o próprio Deus seja justo e o justificador daquele que tem fé em Jesus (Romanos 3.25b,26, NAA).

Se a salvação é pela fé em Jesus, só há uma maneira de entender a relação entre Lei e salvação: sem excluir a fé! Sempre foi a fé.

Demos mais um passo. A salvação vem pela fé. A fé, por sua vez, vem por ouvir a pregação de Cristo (Romanos 10.17). De onde vem a pregação de Cristo? Da Lei! O próprio Jesus afirmou aos judeus de seus dias, que estavam sob a Lei:

> Vocês **examinam as Escrituras**, porque **julgam ter nelas a vida eterna**, e são **elas mesmas que testificam de mim**. Contudo, vocês não querem vir a mim para ter vida (João 5.39,40, NAA).

Os hebreus amavam e estudavam tanto as Escrituras por julgarem encontrar nelas a vida eterna — e Cristo não disse que estavam errados. Denunciou, contudo, um equívoco gravíssimo: eles não enxergavam que tudo nas Escrituras converge em Jesus. Toda a Lei e os Profetas apontam para Cristo! Sim, era possível encontrar nas Escrituras a vida eterna, simplesmente porque ela está em Jesus Cristo. A Lei apontava para ele, o Redentor.

Você se lembra do que o nosso Senhor explicou aos discípulos que iam pelo caminho de Emaús?

> Então ele lhes disse:
> — Como vocês são insensatos e **demoram para crer** em tudo o que os profetas disseram! Não é verdade que o Cristo tinha de sofrer e entrar na sua glória?
> E, começando por Moisés e todos os Profetas, explicou-lhes o que **constava a respeito dele em todas as Escrituras**. (Lucas 24.25-27, NAA)

Quando Adão e Eva receberam do Criador vestes feitas com peles de animal (Gênesis 3.21), isso apontava tanto para a morte de Jesus como para a ordenança divina de que nos revistamos de Cristo (Romanos 13.14). Abraão, antes da Lei, ofereceu seu filho em sacrifício. Tal evento apontava para a obra de Cristo. Quando Moisés, durante a Lei, levantou uma serpente de bronze no deserto, também falava a respeito do sacrifício vicário de Cristo (João 3.14). Todos os que foram salvos precisaram de fé para alcançar salvação — uma fé que foi gerada pela Palavra de Deus, pela Lei.

Para Abraão, antes da existência da Lei, tratara de uma *palavra pessoal de Deus* que acendeu a centelha da fé em seu coração. Para todos após a Lei, havia necessidade de que a fé se apoiasse nas Escrituras. Ainda que fosse um entendimento limitado, era por meio da fé na Palavra que a justificação se daria. Vejamos mais um comentário esclarecedor do dr. Shedd:

Muitos textos do Antigo Testamento não explicam a base em que Deus manteria sua justiça ao apagar os pecados do seu povo. Mas Paulo escreve em Romanos 3.25 que Deus passou por cima dos pecados cometidos pelos salvos antes do sacrifício perfeito de Jesus Cristo. Mesmo sem uma compreensão perfeita, os santos do Antigo Testamento confiavam em Deus (Romanos 4.3). Ele aceitou a fé de Abraão, como de todo israelita crente, e lhe atribuiu a sua justiça com base na morte substitutiva de Jesus Cristo (Romanos 4.3) ainda futura.

Em certo sentido, podemos concluir que o israelita bem-aventurado de antes de Cristo (Salmos 32.1,2) não recebeu bênção muito diferente daquela concedida ao crente que se regozija no Senhor (Filipenses 4.4). Os santos do Antigo Testamento esperavam no Interventor ainda por vir. Os crentes confiam no Messias que já veio.

Mas, ao olhar a partir de outro ponto de vista, vemos uma separação radical entre as duas alianças. O povo galardoado com todos os privilégios que Deus lhe oferecia mal desfrutou dessas vantagens. As gerações que sucederam a Noé logo se afastaram da graça concedida ao patriarca. A construção da torre de Babel mostra com que presteza os homens podiam desprezar a bondade de Deus.

Os israelitas, mesmo após demonstrações de milagres poderosos efetuados por Deus para livrá-los dos egípcios opressores, logo se rebelaram no deserto (Hebreus 3.16). A conquista da terra prometida não garantiu, de forma alguma, que o povo eleito demonstrasse uma inclinação inabalável para buscar e agradar a Deus (veja os livros de Juízes, Samuel, Reis e Crônicas). Paulo aponta para o motivo da falha de Israel: "Israel que buscava a lei de justiça não chegou a atingir essa lei. Por quê? Porque não decorreu da fé, e, sim, como que das obras" (Romanos 9.31,32).

Israel não alcançou o alvo da própria lei que exige fé e não só obras. Esses versos deixam muito claro que a lei podia fazer com que Israel conhecesse a justiça que vem pela fé, mas isso não aconteceu. Israel ficou cego. O que Deus pretendia quando concedeu a lei a seu Povo não era uma justiça produzida por obras (realizadas na carne). Israel não compreendeu que a própria lei era uma maravilhosa expressão da graça divina.

"Sem fé é impossível agradar a Deus" (Hebreus 11.6). Obras que não surgem da fé não são aceitáveis ao Senhor, mesmo que lhe sejam oferecidas.[1]

Somente dessa perspectiva entenderemos o clássico capítulo 11 de Hebreus, no qual se encontra a chamada "Galeria dos heróis da fé". Ela começa por Abel, Enoque, Noé, Abraão, Sara, Isaque, Jacó e José — todos os que viveram e creram antes da chegada da Lei — e continua por Moisés, os filhos de Israel que viram as muralhas de Jericó desabar e Raabe, que pendurou o cordão escarlate na janela. Aqui o escritor questiona: "Que mais direi? Não tenho tempo para falar de Gideão, Baraque, Sansão, Jefté, Davi, Samuel e os profetas" (Hebreus 11.32). Finalmente, faz a aplicação generalizada a todos os santos do Antigo Testamento:

> Todos estes, mesmo tendo obtido bom testemunho por meio da fé, não obtiveram a concretização da promessa, porque Deus tinha previsto **algo melhor** para nós, **para que eles, sem nós, não fossem aperfeiçoados** (Hebreus 11.39, NAA).

Observemos que todos obtiveram bom testemunho por meio da fé, contudo "não obtiveram a concretização da promessa". Qual promessa? O autor não fala de "uma" promessa, mas "a" promessa: Cristo, o descendente de Abraão.

O texto segue atestando que "Deus tinha previsto algo melhor para nós, para que eles, sem nós, não fossem aperfeiçoados". A frase "sem nós" não diz sermos nós, em nós mesmos, a fonte ou a razão do aperfeiçoamento dos santos do Antigo Testamento, mas indica que todos aqueles heróis da fé tiveram de aguardar algo que se concretizou apenas em *nosso tempo*, para, então, e somente então, serem aperfeiçoados. Quem os aperfeiçoou foi Cristo, mas somente no nosso tempo, depois de nós termos recebido o Verbo encarnado neste mundo. Todos exerceram uma fé no que ainda estava para acontecer; nós, os santos do Novo Testamento, exercemos fé no que já aconteceu.

---

[1] SHEDD, **Lei, graça e santificação**, p. 16-17.

O Redentor foi prometido logo após a queda do homem (Gênesis 3.15). Aquele primeiro casal de pecadores, ao ser vestido com peles de um animal sacrificado, precisou *crer* que o perdão dos pecados só se daria com derramamento de sangue (Hebreus 9.22). Isso significa que já se pregava a respeito de Cristo e se exigia a fé nessa pregação — estamos falando do período que antecedeu a Lei. Naquele tempo sem lei, Abraão creu e foi justificado por fé, não por obras (Romanos 4.1-5), tendo acesso à pregação que despertou sua fé diretamente de Deus.

Os israelitas da primeira aliança celebravam a Páscoa imolando um cordeiro, o que apontava profeticamente para o futuro, para uma realidade ainda por vir: "Cristo, nosso Cordeiro pascal, foi sacrificado" (1Coríntios 5.7). Aqui já havia a Lei, exigindo que os israelitas imolassem animais e derramassem sangue para cobrir pecados — e eles tinham de ter fé na Lei, acreditando em tudo que ela versava. Sobre o que as Escrituras daquela época já estavam pregando? Sobre o dia de Cristo: "Vejam! É o Cordeiro de Deus, que tira o pecado do mundo!" (João 1.29). A "Lei traz apenas uma sombra dos benefícios que hão de vir, e não a sua realidade" (Hebreus 10.1) — quando apontava para a necessidade de sacrifício para obter perdão, já falava de Jesus Cristo, o Salvador.

Logo, a salvação é pela fé em Cristo. Sempre foi. Muito tempo antes da encarnação de Jesus, o evangelho já estava sendo anunciado e exigia fé dos homens. No Éden, nos tempos de Abraão, no período em que vigorou a Lei mosaica, Jesus já era pregado, ainda que não claramente compreendido, e a fé nele salvava o homem. Por isso, o Novo Testamento atestou, depois da revelação plena de Cristo, o seguinte: "Ora, ao Deus que é poderoso para confirmar vocês segundo o meu evangelho e a pregação de Jesus Cristo, conforme *a revelação do mistério guardado em silêncio desde os tempos eternos*, e que, agora, tornou-se manifesto e foi dado a conhecer por meio das Escrituras proféticas, segundo o mandamento do Deus eterno, para a obediência da fé, entre todas as nações" (Romanos 16.25,26, NAA).

Vemos nos ensinos de Paulo a constatação de uma recorrente pregação do evangelho desde os tempos antigos: "Prevendo a Escritura que Deus justificaria os gentios pela fé, *anunciou primeiro as boas-novas a Abraão*" (Gálatas 3.8). O apóstolo também cita que, com a chegada da Lei, o evangelho continuou sendo pregado: "Paulo, servo de Cristo Jesus, chamado para ser apóstolo, separado para o evangelho de Deus, o qual foi *prometido por ele de antemão por meio dos seus profetas nas Escrituras Sagradas*" (Romanos 1.1,2). Nas Escrituras, que só foram dadas no período da Lei, Deus prometeu o evangelho! A justificação pela fé foi igualmente anunciada de antemão: "Mas agora se manifestou uma justiça que provém de Deus, independente da Lei, da qual *testemunham a Lei e os Profetas*" (Romanos 3.21).

É indiscutível, entretanto, que a salvação somente se consumou na nova aliança, com o sacrifício de Cristo. Os santos de períodos anteriores à graça aguardavam a vinda de Jesus e foram salvos pela fé no Cristo que viria. Acredita-se ser esta a razão de o nosso Senhor falar sobre os salvos estarem no seio de Abraão (Lucas 16.22), de onde se avistava o lugar de condenação — dali, era possível até mesmo dialogar com os condenados (Lucas 16.23).

LEVOU CATIVO O CATIVEIRO

Vamos entender melhor tudo isso. Quando o Autor da nossa fé foi sacrificado por nós, entre sua morte e ressureição, algo maravilhoso aconteceu. Paulo, escrevendo aos efésios, pontuou:

> Por isso diz: "Quando ele subiu às alturas, **levou cativo o cativeiro** e concedeu dons aos homens." Ora, o que quer dizer "ele subiu", senão que **também havia descido até as regiões inferiores da terra**? **Aquele que desceu é também o mesmo que subiu** acima de todos os céus, para encher todas as coisas (Efésios 4.8-10, NAA).

O texto diz que ele "havia descido até as regiões inferiores da terra", para depois subir aos céus levando consigo um cativeiro. A que cativeiro se referia Jesus? É no livro de Hebreus que começamos a encontrar peças para a resposta a essa pergunta, comprovando mais uma vez a importância da macrovisão bíblica. O escritor descreve o que Cristo apresentou ao Pai quando subiu aos céus: "Aqui estou eu com os filhos que Deus me deu" (Hebreus 2.13).

Falando do "santuário interior, por trás do véu", símbolo do lugar da presença de Deus, o escritor de Hebreus também afirma: "onde Jesus, como *precursor*, entrou por nós" (Hebreus 6.20, NAA).

A lógica é que, se Cristo foi o precursor, ou seja, nos precede, então ninguém antes dele havia entrado nos céus, lugar da presença de Deus.

Com base nisso, muitos estudiosos da Bíblia creem que o seio de Abraão, o pai da fé, era o lugar onde todos os que creram no Cristo *que viria* aguardavam, salvos, separados dos que haviam sido condenados — possivelmente, podendo vê-los ou falar com eles —, até que a redenção se consumasse. Quando ela se consumou, Jesus teria descido a esse lugar para levar todos consigo aos céus. Foi assim que Cristo levou cativo aquele cativeiro.

Aliás, esta seria, a meu ver, a única explicação plausível para a seguinte afirmação do apóstolo Pedro:

> Pois, para este fim, **o evangelho foi pregado também a mortos**, para que, mesmo julgados na carne segundo os homens, vivam em espírito segundo Deus (1Pedro 4.6, NAA).

O que significa dizer que o evangelho foi pregado a mortos? Em primeiro lugar, vale conhecer a palavra empregada pelo apóstolo no original grego, que foi traduzida por "evangelho pregado". O termo é *euaggelizo* (ευαγγελιζω). Vejamos algo a respeito de seus significados e usos: trazer boas notícias, anunciar boas-novas; usado no Antigo Testamento para qualquer tipo de boas notícias; de notícias jubilosas da bondade de Deus, em particular, das bênçãos messiânicas; no Novo Testamento, trata especialmente das boas-novas a respeito da vinda do Reino de Deus e da salvação que pode ser obtida nele por meio de Cristo, bem como do conteúdo dessa salvação; boas notícias anunciadas a alguém, alguém que tem boas notícias proclamadas a ele; proclamar boas notícias; instruir (pessoas) a respeito das coisas que pertencem à salvação cristã.[2]

Euaggelizo indica que houve uma pregação da boa notícia da salvação. Considerando que já não há oportunidade de salvação aos que morreram

---

[2] STRONG, **New Strong's Exhaustive Concordance of the Bible**.

Salvação no Antigo Testamento

em pecado (o que fica evidente quando Jesus afirma a condição irreversível do rico, em Lucas 16.25,26), qual seria o único grupo de mortos que se qualificaria para ouvir essa pregação do evangelho com o intuito de promover salvação? Aquele composto de pessoas que, em vida, haviam crido no Messias, um Messias que viria futuramente. Elas, no entanto, aguardavam a consumação da redenção em Cristo. Onde elas aguardavam a manifestação da salvação? No seio de Abraão.

Depois que a morte de Jesus consumou o plano divino da salvação, eles ouviram do próprio Cristo a explicação completa, para entender o porquê de a fé nele os ter salvo — e foram, então, levados pelo Filho ao Pai. Ele levou cativo o cativeiro, do seio de Abraão para a presença de Deus!

Estamos falando de homens e mulheres que haviam crido na pregação profética acerca de Cristo, quer dada diretamente por Deus, quer testemunhada pela Lei, mesmo sem enxergar plenamente o que estava por vir. Naquele período entre a morte e a ressurreição, o próprio Salvador pregou o evangelho a eles, apresentando as demais peças do quebra-cabeça — a esperança havia ganhado forma, a salvação fora finalmente consumada; era hora de ir para o Pai junto com o Filho.

Pedro também fala de Jesus pregando, após sua morte e ressurreição, a outro grupo de mortos. Para estes, porém, não houve salvação, apenas um comunicado sobre o motivo da condenação de cada um: a desobediência e o desprezo à Palavra pregada que, se aceita, poderia ter gerado fé neles para a salvação.

> Pois também Cristo morreu, uma única vez, pelos pecados, o justo pelos injustos, para conduzir-vos a Deus; morto, sim, na carne, mas vivificado no espírito, no qual também **foi e pregou aos espíritos em prisão**, os quais, noutro tempo, **foram desobedientes quando a longanimidade de Deus aguardava nos dias de Noé**, enquanto se preparava a arca, na qual poucos, a saber, oito pessoas, foram salvos, através da água. (1Pedro 3.18-20, ARA)

Enfim, nós não teríamos experimentado a salvação sem eles, os santos de períodos anteriores ao nosso. A razão é simples: o propósito eterno de

Deus estava em curso, desdobrando-se de forma progressiva. Cada período — antes da Lei e durante a Lei — teve propósito e prazo, antes da maravilhosa consumação do plano em Cristo. Da mesma forma, eles também não desfrutariam a salvação sem nós, que representamos o tempo em que Cristo veio e cumpriu todas as coisas. Há uma relação de interdependência dos grupos, mencionada de forma precisa também por Pedro:

> **Foi a respeito desta salvação que os profetas indagaram e investigaram.** Eles **profetizaram a respeito da graça destinada a vocês**, investigando qual a ocasião ou quais as circunstâncias oportunas que eram indicadas pelo Espírito de Cristo, que neles estava, ao **predizer os sofrimentos que Cristo teria de suportar e as glórias que viriam depois desses sofrimentos.** A eles foi revelado que, **não para si mesmos, mas para vocês**, ministravam as coisas que, agora, **foram anunciadas a vocês por aqueles que, pelo Espírito Santo enviado do céu, lhes pregaram o evangelho,** coisas essas que anjos desejam contemplar (1Pedro 1.10-12, NAA).

Antes de finalizar, é interessante apontar paradas que fizemos até aqui. A Lei não poderia salvar, por si mesma, mas era capaz de trazer a sabedoria que conduz à salvação. Isso se dava quando a pessoa cria na Lei, depositava sua fé na pregação contida nas Escrituras — que sempre apontaram para o Salvador, Jesus Cristo, ainda que por meio de tipos e figuras. Aliás, antes da Lei, o que despertava a fé também era a palavra de Deus, embora dita diretamente por ele ao homem, como nos casos de Adão, Eva e Abraão. Para estes, a pregação também falava da necessidade de um sacrifício de sangue para remir pecados, prefigurando o sangue do Cordeiro de Deus que seria sacrificado em lugar de cada ser humano.

Em suma, sempre foi a fé em Jesus que salvou o homem, antes da Lei e durante sua vigência. Há, todavia, uma relação muito próxima entre a Lei e a salvação, porque aquela testemunhava de Jesus, o Salvador, e despertava fé naqueles que não a rejeitavam. Quem creu na pregação — diretamente de Deus ou pela Lei — foi salvo, ainda que não tenha experimentado a consumação de sua salvação até a morte e a ressurreição do Redentor.

Contudo, o dia que Abraão viu chegou: Cristo não apenas morreu por nós, mas também venceu a morte, desceu aos lugares inferiores da terra e subiu ao Pai, levando consigo todos os salvos. Não há imaginação que capte o que deve ter sido para aqueles crentes ouvir o evangelho da boca de Cristo e, em seguida, ser levados por ele para junto de Deus. Todos os justos foram — e serão — justificados pela fé, e fé em Cristo!

A Deus seja glória por "tão grande salvação" (Hebreus 2.3) e "eterna redenção" (Hebreus 9.12)! Antes, porém, de detalhar a chegada do evangelho da fé e da graça, é necessário entendermos algumas outras verdades relacionadas à Lei.

SINOPSE DO CAPÍTULO EM TÓPICOS

1. A observância da Lei, por si só, não salvava ninguém.

2. Entretanto, a observância da Lei podia tornar alguém sábio para a salvação; a Lei despertava e direcionava a fé das pessoas.

3. Se a salvação é somente pela fé em Jesus, há apenas uma maneira de entender a relação entre Lei e salvação: sem excluir a fé.

4. A salvação somente se consumou na nova aliança, com o sacrifício de Cristo. Os santos de períodos anteriores à graça aguardavam a vinda de Jesus e foram salvos pela fé no Cristo que viria.

5. Em suma, sempre foi a fé em Jesus que salvou o homem, antes da Lei e durante sua vigência. Há, todavia, uma relação muito próxima entre a Lei e a salvação, porque aquela testemunhava de Jesus, o Salvador, e despertava fé naqueles que não a rejeitavam. Quem creu na pregação — diretamente de Deus ou pela Lei — foi salvo, ainda que não tenha experimentado a consumação de sua salvação até a morte e a ressurreição do Redentor.

PERGUNTAS PARA REFLEXÃO

1. Durante sua vigência, a Lei nunca foi capaz de transformar o homem. A pergunta é: a Lei levava o pecador a alcançar salvação?

2. Como os homens eram salvos no período do Antigo Testamento?

3. A revelação do evangelho foi construída, de forma progressiva, por meio das figuras bíblicas ao longo do Antigo Testamento. Destaque um versículo bíblico neotestamentário (tirado do texto, da sua memória ou de sua própria pesquisa) que ateste isso.

CAPÍTULO 5

CARÁTER PROFÉTICO DA LEI

Há apenas uma única coisa realmente inevitável: é necessário que as Escrituras se cumpram.

Carl F. Henry

Mediante diversas declarações dos apóstolos, comprovamos que a Lei possuía prazo de validade e, no momento devido, atingiu sua caducidade. Imposta até que chegasse o tempo da reforma, teve seu fim em Cristo, com a chegada da nova aliança: "Porque o fim da Lei é Cristo, para a justificação de todo o que crê" (Romanos 10.4). No entanto, é preciso esclarecer tanto a razão pela qual a Lei prescreveu, como o que exatamente significa esse fim. De modo geral, as pessoas chegam a conclusões errôneas sobre o fim da Lei por ignorarem duas coisas. A primeira, que abordaremos neste capítulo, é a capacidade de a Lei projetar realidades vindouras. A segunda, que trataremos adiante, é o fato de que, quando a Bíblia trata do fim da Lei, refere-se a uma lei específica: a Lei de Moisés — o que não significa, contudo, que hoje, na nova aliança, não haja mais lei. O próprio Cristo anunciou um novo mandamento (João 13.34) e o dever de guardar suas ordenanças (João 14.21).

Portanto, é necessário sublinhar não apenas o propósito temporário da Lei, como também seu intrínseco caráter profético. Ela anunciava, antecipadamente, aquilo que se consumaria no futuro. Quando Paulo afirmou aos romanos que "agora se manifestou uma justiça que provém de Deus independente da Lei, da qual *testemunham* a Lei e os Profetas" (Romanos 3.21), queria atestar que a Lei já havia testemunhado sobre a nova aliança e previsto aquilo que só passou a ser desfrutado com a chegada dela.

Repito um versículo utilizado anteriormente, para observá-lo de um novo prisma: "*Prevendo* a Escritura que Deus justificaria os gentios pela fé, *anunciou primeiro* as boas-novas a Abraão: 'Por meio de você todas as nações serão abençoadas' " (Gálatas 3.8). Primeiro, a Escritura previu a justificação dos gentios pela fé. Segundo, o que veio a ser registrado nela — a verdade do evangelho, contida na promessa "Por meio de você todas as nações serão abençoadas" — foi preanunciado a Abraão, muito antes de existir o registro propriamente dito das Escrituras. Fato é que houve previsão nos escritos da Lei e, ainda, uma antecipação de seu conteúdo ao pai da fé. Logo, admite-se à Lei um evidente caráter preditivo, um atributo profético, até mesmo nos trechos dela adiantados a Abraão.

> Ora, àquele que tem poder para confirmá-los pelo meu evangelho e pela proclamação de Jesus Cristo, de acordo com a revelação do **mistério oculto nos tempos passados, mas agora revelado** e dado a conhecer **pelas Escrituras proféticas por ordem do Deus eterno**, para que todas as nações venham a crer nele e a obedecer-lhe. (Romanos 16.25,26)

Observemos a expressão "Escrituras proféticas". Paulo usa esse termo para fazer referência ao mistério — ou seja, ao segredo — guardado desde os tempos eternos e revelado no tempo da graça por meio da Palavra de Deus. O que veremos neste capítulo é que a maior parte das profecias sobre a obra de Cristo e o evangelho constava, de forma figurada, na própria Lei. As Escrituras veterotestamentárias são uma coletânea de profecias acerca do Redentor, a solução definitiva para a humanidade e seu, até então, insolvente problema de natureza.

REVOGAÇÃO X CUMPRIMENTO

Ampliemos esse entendimento, considerando as palavras de nosso Senhor Jesus:

Caráter profético da Lei

— Não pensem que vim **revogar** a Lei ou os Profetas; **não vim para revogar, mas para cumprir**. Porque em verdade lhes digo: até que o céu e a terra passem, nem um i ou um til **jamais passará da Lei, até que tudo se cumpra** (Mateus 5.17,18, NAA).

Temos, aqui, uma chave importante para a compreensão do caráter profético da Lei. Cristo foi enfático ao afirmar: "Não pensem que vim **revogar** a Lei ou os Profetas" . A cessação dela, portanto, não pode ser considerada mera revogação. A palavra grega traduzida por "revogar" é *kataluo* (καταλυω) e, de acordo com Strong, significa: "dissolver, desunir (o que tem estado junto), destruir, demolir". Em sentido metafórico, quer dizer: "derrubar, tornar inútil, privar de sucesso, levar a nada, subverter".[1] Transmitindo em uma linguagem atual, o nosso Senhor talvez diria: "Eu não vim acabar com a Lei".

O Mestre não negou o fim da Lei, mas atribuiu a ela um caráter profético — cujo pleno cumprimento estava nele — quando declarou: "vim para cumprir". Olhando uma vez mais para o sentido das palavras empregadas nos manuscritos originais, "cumprir" é uma tradução do termo grego *pleroo* (πληροω), cujo significado é abrangente e esclarecedor: "tornar cheio, completar, preencher até o máximo, fazer abundar, fornecer ou suprir liberalmente, preencher até o topo: assim que nada faltará para completar a medida, preencher até a borda; consumar, fazer completo em cada particular, tornar perfeito, levar até o fim, realizar, levar a cabo (algum empreendimento), efetuar, trazer a realização, executar, de ditos, promessas, profecias, fazer passar, ratificar, cumprir"[2].

A Lei se tornou, nas palavras do escritor de Hebreus, "antiquada" (Hebreus 8.13), porque teve seu cumprimento no Messias; depois dele, já não atendia mais ao propósito inicial. Ao dizer "até que o céu e a terra passem, nem um i ou um til jamais passará da Lei, até que tudo se cumpra", Cristo mostrou que a Lei não seria simplesmente descartada, mas teria pleno cumprimento! Ao enfatizar o cumprimento do que estava predito, Jesus

---

[1] STRONG, **New Strong's Exhaustive Concordance of the Bible.**
[2] Ibidem.

ratificou a natureza profética daquela. Acredito ser essa a razão de Paulo dizer aos cristãos de Roma que a Lei *não é anulada* pela fé; pelo contrário, ela *é confirmada* (Romanos 3.31). Isso sugere mais do que simples troca ou expiração da validade, porque define o exato cumprimento daquilo para o qual sempre apontara, para o que fora dada.

Antes de falar mais sobre o cumprimento profético, é oportuno destacar que Jesus também *cumpriu* a Lei no sentido literal da palavra. As Escrituras afirmam que ele "passou por todo tipo de tentação, porém sem pecado" (Hebreus 4.15). Se "o pecado é a transgressão da Lei" (1João 3.4) e Cristo nunca pecou, logo ele obedeceu plenamente à Lei. Embora nos regozijemos com o fato de que "o fim da Lei é Cristo" (Romanos 10.4), não podemos ignorar que "Deus enviou seu Filho, nascido de mulher, nascido debaixo da Lei, a fim de redimir os que estavam sob a Lei" (Gálatas 4.4,5). Antes de resgatar os que estavam sob a Lei, ele nasceu sob a Lei e precisou cumpri-la.

Nesse sentido, Jesus guardou tanto a lei cerimonial quanto a moral. Acerca do segundo aspecto, *sir* Norman Anderson comentou:

> Jesus cumpriu a lei moral de duas maneiras: 1) guardando-a perfeitamente em sua vida, na qual ele cumpriu os aspectos interiores além dos regulamentos exteriores; 2) morrendo em lugar dos que deixaram de guardá-la. Ele também reforçou seus princípios para os discípulos, não como meio de salvação, mas como padrão de vida. Em resumo, então, as leis cerimoniais e judiciais tinham autoridade divina, mas eram limitadas ao tempo em que até que cada uma delas fosse cumprida por Jesus de maneira satisfatória. Mas a lei moral (que encontramos realçada novamente no Novo Testamento) é eterna, fundamentada no caráter do próprio Deus.[3]

APENAS SOMBRA

Quando Hebreus revela que "A Lei traz apenas uma sombra dos benefícios que hão de vir, e não a sua realidade" (Hebreus 10.1), o que afirma é que foi providenciada por Deus não apenas para legislar ou normatizar em seu tempo de vigência, e sim com o intuito de apontar para o futuro,

---

[3] Keeley, Robin (Org.). **Fundamentos da teologia cristã**. São Paulo: Vida, 2000. p. 185.

ou seja, os bens vindouros. Encontramos declaração semelhante na carta aos irmãos de Colossos:

> Portanto, não permitam que ninguém os julgue pelo que vocês comem ou bebem, ou com relação a alguma festividade religiosa ou à celebração das luas novas ou dos dias de sábado. Essas coisas são **sombras do que haveria de vir**; a realidade, porém, encontra-se em Cristo(Colossenses 2.16,17).

O que é uma sombra? Uma imagem limitada que transmite uma ideia incompleta do objeto que se interpõe entre a luz e o lugar onde a sombra é projetada. Ao estender a mão sobre o teclado do computador em que escrevo, posso ver a sombra da minha mão projetada nele. Ela não reproduz a cor, tampouco a textura da minha pele. Não fornece o efeito tridimensional presente na origem, mas apenas projeta de forma unidimensional, plana. Contudo, é capaz de dar uma ideia do que está, de fato, entre a luz do meu escritório e o teclado do computador.

Como essa sombra retrata algo conhecido a qualquer um de nós, não há a menor dificuldade de relacioná-la a uma mão. No entanto, quando as Escrituras falam de sombra, tenha em mente que aqueles homens que viveram no tempo da Lei não podiam identificar exatamente o que estava por trás da projeção. É como se os olhos deles estivessem posicionados abaixo daquilo que produz a sombra — viam a sombra em si, mas não o que a originava.

Consideremos, a título de exemplo, o que Jesus falou acerca da figura profética da Lei:

> "**Da mesma forma como Moisés levantou a serpente no deserto, assim também é necessário que o Filho do homem seja levantado**, para que todo **o que nele crer tenha a vida eterna**. Porque Deus tanto amou o mundo que deu o seu Filho Unigênito, para que **todo o que nele crer não pereça, mas tenha a vida eterna**. Pois Deus enviou o seu Filho ao mundo, **não para condenar o mundo, mas para que este fosse salvo por meio dele**. Quem nele crê não é condenado, mas quem

não crê já está condenado, por não crer no nome do Filho Unigênito de Deus" (João 3.14-18).

Cristo toma uma figura, uma sombra profética da crucificação, que fora projetada no Antigo Testamento. O evento somente aconteceria na nova aliança, mas sua projeção já constava na Lei. Para entender o que está sendo dito, é necessário analisar a história:

> Então os israelitas partiram do monte Hor, pelo caminho do mar Vermelho, para rodear a terra de Edom. Mas o povo se tornou impaciente no caminho e **falou contra Deus** e contra Moisés, dizendo:
> — Por que vocês nos tiraram do Egito, para que morramos neste deserto, onde não há pão nem água? Já estamos enjoados dessa comida ruim.
> Então o Senhor **mandou para o meio do povo cobras venenosas, que mordiam o povo; e morreram muitos do povo de Israel**. Então o povo foi a Moisés e disse:
> — Nós pecamos, porque falamos contra o Senhor Deus e contra você. Ore ao Senhor, pedindo que tire de nós as cobras.
> Então Moisés orou pelo povo. **O Senhor disse a Moisés:**
> — **Faça uma serpente e coloque-a sobre uma haste. Quem for mordido e olhar para ela viverá.**
> Moisés fez uma serpente de bronze e a pôs sobre uma haste. Quando alguém era mordido por alguma cobra, se olhava para a serpente de bronze, ficava curado (Números 21.4-9, NAA).

Temos aqui uma sombra do evangelho. Os israelitas haviam pecado contra o Senhor, o que fez que ele liberasse juízo. Uma maldição os assolava: cobras venenosas. Na versão Almeida Revista e Atualizada, a expressão foi traduzida por "serpentes abrasadoras", possivelmente em referência ao efeito de queimação causado pelo veneno. Então, um símbolo físico daquela maldição, ou seja, uma serpente feita de bronze, foi levantado sobre uma haste de metal. Quem havia sido picado e olhava para a cobra de bronze era imediatamente curado. O contrário está implícito: quem não olhava não recebia cura.

Que relação tem isso com Jesus? Vamos definir o paralelo: a humanidade pecou, e as consequências do pecado manifestaram-se em toda a humanidade (Romanos 5.12). Uma maldição nos assolava: não serpentes venenosas, mas o pecado, que nos trouxe morte (Romanos 3.23). Cristo, assumindo sobre si a maldição que nos assolava, foi feito pecado por nós (2Coríntios 5.21), mesmo sem nunca ter pecado — e foi levantado no madeiro. Todo aquele que, envenenado pelo pecado original, olha para a obra de Cristo na cruz (isso fala de reconhecimento) tem acesso ao antídoto divino para a morte espiritual e, então, recebe vida eterna. Quem não olhar para a cruz, crendo no sacrifício substitutivo do Filho de Deus, certamente perecerá. Dessa forma, o que encontramos no relato de Números 21 é a projeção da sombra da cruz do Calvário. Quando o nosso Senhor foi sacrificado por nós, essa sombra da Lei — bem como incontáveis outras — teve seu cumprimento profético.

Levemos em conta outro exemplo. A festa anual da Páscoa exigia a morte de um cordeiro sem defeito. Tudo começou em Êxodo 12, na saída dos israelitas do Egito. A décima praga fora determinada e destruiria todos os primogênitos dos homens e dos animais, mas havia sido oferecida uma alternativa ao juízo divino: quem imolasse o cordeiro pascal, pegasse do sangue do animal e aplicasse sobre a porta de sua casa estaria protegido. Naquela noite, nenhum primogênito morreu nas casas onde havia sangue. Por quê? O sangue de um animal possuía algum poder protetor? Não, porque Deus havia dito: "O sangue será um sinal" (Êxodo 12.13). Não simplesmente um sinal protetor sobre a casa, mas uma mensagem sobre o futuro, uma figura profética que bradava no mundo espiritual: "Um dia, Cristo, o Cordeiro que tira o pecado do mundo, será sacrificado por nós. Pela apropriação de seu sangue, seremos redimidos!". Paulo, escrevendo aos coríntios, denomina Cristo como "nosso Cordeiro pascal" (1Coríntios 5.7). A sombra profética projetada no cordeiro da Páscoa tinha uma origem: Jesus! Dele se originava a projeção; ele era a substância.

Os paralelos são muitos. Ampliando o ocorrido na primeira Páscoa, constatamos que os israelitas eram escravos da tirania do faraó; nós também éramos escravos de Satanás, de quem Deus nos resgatou (Colossenses 1.13). Os hebreus foram libertos na noite em que o cordeiro da Páscoa foi imolado; nós fomos livres quando Jesus foi sacrificado e derramou seu sangue para a nossa redenção. Ao sair do Egito, a linhagem de Abraão foi levada ao monte Sinai; lá, Deus declarou:

> "Agora, pois, se ouvirem atentamente a minha voz e guardarem a minha aliança, vocês serão a minha **propriedade peculiar** dentre todos os povos. Porque toda a terra é minha, e vocês serão para mim um **reino de sacerdotes** e uma **nação santa**." São estas as palavras que você falará aos filhos de Israel (Êxodo 19.5,6, NAA).

Algo semelhante foi dito a nosso respeito; na verdade, o apóstolo Pedro praticamente repetiu as mesmas descrições, embora em referência à igreja de Jesus:

> Vocês, porém, são **geração eleita, sacerdócio real, nação santa, povo de propriedade exclusiva de Deus**, a fim de proclamar as virtudes daquele que os chamou das trevas para a sua maravilhosa luz(1Pedro 2.9, NAA).

Quanto mais caminhamos pelas Escrituras, mais se torna inquestionável o caráter profético da Lei. Paulo, escrevendo aos gálatas enganados por judaizantes — estes os haviam feito acreditar ser necessário guardar a Lei já caducada —, explica a simbologia profética dos filhos de Abraão:

> Dizei-me vós, os que quereis estar sob a lei: acaso, não ouvis a lei? Pois está escrito que Abraão teve dois filhos, um da mulher escrava e outro da livre. Mas o da escrava nasceu segundo a carne; o da livre, mediante a promessa. **Estas coisas são alegóricas; porque estas mulheres são duas alianças;** uma, na verdade, se refere ao monte Sinai, que gera para escravidão; esta é Agar. Ora, Agar é o monte Sinai, na Arábia, e corresponde à Jerusalém atual, que está em escravidão com seus filhos. Mas a Jerusalém lá de cima é livre, a qual é nossa mãe; porque está escrito:

Alegra-te, ó estéril, que não dás à luz, exulta e clama, tu que não estás de parto; porque são mais numerosos os filhos da abandonada que os da que tem marido. Vós, porém, irmãos, sois filhos da promessa, como Isaque. **Como, porém, outrora, o que nascera segundo a carne perseguia ao que nasceu segundo o Espírito, assim também agora.** Contudo, que diz a Escritura? Lança fora a escrava e seu filho, porque de modo algum o filho da escrava será herdeiro com o filho da livre. E, assim, irmãos, **somos filhos não da escrava, e sim da livre** (Gálatas 4.21-31, ARA).

O apóstolo declarou aos romanos que "tudo o que foi escrito no passado foi escrito para nos ensinar" (Romanos 15.4), o que denota uma importância simbólica, de prenúncio do que viria. Não se pode ignorar que a Lei anunciava, em detalhes, os desdobramentos futuros da chegada do evangelho, da manifestação da graça, da justificação pela fé. Após a ressurreição, Jesus explicou aos dois discípulos que caminhavam em direção a Emaús o inegável caráter profético da Lei:

Então ele lhes disse:

— Como vocês são insensatos e demoram para crer em tudo o que os profetas disseram! Não é verdade que o Cristo tinha de sofrer e entrar na sua glória?

E, começando por Moisés e todos os Profetas, explicou-lhes o que constava a respeito dele em todas as Escrituras (Lucas 24.25-27, NAA).

Semelhantemente, lemos que Paulo, em Roma, quando se reuniu com os judeus em sua própria casa, "Desde a manhã até a tarde ele lhes deu explicações e lhes testemunhou do Reino de Deus, procurando convencê-los a respeito de Jesus, com base na Lei de Moisés e nos Profetas" (Atos 28.23).

Sem essa compreensão, corremos o risco de subestimar a importância do Antigo Testamento, deixando de dar-lhe seu devido valor, ou até descartá-lo. Reafirmamos que o Antigo Testamento *ilustra* o Novo, ao passo que o Novo Testamento *explica* o Antigo. A capacidade de entender de forma acurada as verdades do evangelho está diretamente atrelada ao entendimento correto da Lei.

CIRCUNCISÃO DO CORAÇÃO

No entanto, há ainda outro extremo, defendido por aqueles que não descartam nada da antiga aliança — nem aquilo que *deve* ser descartado. Desse modo, insistem em práticas contrárias à nova aliança. Esta foi a razão de Paulo e Barnabé terem travado uma grande disputa contra os judeus que desceram de Jerusalém a Antioquia pregando que, sem a circuncisão e a consequente observância da Lei, os gentios não poderiam ser salvos.

> Alguns indivíduos que foram da Judeia para Antioquia ensinavam aos irmãos:
> — Se vocês não forem circuncidados segundo o costume de Moisés, não podem ser salvos.
> **Tendo surgido um conflito e grande discussão de Paulo e Barnabé com eles**, foi resolvido que esses dois e mais alguns fossem a Jerusalém, aos apóstolos e presbíteros, para tratar desta questão. (Atos 15.1,2, NAA)

O desfecho dessa história é conhecido. O concílio de apóstolos e presbíteros em Jerusalém reconheceu que ninguém seria salvo pelas obras da Lei. Pedro, o primeiro a ver "a porta da salvação" aberta aos gentios, testemunhou: "Cremos que somos salvos pela graça de nosso Senhor Jesus" (Atos 15.11). Tiago, o grande líder da igreja em Jerusalém e irmão de Jesus (Gálatas 1.19), concluiu: "Portanto, julgo que não devemos pôr dificuldades aos gentios que estão se convertendo a Deus. Ao contrário, devemos escrever a eles, dizendo-lhes que se abstenham de comida contaminada pelos ídolos, da imoralidade sexual, da carne de animais estrangulados e do sangue" (Atos 15.19,20).

Por que houve essa grande disputa acerca da circuncisão? Porque ela fora uma ordenança divina dada a Abraão, o pai da fé — ou seja, anterior à Lei. Contudo, assim como todas as regras da Lei, também carregava um caráter profético e, portanto, temporário. Paulo explica:

Não é judeu quem o é apenas exteriormente, **nem é circuncisão a que é meramente exterior e física**. Não! Judeu é quem o é interiormente, e **circuncisão é a operada no coração, pelo Espírito**, e não pela Lei escrita. Para estes o louvor não provém dos homens, mas de Deus (Romanos 2.28,29).

Adiante, o apóstolo define que Abraão foi justificado pela fé, não pela circuncisão, conferindo a ela *status* de selo da fé: "Assim ele recebeu a circuncisão como sinal, como selo da justiça que ele tinha pela fé, quando ainda não fora circuncidado" (Romanos 4.11). Aquele ritual, tão exigido na primeira aliança, perde a continuidade literal na segunda, embora "continue" ao longo do comprimento de sua tipologia profética. Aos colossenses, Paulo relaciona o selo da fé na nova aliança ao batismo, fazendo uso do termo "circuncisão de Cristo":

Nele também **vocês foram circuncidados**, não com uma circuncisão feita por mãos humanas, mas pela **remoção do corpo da carne, que é a circuncisão de Cristo**, tendo sido sepultados juntamente com ele **no batismo**, no qual vocês também foram ressuscitados por meio da fé no poder de Deus que o ressuscitou dentre os mortos (Colossenses 2.11,12, NAA).

Diante disso, vale questionar: a circuncisão foi revogada na nova aliança? Não; ela se cumpriu. Hoje, acontece no coração, não na carne. Aliás, a própria Lei já dava prenúncios disso: "Circuncidem o coração de vocês" (Deuteronômio 10.16, NAA) e "Deixem-se circuncidar para o Senhor; circuncidem o seu coração, ó homens de Judá e moradores de Jerusalém" (Jeremias 4.4, NAA). A tentativa de preservar o tipo (figura profética) no lugar de seu antítipo (cumprimento da figura) foi claramente combatida pelo apóstolo Paulo na nova aliança: "Caso se deixem circuncidar, Cristo de nada lhes servirá" (Gálatas 5.2). O recado foi devidamente transmitido: "De nada vale ser circuncidado ou não. O que importa é ser uma nova criação" (Gálatas 6.15).

OFERTA DE INCENSO E LÂMPADAS ACESAS

Não queremos ser exaustivos na apresentação de sombras, alegorias e figuras proféticas da Lei; entretanto, apresentamos exemplos suficientes para comprovar quão abrangentes são os simbolismos. Veja a maneira pela qual o escritor de Hebreus se refere à tipologia das tendas (ou ambientes separados pelo véu) do tabernáculo erigido por Moisés:

> Dessa forma, **o Espírito Santo estava mostrando** que ainda não havia sido manifestado o caminho para o Lugar Santíssimo enquanto permanecia o primeiro tabernáculo. **Isso é uma ilustração para os nossos dias** [...] (Hebreus 9.8,9).

Cada detalhe do tabernáculo tinha sua importância. Repetidas advertências divinas falavam a Moisés: "Tenha o cuidado de fazê-lo segundo o modelo que lhe foi mostrado no monte" (Êxodo 25.40; cf. 26.30). Assim, o Senhor exigia que o projeto fosse seguido à risca. Por quê? Porque havia uma abundância de elementos proféticos, apontando para o futuro, para a chegada da graça e da fé por meio do evangelho.

> Arão **queimará o incenso** aromático sobre o altar; cada manhã, quando preparar as lâmpadas, o queimará. Quando, ao crepúsculo da tarde, acender as lâmpadas, o queimará; será **incenso contínuo** diante do Senhor, **de geração em geração**. (Êxodo 30.7,8, NAA)

A frase "será incenso *contínuo* diante do Senhor, de geração em geração" indica que o Altíssimo não planejava interromper a prática da oferta de incenso. A palavra "contínua" remove qualquer dúvida. Contudo, desde que a cidade de Jerusalém e o templo foram destruídos pelos romanos, no ano 70 d.C., a oferta literal de incenso foi descontinuada. Com isso, quer dizer que deixou de ser contínua, de geração em geração? Não. Ela não foi revogada. A oferta de incenso apenas teve o cumprimento de seu aspecto simbólico e preditivo. A Lei já havia previsto seu futuro cumprimento:

> Seja **a minha oração como incenso** diante de ti e o levantar das minhas mãos como a oferta da tarde (Salmos 141.2).

As afirmações do Antigo Testamento apontavam antecipadamente na direção de conclusões neotestamentárias. Nos dias de Zacarias, pai de João Batista, o momento da oferta de incenso já estava relacionado à oração:

> Certa vez, estando de serviço o seu grupo, Zacarias estava servindo como sacerdote diante de Deus. Ele foi escolhido por sorteio, de acordo com o costume do sacerdócio, para entrar no santuário do Senhor e **oferecer incenso**. Chegando a hora de oferecer incenso, **o povo todo estava orando do lado de fora** (Lucas 1.8-10).

No Apocalipse, João descreve uma visão em que os 24 anciãos tinham em mãos "taças de ouro cheias de incenso". À tal descrição, o autor emenda uma explicação: "[...] que são as orações dos santos" (Apocalipse 5.8). A oferta de incenso, portanto, continua sendo oferecida ao Senhor; não mais por meio de figura, mas mediante seu cumprimento. A oração é o bem vindouro atual que projetou, atravessando a linha do tempo espiritual, uma sombra na antiga aliança.

O mesmo se pode dizer sobre a ordem de manter o candelabro aceso, definida no Antigo Testamento como "decreto perpétuo" (Êxodo 27.20,21). Obviamente, Deus não queria que ela cessasse. Contudo, no Novo Testamento, não há nenhuma instrução sobre lâmpadas literais serem mantidas acesas; o que existe é a ordem de *não apagar o Espírito* (1 Tessalonicenses 5.19). A tipologia do candelabro apontava para o Espírito Santo (Zacarias 4.1-6). Na nova aliança, ele é a única lâmpada que temos a responsabilidade de manter acesa.

Isso tudo reforça e sustenta o que defendemos aqui: o caráter profético da Lei, que possuía a sombra dos bens vindouros, mas não a imagem exata das coisas. Como os bens vindouros que a projetavam se cumpriram, ela se tornou antiquada. Como anunciou o Senhor Jesus Cristo, não se trata de revogação, mas de cumprimento.

Concluímos com uma citação de Russell Shedd, que serve de resumo do que vimos até aqui:

Ao declarar que ele veio não para abolir, mas para cumprir a lei (Mateus 5.17), Jesus quis ensinar o verdadeiro uso e o valor da lei.

1. Ele veio para guardá-la perfeitamente, segundo a perfeita vontade do Autor. A nobreza da vida de Jesus Cristo se percebe no fato de nunca ter desobedecido à lei (João 8.29). Assim, todos os que estão nele participam da justiça perfeita (1Coríntios 1.30).

2. Ele veio para transformar a sombra da lei na realidade por ela tipificada. Assim, todos os sacrifícios animais da Lei mosaica alcançaram, na morte de Jesus, seu alvo histórico e seu completo cumprimento (Hebreus 9.12). Todo ritual — as festas, os sábados, o sacerdócio e o templo — atingiu sua finalidade completa na pessoa e obra de Jesus Cristo. Nesse sentido, a Lei de Moisés tornou-se uma profecia cumprida. Por isso, seria inútil o convertido pensar em guardar tudo que o Filho Santo de Deus já cumpriu. Seria nada menos do que um insulto, uma "obra morta" que provoca a ira divina.[4]

---

[4] SHEDD, **Lei, graça e santificação**, p. 23-24.

SINOPSE DO CAPÍTULO EM TÓPICOS

1. A Lei tinha tanto um aspecto temporário quanto um caráter profético.

2. A Lei anunciava, antecipadamente, aquilo que se consumaria no futuro. Quando essas figuras se realizaram em Cristo, cumpriu-se tanto o seu propósito temporário quanto profético.

3. Essa é a razão por que Jesus afirmou não ter vindo para revogar a Lei, e sim para cumpri-la. A revogação atestaria somente o caráter temporário. O cumprimento ratifica seu caráter profético.

4. Jesus também *cumpriu* a Lei no sentido literal da palavra. Ele "passou por todo tipo de tentação, porém sem pecado" (Hebreus 4.15). Se "o pecado é a transgressão da Lei" (1João 3.4) e Cristo nunca pecou, logo ele obedeceu plenamente à Lei.

5. A Lei foi providenciada por Deus não apenas para legislar ou normatizar em seu tempo de vigência, e sim com o intuito de apontar para o futuro, ou seja, os bens vindouros (Hebreus 10.1). Ela era parte de uma preparação divina para os eventos futuros, razão pela qual foi dito que "a lei se tornou nosso guardião para nos conduzir a Cristo" (Gálatas 3.24, NAA).

6. A serpente de bronze, levantada por Moisés, a circuncisão, a oferta de incenso e as lâmpadas acesas no tabernáculo exemplificam essa verdade.

7. Cristo veio para transformar a sombra da Lei na realidade por ela tipificada. Assim, todos os sacrifícios animais da lei mosaica alcançaram, na morte de Jesus, seu alvo histórico e seu completo cumprimento (Hebreus 9.12). Todo ritual — as festas, os sábados, o sacerdócio e o templo — atingiu sua finalidade completa na pessoa e obra de Jesus Cristo. Nesse sentido, a lei de Moisés tornou-se uma profecia cumprida.

PERGUNTAS PARA REFLEXÃO

1. Por que Deus deu aos homens uma Lei temporária?

2. Em que sentido a Lei pode ser denominada como profética? Como ela apontava para Cristo?

3. Qual a diferença, nas palavras de Jesus, entre *revogar* e *cumprir* a Lei?

4. É correto afirmar que a revelação divina foi construída de forma progressiva ao longo dos séculos?

CAPÍTULO 6

MUDANÇA DE LEI

> Estamos sem essa Lei, mas isto não significa que estamos sem qualquer lei, porque Deus estabeleceu outra lei em seu lugar, a lei da fé; e todos estamos debaixo desta lei para com Deus e com Cristo. Tanto o nosso Criador, como o nosso Redentor exigem que a observemos.
>
> *John Wesley*

Afirmamos, no capítulo 3, que a Lei tinha caráter temporário e, no capítulo 5, mostramos que a razão dessa caducidade se deve ao fato de que a Lei também tinha caráter profético. Logo, embora as Escrituras, por um lado, afirmem que "o fim da Lei é Cristo" (Romanos 10.1-4), por outro lado, as mesmas Escrituras também revelam que Cristo — em quem a Lei se encerra —, por sua vez, declarou: "Não pensem que vim abolir a Lei ou os Profetas; não vim abolir, mas cumprir" (Mateus 5.17).

As declarações não são conflitantes. Na verdade, elas se complementam e concordam plenamente. A primeira aponta o fim da Lei; a segunda explica que o fim não se deu mediante mera revogação, mas, sim, pelo cumprimento daquilo para o que apontava, ou seja, os bens vindouros, e que, em Cristo, então se concretizaram.

Antes mesmo de entrar nas definições da graça, que marca o período seguinte à Lei na história da humanidade, é preciso entender a *substituição* da Lei (que não deve ser confundida com *aniquilação*). Já ouvi muitas barbaridades na interpretação de "o fim da Lei é Cristo". Entre elas, insinuações que sugerem algo que se assemelha a uma "anarquia *gospel*", uma espécie de mundo evangélico "sem lei" ou regras de nenhum gênero.

Entretanto, não foi acerca disso que Paulo falou. O apóstolo, pouco depois de fazer essa declaração, ensina, na mesma epístola, acerca de nos sujeitarmos às autoridades (Romanos 13.1), o que inclui submissão a suas leis. Portanto, ele não falava do fim de todo e qualquer tipo de lei, mas de uma lei *específica*. A referência era à Lei mosaica. Isso não significa, em absoluto, que, na nova aliança, não haveria mais nenhum tipo de lei. Veja o que Hebreus nos revela ter acontecido na mudança de alianças:

> Certo é que, quando **há mudança de sacerdócio**, é necessário **que haja mudança de lei** (Hebreus 7.12).

A Bíblia declara que houve *mudança*, não *cessação* de lei.

E qual é a razão dessa mudança?

LEI MORAL E CERIMONIAL

Já vimos que não se tratava de revogação, e sim do cumprimento profético do seu simbolismo. Portanto, para entender melhor a natureza da mudança, faz-se necessário distinguir alguns aspectos da Lei: a *cerimonial* e a *moral*.

Na criação, Deus deu ordenanças a serem cumpridas. Se assim não fosse, não haveria pecado, visto que este é a transgressão da Lei (1João 3.4). É evidente que, quando pecou, Adão não quebrou a Lei de Moisés, uma vez que esta ainda não havia sido dada, mas transgrediu a lei do Criador, no Éden. É inegável que o Senhor esperava obediência do primeiro homem e que o capacitou para que isso fosse possível. Sobre isso, John Wesley, o grande avivalista inglês, afirmou:

> A esse homem reto e perfeito, Deus deu uma lei perfeita para a qual exigiu inteira e perfeita obediência. Exigiu inteira obediência a todos os

seus pontos, praticada sem nenhuma intromissão, desde o momento em que o homem se tornou alma vivente até que o seu tempo de experimentação terminasse. Não houve permissão para qualquer falta, visto que, na realidade, não havia necessidade disso, e que o homem estava à altura da tarefa que lhe havia sido imposta e perfeitamente aparelhado para toda boa palavra e toda boa obra.[1]

Antes da Lei mosaica, por exemplo, já havia ordens contrárias ao homicídio. A punição divina dada a Caim (Gênesis 4.10-16) e a ordem dada a Noé, após o dilúvio, sobre não tolerar o assassino, antes julgá-lo com o derramamento do seu próprio sangue (Gênesis 9.5,6), são evidências disso. Portanto, quando foi escrito nas tábuas da Lei "Não matarás" (Êxodo 20.13), não se tratava de uma nova instituição ou valor. Moisés, por orientação celestial, incorporou uma lei moral preexistente na Lei que, a partir de então, foi sacramentada como aliança entre Deus e seu povo. Mesmo depois do fim da Lei mosaica em Cristo (Romanos 10.4), não significa que a restrição à prática do homicídio tenha sido suspensa. A prova disso é que o apóstolo João, já na nova aliança, declara que os assassinos não terão direito de acesso à cidade santa (Apocalipse 21.8; 22.15).

O apóstolo Tiago diz: "Há apenas um Legislador e Juiz, aquele que pode salvar e destruir" (Tiago 4.12). Legislador é aquele que faz as leis. Esse legislador é Deus, cuja natureza divina é eterna; portanto, a Lei do Senhor é eterna. Ao criar o homem do pó da terra, Deus o fez com a consciência de certo e errado, dotado da faculdade de escolher o bem ou o mal (Romanos 2.15). Sobre a origem dessa lei moral, John Wesley destaca que ela antecede a criação do homem e comenta o seguinte:

> Tal foi a origem da lei de Deus. Com relação ao homem, era coeva de sua natureza, mas em relação aos mais velhos filhos de Deus, ela brilhou em seu pleno esplendor "antes que as montanhas fossem formadas e a terra e sua redondeza fossem feitas". Mas não passou muito tempo —

---

[1] BURTNER, Robert W.; CHILES, Robert E. (Orgs.). **Coletânea da teologia de João Wesley**. Rio de Janeiro: Igreja Metodista: Colégio Episcopal, 1995. p. 102.

e o homem se rebelou contra Deus, e, quebrando sua lei gloriosa, mais ou menos apagou-a em seu coração, obscurecendo-se a visão de seu entendimento à medida que sua alma se tornava "alienada de Deus". Ainda assim, Deus não desprezou a obra de suas mãos; mas, reconciliando-se com o homem através do Filho de seu amor, de algum modo o Senhor reinscreveu a lei no coração de sua criatura sombria e pecaminosa. "Eis que" outra vez "te mostrei, ó homem, o que é bom"; embora não como no começo, "para fazerdes obras de justiça e amares a misericórdia, e andares humildemente com teu Deus".

E isto ele mostrou, não somente a nossos primeiros pais, mas igualmente a toda posteridade, mediante "aquela verdadeira luz que, vindo ao mundo, alumia a todo homem". Mas, não obstante essa luz, toda carne, com o correr do tempo, tinha "corrompido seu caminho diante dele", de modo que Deus escolheu dentre a humanidade um povo peculiar, a quem deu um conhecimento mais perfeito de sua lei: e os pontos principais desta, visto o povo escolhido ser de entendimento tardo, ele os escreveu em duas tábuas de pedra, mandando que os pais os ensinassem aos filhos, através de todas as gerações que se sucedessem.

Assim é que a lei de Deus é agora dada a conhecer mesmo àqueles que não conhecem a Deus. Eles ouvem, com os ouvidos da carne, as coisas que foram escritas outrora para nossa instrução. Mas isto não basta: não podem, por este meio, avaliar a altura, a profundidade, a extensão e a largura dessa lei. Somente Deus o pode revelar pelo seu Espírito. Isto ele o faz a todo que verdadeiramente crê, em consequência daquela graciosa promessa feita a todo Israel de Deus: "Eis que vem o dia, diz o Senhor, em que farei um novo pacto com a casa de Israel. E este será o pacto que farei: porei a minha lei em seu interior, e a escreverei em seus corações; e eu serei seu Deus, e eles serão meu povo" (Jer. XXXI.31ss).[2]

Se não fizermos distinção do que é lei moral e lei cerimonial, teremos algumas dificuldades de entender o que continua no Novo Testamento e o

---

[2] WESLEY, John. **Sermões pelo rev. João Wesley.** São Paulo: Imprensa Metodista, 1954. v. 2, sermão 34, p. 159-160.

que não vale mais. O fato de continuar havendo Lei na nova aliança, firmada por Jesus, atesta isto.

Voltando à declaração de Hebreus 7.12, de que houve "mudança de lei", analisemos alguns fatos. Notemos que o argumento apresentado pelo escritor de Hebreus para a mudança de lei é a mudança de sacerdócio. Uma vez que o sacerdócio levítico da antiga ordem foi substituído pelo sacerdócio de Cristo, que é segundo a ordem de Melquisedeque (Hebreus 7.11), então a lei mudou. Insisto em focar a expressão "mudança de lei". O que isso significa? A Lei antiga não foi descartada. Foi mudada. Primeiramente porque os ritos cerimoniais já não eram mais necessários, uma vez que se cumpriram em Cristo. Como Paulo atestou aos crentes de Colossos: "Portanto, não permitam que ninguém os julgue pelo que vocês comem ou bebem, ou com relação a alguma festividade religiosa ou à celebração das luas novas ou dos dias de sábado. Essas coisas são sombras do que haveria de vir; a realidade, porém, encontra-se em Cristo" (Colossenses 2.16,17). O foco aqui são os elementos cerimoniais da Lei. Note que ele não diz: "ninguém vos julgue por prostituição, idolatria ou roubos". Por quê? Porque os valores morais da Lei não foram revogados. Apenas os ritos cerimoniais, simbólicos, proféticos, pois se cumpriram. Em razão disso, tornaram-se completamente desnecessários.

Não se trata apenas de ser algo que já era vigente antes da Lei mosaica ou não. Já vimos que a circuncisão precedia a Lei, foi incorporada por ela, mas agora, na nova aliança, tem o cumprimento de seu símbolo por meio do batismo. O mesmo se deu com o sábado, como veremos adiante. Ele antecede a Lei porque já estava presente na criação, foi incorporado por ela, mas, no tempo da graça, é interpretado por Paulo como sombra de um bem vindouro (Colossenses 2.16,17).

O ponto principal na discussão é o que o Novo Testamento diz a respeito. Considere a questão da proibição de comer sangue, que começa antes da Lei e depois do dilúvio: "Mas não comam carne com sangue, que é vida" (Gênesis 9.4). Posteriormente foi incorporada à Lei: "Onde quer que vocês vivam, não comam o sangue de nenhuma ave nem de animal. Quem comer sangue será eliminado do meio do seu povo" (Levítico 7.26,27). Quando, porém, chegou o evangelho da fé, esse princípio não foi alterado nem interpretado como sombra de um bem vindouro. O Concílio de Jerusalém, ao discutir quais mandamentos seriam transmitidos aos gentios convertidos, não sustentou a circuncisão — cuja discussão era o motivo da reunião — nem a guarda do sábado, mas orientou-os a se absterem do sangue e da carne de animais estrangulados (Atos 15.28,29). As duas instruções se complementam; a primeira fala de ingestão *direta* do sangue, ao passo que a segunda fala da ingestão *indireta*. A carne de animais estrangulados referia-se ao animal que, ao ser morto, não tivera seu sangue derramado, mas cujo sangue fora cozido com a carne durante o preparo do alimento. Contudo, antes de discutir o que mudou em detalhes, é necessário entender a natureza da mudança. Porque ainda há uma lei a ser observada, o ensino neotestamentário dará destaque a ela. Contudo, como veremos no capítulo seguinte, ninguém é justificado pela observância da antiga Lei, tão somente pela fé.

O que vale adiantar, entretanto, é que há mais do que apenas a fé inicial no dia da conversão. Paulo declarou aos romanos: "Porque no evangelho é revelada a justiça de Deus, uma justiça que do princípio ao fim é pela fé, como está escrito: 'O justo viverá pela fé'" (Romanos 1.17). A vida cristã, como detalharemos adiante, é uma vida de fé contínua. Esta, por sua vez, inclui as obras, às quais se referiu Tiago (Tiago 2.14-18). Trata-se de uma combinação que precisa ser entendida. A mesma fé que nos justifica deve levar-nos pelo caminho da obediência aos mandamentos divinos.

OS MANDAMENTOS DE CRISTO

É necessário compreender que, se, por um lado, a Lei mudou, por outro, e consequentemente, ainda há mandamentos. Obviamente não se trata mais das mesmas ordenanças, mas ainda há ordenanças. As palavras de Cristo evidenciam essa mudança: "Um novo mandamento dou a vocês [...]" (João 13.34). Por essa mesma razão, o ensino apostólico revela até mesmo a denominação correta para a lei desse novo tempo sacerdotal; Paulo admitiu: "Para os que estão sem lei, tornei-me como sem lei (embora não esteja livre da lei de Deus, e sim sob a lei de Cristo), a fim de ganhar os que não têm a Lei" (1Coríntios 9.21). Portanto, o fim da Lei mosaica não significa, para os crentes em Jesus, libertação de todo e qualquer tipo de lei.

O Senhor Jesus deixou claro, em seus ensinos, que ele veio nos apresentar mandamentos e que tais mandamentos eram distintos da Lei mosaica. Cristo utilizou seis vezes, só no Sermão do Monte, a frase "Vocês ouviram o que foi dito" (Mateus 5.21,27,31,33,38,43) e, depois de cada uma delas, citou uma porção da Lei de Moisés. Entretanto, logo depois de cada uma dessas declarações, o Filho Santo de Deus enfatizava: "Mas eu digo" (Mateus 5.22,28,32,34,39,44) e, com isso, sinalizava, sem nenhuma dúvida, que ele estava *atualizando* o mandamento a ser obedecido.

Já ouvi pessoas que, tentando se esquivar da responsabilidade de aceitar tais mandamentos de Cristo, alegam que o Messias falava apenas aos judeus. Tal afirmação é totalmente desprovida de lógica, bom senso e honestidade. O Senhor Jesus não veio ensinar os judeus a serem bons cumpridores da Lei de Moisés; ele veio para levá-los além! É óbvio que, ao citar "Vocês ouviram o que foi dito", o Mestre referia-se à Lei que havia sido dada aos israelitas. Contudo, ao declarar "Mas eu digo", a indicação de um novo mandamento fica evidente e incontestável.

Quanto a tentar limitar os ensinos do nosso Senhor somente aos judeus, trata-se de outro esforço inútil. Na grande comissão, encontramos Cristo ordenando os apóstolos a que façam discípulos *das nações*, o que significa que ele os enviava aos *gentios*, ou seja, aos não judeus. A ordenança do que fazer com esses discípulos gentios também é específica: "batizando-os" e "ensinando-os a obedecer a tudo o que eu ordenei a vocês" (Mateus 28.19,20). Portanto, se o que Jesus ensinou aos apóstolos deveria ser replicado aos novos discípulos, gentios, conclui-se que o ensino de Cristo não era voltado apenas para os judeus, que viviam sob a Lei.

Desse modo, todas as vezes que o Mestre falou sobre seus mandamentos, ele esperava que judeus e gentios entendessem a natureza das ordenanças que lhes seriam comunicadas. O Filho de Deus foi muito claro quanto a isso:

"Quem **tem os meus mandamentos e lhes obedece**, esse é o que me ama. Aquele que me ama será amado por meu Pai, e eu também o amarei e me revelarei a ele". Disse então Judas (não o Iscariotes): "Senhor, mas por que te revelarás a nós e não ao mundo?" Respondeu Jesus:

"**Se alguém me ama, obedecerá à minha palavra.** Meu Pai o amará, nós viremos a ele e faremos morada nele. **Aquele que não me ama não obedece às minhas palavras.** Estas palavras que vocês estão ouvindo não são minhas; são de meu Pai que me enviou" (João 14.21-24).

A resposta de amor que devemos a Cristo é de fácil compreensão. Logo, obedeço a Cristo porque o amo, e o amo porque obedeço.

Alguns pregadores modernos, na tentativa de anular a validade dos mandamentos de Cristo para nós hoje, defendem a ideia de que Jesus não pregou o evangelho, mas que foram os apóstolos, em especial Paulo, que depois trouxeram a revelação da graça. Alegam ainda que Jesus viveu sob a Lei mosaica e com o ministério voltado somente para os judeus. Fico pasmo com a capacidade de alguns em tentarem "fabricar revelações" fora do contexto bíblico. Observe esta afirmação categórica do escritor de Hebreus:

> Como escaparemos nós, se negligenciarmos tão grande salvação? A qual, **tendo sido anunciada inicialmente pelo Senhor**, foi-nos **depois confirmada pelos que a ouviram**; dando Deus testemunho juntamente com eles, por sinais, prodígios e vários milagres e por distribuições do Espírito Santo, segundo a sua vontade(Hebreus 2.3,4, ARA).

A Nova Versão Transformadora traduziu o verso 3 assim: "O que nos faz pensar que escaparemos se negligenciarmos essa grande salvação, anunciada *primeiramente* pelo Senhor e *depois* transmitida a nós por aqueles que o ouviram falar?". As palavras "primeiramente" e "depois" deixam claro essa ordem. Jesus iniciou a proclamação do evangelho; seus apóstolos, que o ouviram pregar e também foram comissionados por ele a levar as boas-novas ao mundo, pregaram depois. A ordem muda; o evangelho não.

É fato que os apóstolos trouxeram explicações que não constavam nos relatos dos evangelhos, por exemplo, o que aconteceu entre a morte e a ressurreição de Cristo, a explicação do pano de fundo espiritual da redenção, entre outros. Contudo, até Paulo, quem mais nos forneceu esses detalhes, atestou que recebeu revelações do próprio Senhor:

Mudança de Lei

Irmãos, quero que saibam que o evangelho por mim anunciado não é de origem humana. Não o recebi de pessoa alguma nem me foi ele ensinado; ao contrário, eu o recebi de Jesus Cristo por revelação(Gálatas 1.11,12).

Afirmações como "Pois recebi do Senhor o que também entreguei a vocês" (1Coríntios 11.23) e "o mistério que me foi dado a conhecer por revelação" (Efésios 3.3) estão em concordância com isso. Como desconectar a ideia de que o evangelho está atrelado à pessoa de Jesus? Repare nestes versículos do Evangelho de Mateus:

Percorria **Jesus** toda a Galileia, ensinando nas sinagogas, **pregando o evangelho do reino** e curando toda sorte de doenças e enfermidades entre o povo (Mateus 4.23, ARA).

E percorria **Jesus** todas as cidades e povoados, ensinando nas sinagogas, **pregando o evangelho do reino** e curando toda sorte de doenças e enfermidades (Mateus 9.35, ARA).

E Jesus, respondendo, disse-lhes: Ide e anunciai a João o que estais ouvindo e vendo: os cegos veem, os coxos andam, os leprosos são purificados, os surdos ouvem, os mortos são ressuscitados, e aos pobres **está sendo pregado o evangelho** (Mateus 11.4,5, ARA).

O Senhor Jesus afirmou, em duas outras ocasiões, que o evangelho que seria pregado (tempo futuro) era o mesmo evangelho que ele havia proclamado:

E **será pregado este evangelho do reino** por todo o mundo, para testemunho a todas as nações. Então, virá o fim (Mateus 24.14, ARA).

Em verdade vos digo: Onde for pregado em todo o mundo **este evangelho**, será também contado o que ela fez, para memória sua (Mateus 26.13, ARA).

Observe a palavra "este". Cristo disse que seria pregado "este evangelho". Não outro! É evidente que os apóstolos proclamaram o mesmo evangelho. Nessa proclamação, transmitiram os mandamentos que haviam recebido de Cristo.

OS MANDAMENTOS DOS APÓSTOLOS

A continuidade do que Cristo começou veio por meio dos apóstolos. Após a ressurreição, o livro de Atos relata que o Senhor "Apareceu-lhes por um período de quarenta dias falando-lhes acerca do Reino de Deus" (Atos 1.3). Não estamos falando de uma aparição ou outra! Foram quarenta dias de reuniões muito instrutivas, até que Jesus ascendesse aos céus. Não antes, porém, "de ter dado *instruções* por meio do Espírito Santo aos apóstolos que havia escolhido" (Atos 1.2).

Portanto, esse time apostólico, ampliado posteriormente com ministérios como os de Tiago, irmão do Senhor, e Paulo, transmitiram os mandamentos de Cristo à sua geração e também às seguintes. Eles estabeleceram os fundamentos da igreja:

> Portanto, vocês já não são estrangeiros nem forasteiros, mas concidadãos dos santos e membros da família de Deus, **edificados sobre o fundamento dos apóstolos** e dos profetas, tendo Jesus Cristo como pedra angular, no qual todo o edifício é ajustado e cresce para tornar-se um santuário santo no Senhor (Efésios 2.19-21).

Os apóstolos reproduziram os mandamentos de Cristo:

> Para que vos recordeis das palavras que, anteriormente, foram ditas pelos santos profetas, **bem como do mandamento do Senhor e Salvador, ensinado pelos vossos apóstolos** (2Pedro 3.2, ARA).

E eles também nos deram mais ordenanças a serem obedecidas:

> Se alguém **desobedecer ao que dizemos nesta carta**, marquem-no e não se associem com ele, para que se sinta envergonhado (2Tessalonicenses 3.14).

Mudança de Lei

Concluímos afirmando que o entendimento correto da graça, dentro da justificação pela fé, não exclui, de forma alguma, a ideia de uma lei a ser obedecida. É inegável que houve mudança de lei, juntamente com a mudança de sacerdócio. Contudo, é igualmente incontestável que há uma nova lei, um "novo mandamento" (João 13.34).

A declaração de Paulo aos romanos não deixa dúvidas acerca disso: "Anulamos então a Lei pela fé? De maneira nenhuma! Ao contrário, confirmamos a Lei" (Romanos 3.31). A palavra grega traduzida por "confirmamos" é *histemi* (ιστημι), e seu abrangente significado, de acordo com Strong,[3] envolve os seguintes conceitos: "causar ou fazer ficar de pé, colocar, pôr, estabelecer, ordenar, tornar firme, fixar, fazer uma pessoa ou algo manter o seu lugar, permanecer, ser mantido íntegro (de família, um reino), escapar em segurança, segurar ou sustentar a autoridade ou a força de algo, continuar seguro e são, permanecer ileso, permanecer pronto ou preparado". Ou seja, nenhum deles reflete o fim da Lei; pelo contrário, aponta para seu estabelecimento e permanência.

O apóstolo classificou essa nova lei como "a lei da fé" (Romanos 3.27, NAA). Portanto, a única forma de entender essa nova ordem e ordenanças é por meio da compreensão da fé. Em virtude disso, nos próximos capítulos abordaremos a questão da justificação pela fé para, depois, voltar ao assunto da "lei da graça", ao discorrermos sobre o papel da obediência na fé cristã.

---

[3] STRONG, **New Strong's Exhaustive Concordance of the Bible**.

SINOPSE DO CAPÍTULO EM TÓPICOS

1. Com a mudança do sacerdócio levítico (da antiga aliança) para o sacerdócio de Cristo (da nova aliança), também houve mudança de lei.

2. A substituição da lei não pode ser confundida com aniquilação da Lei.

3. Para entender a natureza da mudança, faz-se necessário distinguir dois aspectos da Lei: a cerimonial e a moral. Se não fizermos distinção do que é lei moral e lei cerimonial, teremos dificuldade de entender o que continua no Novo Testamento e o que não vale mais.

4. Cristo estabeleceu sua própria lei (1Coríntios 9.21) e mandamentos (João 14.21). Portanto, o fim da Lei mosaica não significa, para os crentes em Jesus, libertação de todo e qualquer tipo de lei.

5. O ensino de Jesus não era uma tentativa de orientar os judeus sob a Lei a como deveriam praticá-la. Ele incluiu os seus discípulos de todas as nações em suas ordenanças.

6. Nosso Senhor pregou o evangelho e, posteriormente, comissionou seus apóstolos para anunciarem a mesma mensagem. O evangelho anunciado por Cristo é o mesmo dos apóstolos.

Mudança de Lei

PERGUNTAS PARA REFLEXÃO

1. Qual a importância de se reconhecer que não estamos mais sob a Lei mosaica?

2. E, por outro lado, por que é necessário reconhecer que ainda há leis divinas a serem observadas (ainda que não se trate das leis cerimoniais da antiga aliança)?

3. O que significam as afirmações de Paulo "Anulamos então a Lei pela fé? De maneira nenhuma! Ao contrário, confirmamos a Lei" (Romanos 3.31) e "a lei da fé" (Romanos 3.27, NAA)?

CAPÍTULO 7

A IMUTABILIDADE DE DEUS

Tome qualquer atributo de Deus, e eu
escreverei a respeito dele: sempre o mesmo.[1]
Charles Spurgeon

Se, por um lado, atestamos a mutabilidade tanto do sacerdócio como da Lei anteriores a Cristo, por outro, faz-se necessário, para um entendimento correto da graça, ratificar a imutabilidade de Deus. Este é um dos primeiros atributos divinos a serem levados em consideração quando estudamos acerca da pessoa bendita do Criador.

O próprio Senhor garante, falando acerca de si mesmo, tal atributo. Sua imutabilidade é asseverada tanto na antiga quanto na nova aliança. Por meio do profeta Malaquias, ele declarou a seu povo: "De fato, eu, o SENHOR, não mudo" (Malaquias 3.6). Por meio de Tiago, outra afirmação da imutabilidade divina foi entregue à igreja:

> Toda boa dádiva e todo dom perfeito vêm do alto, descendo do **Pai das luzes, que não muda como sombras inconstantes** (Tiago 1.17).

---

[1] A frase original de Spurgeon foi: "[...] sempre *idem*". *Idem* é uma palavra latina que significa "o mesmo". [N. do A.]

Não podemos falar de Lei e graça sem reconhecer esse fundamento. A falta de convicção de um ponto tão relevante como este tem levado muita gente a se equivocar com afirmações desconectadas do "todo" da doutrina bíblica. Observemos como o Altíssimo falou de si mesmo a Moisés, quando o enviou com a mensagem libertadora aos filhos de Israel, no Egito:

> Disse Moisés a Deus: Eis que, quando eu vier aos filhos de Israel e lhes disser: O Deus de vossos pais me enviou a vós outros; e eles me perguntarem: Qual é o seu nome? Que lhes direi? Disse Deus a Moisés: **Eu Sou o que Sou**. Disse mais: Assim dirás aos filhos de Israel: **Eu Sou** me enviou a vós outros (Êxodo 3.13,14, ARA).

Como eu amo essa revelação! Deus não diz que ele *era* ou que *será*. Ele simplesmente *é*. Ele não muda. Nele, não há sombra de mudança nem pode existir variação em seu caráter ou atributos. Portanto, se as Escrituras testificam que "Deus é amor" (1 João 4.8), isto é fato permanente e imutável, não importa qual aliança ou período da história da humanidade seja avaliado. Repare nesta afirmação encontrada no livro de Salmos:

> Em tempos remotos, lançaste os fundamentos da terra; e os céus são obra das tuas mãos. Eles perecerão, **mas tu permaneces**; todos eles envelhecerão como uma veste, como roupa os mudarás, e serão mudados. **Tu, porém, és sempre o mesmo**, e os teus anos jamais terão fim (Salmos 102.25-27, ARA).

Wayne Grudem e Jeff Purswell declaram acerca desse salmo: "É significativo que essa passagem seja citada em Hebreus 1.11,12 e aplicada a Jesus Cristo. Hebreus 13.8 também aplica o atributo da imutabilidade a Cristo: 'Jesus Cristo é o mesmo ontem, hoje e para sempre'. Assim, Deus Filho compartilha plenamente deste atributo divino".[2] Louis Berkhof, em sua clássica obra *Teologia sistemática*,[3] destaca que Deus é imutável em seu ser,

---

[2] GRUDEM, Wayne; PURSWELL, Jeff. **Manual de doutrinas cristãs**. São Paulo: Vida, 2005. p. 76.
[3] BERKHOF, Louis. **Teologia sistemática**. São Paulo: Cultura Cristã, 2012. p. 58.

perfeições, propósitos e promessas. É atribuída a J. I. Packer, a afirmação de que Deus "não pode mudar para melhor, pois já é perfeito; e sendo perfeito não pode mudar para pior".

Afirmo que, se relativizarmos o atributo divino da imutabilidade, acabaremos por relativizar também as demais coisas nas quais repousa a nossa fé. Isso sem contar o fato de contrariar diretamente a própria Palavra de Deus.

A impressão que temos, ao ouvir alguns pregadores contemporâneos falarem de Lei e graça, é que parecem acreditar que, do Antigo para o Novo Testamento, Deus "se converteu". Sei que isso soa incômodo, e garanto que é exatamente esta a minha intenção. Falam como se o Jeová da antiga aliança fosse mau ou, no mínimo, mal-humorado. De repente, chega a nova aliança, e Deus aparece completamente diferente, bom e bem-humorado...

Antes de refutar essa ideia absurda, permita-me dizer que não estou sozinho nessa leitura. Tenho ouvido isso de muitos que questionam quão contraditório ao caráter e aos atributos de Deus é essa insinuação. Talvez você diga: "Nunca ouvi alguém afirmar isso categoricamente". Nem eu, com todas as palavras, mas "as pontas soltas" de um raciocínio incompleto e cheio de sofismas apontam para essa conclusão. Tony Cooke, afirmou:

> Alguns parecem acreditar que Deus era malvado e furioso no Antigo Testamento, mas, por alguma razão, ficou simpático no Novo. Outros parecem acreditar que há dois tipos de Deus — um Deus de ira no Antigo Testamento e um Deus de graça no Novo Testamento. A verdade é que Deus não passa por nenhuma mudança de personalidade e nunca houve dois deuses diferentes. Essa é a razão pela qual a graça não é um conceito apenas do Novo Testamento. A primeira menção à graça está no primeiro livro da Bíblia: "Porém, Noé achou graça diante do Senhor" (Gênesis 6.8).[4]

Ao examinar as Escrituras, encontramos expressões e vislumbres da graça na antiga aliança, embora não neguemos que sua plena manifestação

---

[4] COOKE, **Graça:** o DNA de Deus, p. 46.

e revelação viriam apenas na nova aliança. Como afirmamos no primeiro capítulo, lidamos nos dias atuais com equívocos e distorções doutrinárias antigos e recorrentes. Um exemplo antigo dessa confusão doutrinária sobre o "Deus do Antigo Testamento" e o "Deus do Novo Testamento" teve forte expressão em Marcião, considerado o teólogo não ortodoxo mais influente do segundo século. David Wright, ao falar acerca dele, comentou:

> Sua obra principal foi chamada *Contradições*, que contrapunha o judaísmo ao cristianismo. O Deus da graça era desconhecido até ser revelado por Jesus. O Deus do Antigo Testamento, que controlava o mundo material, foi um Deus de lei e justiças restritas, ou até mesmo maldade cruel e violenta. Jesus veio resgatar a humanidade do poder desse Deus inferior, a quem Marcião chamava de Demiurgo, "criador" do mundo.
>
> Marcião cria que apenas Paulo tinha compreendido a nova revelação de Jesus a respeito do Deus do amor. Os outros apóstolos o tinham corrompido com ideias judaicas. Como fundamento para os seus ensinamentos, ele reconhecia nas Escrituras apenas dez cartas de Paulo e o evangelho de Lucas, por trás do qual estava a autoridade de Paulo. Mesmo desses textos excluiu todas as declarações que ligavam Jesus ao Antigo Testamento. "Marcionita" continua sendo um rótulo para qualquer pessoa que exagera as diferenças entre os dois Testamentos.[5]

Atualmente, em pleno século XXI, ainda é possível encontrar as "versões modernas" dos "marcionitas" que, direta ou indiretamente, defendem a ideia de "dois deuses" (um pertencente a cada Testamento bíblico), falam do amor que Jesus veio revelar (mas não admitem relacionar a ele nada do Antigo Testamento), acreditam que só Paulo tinha a revelação completa (embora eliminem, na prática, muitas de suas declarações que contradizem o que eles pregam). Acerca dele, Everett Ferguson comenta: "A teologia de Marcião é descrita como um evangelho paulino da graça *exagerado*. Um crítico afirmou que, na igreja antiga, 'apenas Marcião entendia Paulo, e ele o compreendeu mal' ".[6] Contudo, assim como Marcião foi confrontado

---

[5] Keeley, Robin (Org.), **Fundamentos da teologia cristã**, p. 293.
[6] Ferguson, Everett. **História da igreja.** Rio de Janeiro: Central Gospel, 2017. v. 1, p. 96.

abertamente por Ireneu e Tertuliano, também veremos atualmente mestres bíblicos e proféticos denunciando os erros de uma graça distorcida. Assim como as heresias de Marcião levaram teólogos a apresentar a relação entre criação e salvação e a importância da queda para a compreensão do problema do mal, semelhantemente, no nosso tempo, o Senhor levantará vozes que apresentarão claramente o que é a santidade bíblica e como ela pode ser vivida pela graça de Deus. A história já nos deixou muitas lições; não podemos ignorá-las.

Portanto, passaremos a discorrer sobre a imutabilidade de Deus e demonstrar que já havia manifestações da graça — característica que alguns atribuem somente ao Novo Testamento — no Antigo Testamento. Veremos também como o juízo — que muitos acreditam ter sido exclusivo do Antigo Testamento — seguiu se manifestando no Novo Testamento. Sem tal compreensão, incorreremos nos erros de Marcião e nos dos atuais "marcionitas".

GRAÇA NO ANTIGO TESTAMENTO

Uma das primeiras confusões que constato naqueles que distorcem, de alguma forma, a definição ou a aplicação da graça divina na vida dos redimidos é a crença de que o juízo pertence unicamente ao Antigo Testamento enquanto o amor pertence exclusivamente ao Novo. Tais pregadores ignoram que tanto um como o outro são atributos do próprio Deus, expressões daquilo que ele é, não algo que ele meramente faça. Se, de fato, o Altíssimo é o Deus imutável, como podemos atribuir-lhe alguma mudança de natureza ou mesmo de comportamento?

É claro que a revelação de quem Deus é envolve, ao longo da história, uma inegável progressividade. Entretanto, não podemos confundir a ampliação da nossa compreensão de quem Deus seja com uma espécie de "evolução divina".

Falando acerca da Lei e da graça no Antigo Testamento, o dr. Russell Shedd afirmou:

> Deus escolheu Abraão e sua descendência para demonstrar a sua justiça e amor por meio da história (Gênesis 12.1-3). A concessão da lei a Israel

mostrou a graça de Deus. A Israel pertenceram "a adoção de filhos, a glória, as alianças e a concessão da lei, o culto, as promessas e os patriarcas" (Romanos 9.4-5). Segundo o N.T. em geral, a lei corresponde ao Pentateuco, os cinco primeiros livros de Moisés, por quem Deus ministrou a aliança de amor para com seu povo. Longe de ser uma mera lista de obrigações legais que oferecia salvação ao israelita, em troca do cumprimento perfeito, o que se encontra na lei é o caminho para o judeu manter boas relações com Deus. O sacerdócio, os sacrifícios, as festas, enfim, o culto todo, deveriam expressar o reconhecimento da imperfeição do homem.

O ritual que a lei de Deus impôs sobre Israel tinha a finalidade de salientar a santidade de Javé e a imperfeição do seu povo.[7]

Na sequência, o saudoso teólogo prossegue argumentando a presença da graça na antiga aliança e suas manifestações mesmo sob o regime da Lei:

O rei Davi, homem segundo o coração de Deus, caiu em pecados grosseiros: adultério e homicídio premeditado. Segundo a lei, Davi deveria ser condenado à morte (Levítico 20.10). Porém, Deus o poupou, e a maneira pela qual Deus lhe mostrou favor serve para ilustrar de que modo a lei e a graça operam no Antigo Testamento. O adultério que Davi praticou (2Samuel 11), uma vez reconhecido, provocou arrependimento sadio. A atitude mental que mais milita contra o arrependimento são a justiça própria e a presunção. Jesus mesmo ilustrou esta autopercepção com a Parábola do Fariseu e do Publicano (Lucas 18.10-14). O fariseu apenas reconhece suas boas ações, mas permanece cego diante de suas falhas e pecaminosidade. Por não ver a necessidade de Deus nem de sua graça, não os encontra.

A natureza da maldade desvia a nossa consciência a ponto de se perder a autopercepção. Somente o Espírito tem a capacidade de revelar o erro daquilo que tão fatalmente abraçamos, pensando ser admissível ou até bom. No salmo 51, esse rei-poeta, inspirado pelo Espírito, refletiu o que deveria ter caracterizado a reação da nação toda. Davi se mostra consciente

---

[7] SHEDD, **Lei, graça e santificação**, p. 14.

de suas transgressões e de sua dependência absoluta da graça perdoadora de Deus (v. 1-3). Nenhuma obra que ele fosse capaz de fazer mudaria a relação perdida. Nem sacrifícios de animais poderiam cobrir a sua culpa (v. 16). Necessitava única e exclusivamente de uma purificação que só Deus poderia aplicar (v. 2, 7, 9). Perdão e restauração são ações de Deus. O amor de Deus no Antigo Testamento também oferecia reconciliação aos arrependidos. Davi sabia que a Lei não concedia salvação, mas orientação sobre a vontade de Deus. Da mesma maneira que Abraão foi justificado (Romanos 4.13, que cita Gênesis 15.6), Davi também foi.

Nessa oração confessional de Davi, encontramos um paradigma do significado da Lei de Deus para a nação. Assim como Davi não teria reconhecido sua culpa sem a revelação profética de seu pecado (2Samuel 12.1-15), a nação também não teria se arrependido se não houvesse a Lei para revelar a vontade de Deus e apontar falhas. A Lei tornou patente tanto o que Deus queria como também o que graciosamente oferecia ao povo que confiasse nele para cobrir sua iniquidade (Miqueias 7.19; Isaías 44.22; Jeremias 31.34). Pela Lei, Deus confrontou seu povo e o chamou de volta à paz com ele.[8]

John Wesley, mestre bíblico e ícone de um grande avivamento na Inglaterra, comentando a declaração paulina "De fato a Lei é santa, e o mandamento é santo, justo e bom" (Romanos 7.12), afirmou:

> A lei é, pois, justa e justamente relacionada com todas as coisas. E boa, além de ser justa. Isto podemos facilmente inferir da fonte de que ela procede. Que é ela, senão a bondade de Deus? Que impulso, senão somente o da bondade, inclinou-o a comunicar aquela divina reprodução de si mesmo aos santos anjos? A que outro ser podemos atribuir a concessão ao homem do mesmo resumo de sua própria natureza? E que outra força, senão a do amor, poderia constrangê-lo a manifestar sua vontade ao homem decaído — seja Adão, ou qualquer outro de sua semente, que, à semelhança dele, "caíram da glória de Deus"? Não foi puro amor que

---

[8] SHEDD, **Lei, graça e santificação**, p. 15-16.

o moveu a publicar sua lei, depois que o entendimento dos homens se tornara obscuro? E enviar seus profetas para proclamarem aquela lei aos cegos, irrefletidos, filhos dos homens? Indubitavelmente, foi sua bondade que suscitou Enoque e Noé para serem pregadores da justiça; que levou Abraão, amigo seu, e Isaac e Jacó a darem testemunho de sua vontade. Foi sua bondade só que, "quando as trevas tinham coberto a terra, e densas trevas coberto o povo", deu uma lei escrita a Moisés e, através dele, à nação escolhida. Foi o amor que explanou esses oráculos vivos, por intermédio de Davi e de todos os profetas que se seguiram; até que, vindo a plenitude do tempo, ele mandou seu Unigênito Filho, "não para destruir a lei, mas cumpri-la", dela confirmando toda iota e todo til; de modo que, tendo-a escrito no coração de todos os seus filhos, e posto todos os seus inimigos debaixo dos seus pés, ele "entregará" seu "reino" mediador "ao Pai, para que Deus seja tudo em todas as coisas".

E essa lei, que a bondade de Deus comunicou no princípio e foi preservada através de todas as eras, é, como a fonte de que precede, cheia de bondade e benignidade: é doce e terna; é, na expressão do salmista, "mais doce do que o mel, ainda o mel refinado". É atraente e amável. Inclui "tudo o que é amável e de boa fama. Se há alguma virtude, se há algum louvor" diante de Deus e de seus santos anjos, tudo isso está compreendido na lei, onde também se acham escondidos todos os tesouros da divina sabedoria, conhecimento e amor.[9]

Você já reparou que o Antigo Testamento afirma de forma recorrente que "o Senhor é bom"? Só em Salmos isso é repetido numerosas vezes (por exemplo, Salmos 25.8; 34.8; 100.5; 145.9). Não se pode dizer que não houve expressões da graça de Deus no Antigo Testamento. É lógico que a completa manifestação e revelação da graça se daria com a encarnação de Cristo. E nele temos não apenas o início de um ministério, mas também de um período no qual o que não fora solucionado, ou seja, o pecado — como natureza, não apenas comportamento —, seria a partir de então definitivamente tratado.

---

[9] Wesley, **Sermões pelo rev. João Wesley**, v. 2, sermão 34, p. 165-166.

IRA E JUÍZO NO NOVO TESTAMENTO

Contudo, devemos considerar que, assim como a Bíblia aponta manifestações da graça no Antigo Testamento, semelhantemente registra juízo no Novo Testamento. Por quê? Porque ambos são expressões do caráter divino.

João Batista, precursor do ministério de Cristo, a própria encarnação da graça, veio com uma mensagem clara: "Raça de víboras! Quem deu a vocês a ideia de fugir da ira que se aproxima?" (Mateus 3.7; Lucas 3.7). O anúncio da ira de Deus contra o pecado é fato no ministério de João Batista, do próprio Cristo e posteriormente dos apóstolos. Tudo isso no Novo Testamento. Observe o que o evangelho de João atesta:

> Por isso, quem crê no Filho tem a vida eterna; o que, todavia, se mantém rebelde contra o Filho não verá a vida, mas sobre ele permanece **a ira de Deus** (João 3.36, ARA).

O nosso Senhor não veio proclamando um Deus que, por amor, não se importa com o pecado. A justiça, expressão do caráter divino, exigia o julgamento do pecado. Deus é amor, mas também é justo. Seus atributos não concorrem entre si, mas se complementam. O amor não poderia ignorar a necessidade de justiça, e a justiça não poderia deixar de expressar o amor. Qual seria a solução? O Pai celestial enviou Jesus para ser julgado em nosso lugar. Dessa forma, ele tanto manifestou seu amor quanto sua justiça. Portanto, a única forma de escapar da ira de Deus é quando entendemos que "o castigo que nos trouxe paz" (Isaías 53.5) recaiu sobre Cristo; ou seja, ele foi *julgado* em nosso lugar. Quando cremos no sacrifício vicário do Cordeiro de Deus, somos inocentados. No entanto, como claramente nos advertiu o Senhor, quem "se mantém rebelde contra o Filho não verá a vida, mas sobre ele permanece a ira de Deus".

Logo depois de anunciar que o evangelho é o poder de Deus para a salvação de todo aquele que crê (Romanos 1.16) e de declarar que "o justo viverá pela fé" (Romanos 1.17), o apóstolo Paulo afirma: "a ira de Deus é revelada dos céus contra toda impiedade e injustiça dos homens" (Romanos 1.18). A proclamação da graça não anula a ira divina contra o pecado; ela nos indica que é possível escapar da ira por meio da fé em Cristo.

Alguns tentam defender a ideia de que o juízo divino pertence apenas ao Antigo Testamento. Grande equívoco! Se isso fosse verdade, então esqueceram de comunicar o fato a Ananias e Safira (Atos 5.1-11). Ou será que Pedro, quando liberou uma palavra de juízo contra eles, ignorava isto? De forma alguma! Foi o mesmo apóstolo que, em sua primeira epístola, escreveu:

> Porque a ocasião de **começar o juízo pela casa de Deus** é chegada; ora, se primeiro vem por nós, qual será o fim daqueles que não obedecem ao evangelho de Deus? (1Pedro 4.17, ARA).

Outra verdade que não pode ser ignorada é que Pedro, ao falar de juízo, não se referia a uma manifestação da antiga aliança, mas da nova. Ele indica que o tempo do juízo não fora antes, no Antigo Testamento, mas era para o momento vivido, no Novo Testamento. A Nova Versão Internacional traduziu assim o início do versículo: "Pois chegou a hora de começar o julgamento pela casa de Deus". Há uma grande diferença entre a frase "chegou a hora", como lemos nas Escrituras, e "passou a hora", como alguns querem nos fazer acreditar. Além disso, o apóstolo não falava do juízo divino direcionado somente aos ímpios; ele afirma que o juízo inicia pelos santos, por aqueles que compõem a formação da casa de Deus.

Outra nítida constatação de juízo que podemos encontrar no Novo Testamento está na epístola de Paulo aos coríntios, quando menciona alguém que estava na prática da imoralidade, relacionando-se com a própria madrasta. O apóstolo protesta aos irmãos que nada haviam feito para excluir da comunhão aquele que havia cometido tamanho ultraje. Então, sentencia o imoral: "entreguem esse homem a Satanás, para que o corpo seja destruído, e seu espírito seja salvo no dia do Senhor" (1Coríntios 5.5). Se isso não for juízo, o que é?

No livro de Apocalipse, encontramos as cartas que o próprio Cristo determinou que João escrevesse às igrejas da Ásia. Na mensagem destinada à igreja de Tiatira, vemos outro exemplo de juízo divino manifestando-se na época da graça. Acredito que o texto precise de uma atenção mais detalhada, a fim de enxergarmos o quadro completo.

A imutabilidade de Deus

"Ao anjo da igreja em Tiatira, escreva: 'Estas são as palavras do Filho de Deus, cujos olhos são como chama de fogo e os pés como bronze reluzente. Conheço as suas obras, o seu amor, a sua fé, o seu serviço e a sua perseverança, e sei que você está fazendo mais agora do que no princípio. No entanto, contra você tenho isto: você tolera Jezabel, aquela mulher que se diz profetisa. Com os seus ensinos, ela induz os meus servos à imoralidade sexual e a comerem alimentos sacrificados aos ídolos. Dei-lhe tempo para que se arrependesse da sua imoralidade sexual, mas ela não quer se arrepender. Por isso, vou fazê-la adoecer e trarei grande sofrimento aos que cometem adultério com ela, a não ser que se arrependam das obras que ela pratica.

Matarei os filhos dessa mulher. Então, todas as igrejas saberão que eu sou aquele que sonda mentes e corações, e retribuirei a cada um de vocês de acordo com as suas obras'." (Apocalipse 2.18-23)

Qual é o diagnóstico dado a essa igreja? Ela está bem e, de acordo com o versículo 19, apresenta: 1) obras; 2) amor; 3) fé; 4) serviço; 5) perseverança; 6) não perdeu o primeiro amor (pois na ocasião dava mais frutos do que antes). Nos versículos 24 e 25, o Senhor Jesus conclui que, 7) eles estavam bem — uma vez que disse "Não porei outra carga sobre vocês; tão somente apeguem-se com firmeza ao que vocês têm, até que eu venha". Essa igreja não recebeu nenhuma advertência, a não ser esta: "No entanto, contra você tenho isto: você tolera [...]". Então, Cristo anuncia o juízo que viria contra aquela igreja, pois ele não admite tolerância ao pecado.

Leve-se ainda em conta que o confronto não era nem sobre pecar diretamente; o texto não falava de praticar o pecado, mas de tolerá-lo! O erro deles consistia na falta de condenar, confrontar, advertir contra esse mal e suas consequências.

Dito isso, realço o fato de que o Senhor Jesus se revela de duas formas: 1) Aquele que tem "olhos [...] como chama de fogo" (v. 18), que sugere seu singular atributo divino da onisciência, e 2) Aquele que tem os "pés como bronze reluzente" (v. 18), ou seja, que exerce juízo, uma vez que o bronze, na tipologia bíblica, está relacionado a juízo. Basta lembrar que a serpente de metal, levantada por Moisés, era de bronze e representava o juízo dos nossos pecados sobre Cristo. Enquanto o altar do incenso, no tabernáculo, era de ouro (Êxodo 30.1-3), o altar dos holocaustos, onde os sacrifícios eram oferecidos pelo pecado, eram de bronze (Êxodo 27.1,2). Resumindo, o Senhor se revela como Aquele que "tudo vê" e "tudo julga".

Isso não significa que qualquer pessoa que peca será julgada. Se alegamos a imutabilidade de Deus para falar de sua justiça, o mesmo vale para seu amor, sua bondade e sua misericórdia. Portanto, é preciso observar as declarações do Senhor da igreja e as verdades que elas nos comunicam.

Em primeiro lugar, temos a afirmação: "Dei-lhe tempo para que se arrependesse". A verdade aqui apresentada indica a *longanimidade* de Deus. Quando alguém peca, o Senhor oferece misericórdia, concedendo tempo para o arrependimento. O juízo nunca se manifesta sem que a misericórdia seja oferecida antes.

Em segundo lugar, constatamos que a *responsabilidade* — e também a escolha — do arrependimento é humana: "Dei-lhe tempo para que se arrependesse da sua imoralidade sexual, mas ela não quer se arrepender". Uma escolha foi feita. A decisão de não se arrepender foi tomada a despeito da paciência divina que foi oferecida. Justamente por causa da obstinação humana, não por falta da misericórdia divina, é que o juízo foi anunciado.

Em terceiro lugar, portanto, é que temos a chegada do juízo: "Por isso, vou fazê-la adoecer e trarei grande sofrimento aos que cometem adultério com ela". Isso quer dizer que Deus não trabalha com *impunidade*. O julgamento também é anunciado sobre os cúmplices da mulher advertida. Claro, no caso deles, não diferente do dela, a misericórdia foi estendida antes: "a não ser que se arrependam das obras que ela pratica". Depois desse reconhecimento, o juízo é novamente proclamado, acrescentando outros desdobramentos: "matarei os filhos dessa mulher". Assustador? Com certeza! Por que uma medida tão drástica? Porque o juízo divino tem função didática, tanto para a pessoa que o recebe diretamente quanto para as que assistem ao que se deu com o pecador que recusou arrepender-se. Em seguida, o Senhor também deseja mandar uma mensagem a quem não pecou, a saber, não vale a pena brincar com o pecado: "Então, todas as igrejas saberão que eu sou aquele que sonda mentes e corações, e retribuirei

A imutabilidade de Deus

a cada um de vocês de acordo com as suas obras". Veremos mais adiante a questão da retribuição das obras; vale, porém, adiantar que este é um fato cristalino na exposição bíblica.

O problema, entretanto, é que há aqueles que não compreendem tal dinâmica da ação divina. Confundem longanimidade com impunidade. Trata-se de coisas distintas! O fato de alguém não ser julgado de imediato não significa que os céus fazem "vista grossa"; a paciência divina sempre se prolongará, oferecendo tempo para a correção. Contudo, quando a misericórdia é desprezada, o juízo inevitavelmente se manifestará. Mesmo no tempo da graça!

Insisto em destacar que o juízo é para pecado sem arrependimento. A misericórdia é oferecida para quem se arrepende ou para dar tempo a fim de que isso aconteça. Observe esta declaração que Davi, pelo Espírito Santo, fez acerca do tema:

> **Enquanto calei os meus pecados**, envelheceram os meus ossos pelos meus constantes gemidos todo o dia. Porque **a tua mão pesava dia e noite sobre mim**, e o meu vigor se tornou em sequidão de estio. **Confessei-te o meu pecado** e a minha iniquidade não mais ocultei. Disse: confessarei ao SENHOR as minhas transgressões; **e tu perdoaste a iniquidade do meu pecado** (Salmos 32.3-5, ARA).

O salmista alcançou a misericórdia e o perdão divinos? Sim. Isso, porém, só aconteceu depois da confissão, não antes. O que sucedeu antes do arrependimento, expresso na confissão, é que a mão do Senhor pesou sobre ele. Por isso, insistimos na importância do arrependimento no âmbito da doutrina cristã. Não nos referimos somente ao arrependimento do descrente ou não convertido. Nas cartas às igrejas da Ásia, falando *a cristãos*, Jesus os chama ao arrependimento de forma recorrente.

Quanto aos descrentes, ou seja, os que não experimentaram o novo nascimento, não podemos dizer que com eles seja diferente. A graça divina espera e provoca o arrependimento acompanhado da fé. Quando isso não acontece, a misericórdia é substituída pelo juízo. Observe as palavras de Jesus:

> Porquanto Deus enviou o seu Filho ao mundo, **não para que julgasse o mundo, mas para que o mundo fosse salvo** por ele. Quem **nele crê não é julgado**; o que não crê **já está julgado,** porquanto não crê no nome do unigênito Filho de Deus (João 3.17,18, ARA).

Cristo destaca a razão pela qual ele veio ao mundo. Deus o enviou para salvar, não para julgar. O propósito da vinda de Jesus foi justamente para que o juízo pudesse ser evitado. De que maneira? Pela fé no Cordeiro de Deus. Entretanto, se a decisão de crer nele é desprezada, a oferta salvadora também o é. Quem não crê já está julgado! Só há uma forma de entender a graça que livra do juízo, quer para o crente quer para o descrente: ela seguramente não é a anulação da justiça divina, assunto este do qual nos ocuparemos também no capítulo seguinte.

A bondade e a compaixão divinas nunca estarão desconectadas da justiça divina. O Altíssimo, por meio de Jeremias, afirmou: "mas quem se gloriar, glorie-se nisto: em compreender-me e conhecer-me, pois eu sou o SENHOR e ajo com lealdade, *com justiça e com retidão sobre a terra*" (Jeremias 9.24). A misericórdia não anula o juízo e a justiça. Usando Miqueias, como instrumento, Jeová foi taxativo: "Ele mostrou a você, ó homem, o que é bom e o que o SENHOR exige: *pratique a justiça, ame a fidelidade e ande humildemente com o seu Deus*" (Miqueias 6.8). Será que o Pai celestial seria incoerente em nos pedir que pratiquemos a justiça, amemos a fidelidade e andemos, se ele não fizesse isso primeiro? Atente para as palavras que o Senhor comunicou à nação israelita por meio do profeta Isaías:

> Por isso, o SENHOR espera, **para ter misericórdia** de vós, e se detém, **para se compadecer** de vós, **porque o SENHOR é Deus de justiça**; bem-aventurados todos os que nele esperam(Isaías 30.18, ARA).

Afirmei que, antes do juízo, a misericórdia sempre é oferecida. Tiago, o irmão do Senhor, afirmou: "A misericórdia triunfa sobre o juízo" (Tiago 2.13). O que significa isso? Certamente não significa que a misericórdia anula o juízo, mas que ela triunfa sobre ele, ou seja, ela o vence, tornando-o desnecessário. De acordo com James Strong, a palavra grega traduzida por "triunfa", que consta nos originais, é *katakauchaomai* (κατακαυχαομαι), e seu significado é "gloriar-se contra, exultar sobre, vangloriar-se da derrota".[10] Contudo, a misericórdia precisa ser aceita, abraçada, para que o juízo seja evitado. Voltemos à carta enviada à igreja de Tiatira. Quando Jesus diz: "Dei-lhe tempo para que se arrependesse", comprova que a misericórdia precede o julgamento. Por outro lado, quando reconhece que não havia interação com a misericórdia e que esta estava sendo desprezada, em vez de abraçada, o que entendemos na frase "Dei-lhe tempo para que se arrependesse da sua imoralidade sexual, mas ela não quer se arrepender" é que, então, o juízo foi determinado e anunciado.

É necessário entender que esse tempo — "Dei-lhe tempo" — acaba! A Palavra de Deus nos diz: "Quem teima em *rejeitar* a repreensão será destruído de repente sem que haja remédio" (Provérbios 29.1, NAA). Isso não significa que Deus não seja gracioso, mas que, se a bondade oferecida não for abraçada, de nada adiantará. Abordaremos melhor o assunto do juízo em um capítulo específico. Por ora, queremos firmar um fundamento: a imutabilidade de Deus.

Entender que Deus não muda significa não apenas compreender que ele é amor (1João 4.8), mas que ele sempre foi e sempre será o mesmo. Também envolve admitir que a justiça e o juízo — a execução da justiça — também permeiam o caráter divino, tanto no Antigo quanto no Novo Testamentos. Assimilado esse ponto, podemos seguir rumo à compreensão da tão abençoada e aguardada justificação pela fé.

---

[10] Strong, **New Strong's Exhaustive Concordance of the Bible**.

SINOPSE DO CAPÍTULO EM TÓPICOS

1. A imutabilidade de Deus é um dos primeiros atributos divinos a serem levados em consideração quando estudamos acerca da pessoa bendita do Criador.

2. Se relativizarmos o atributo divino da imutabilidade, acabaremos por relativizar também os demais fundamentos nos quais repousa a nossa fé.

3. A crença de que o juízo pertence unicamente ao Antigo Testamento enquanto o amor pertence exclusivamente ao Novo é equivocada.

4. Assim como a Bíblia aponta manifestações da graça no Antigo Testamento, semelhantemente registra juízo no Novo Testamento. Por quê? Porque ambos são expressões do caráter divino imutável.

5. A proclamação da graça não anula a ira divina contra o pecado; ela nos indica que é possível escapar da ira por meio da fé em Cristo.

6. A bondade e a compaixão divinas nunca estarão desconectadas da justiça divina.

7. Entender que Deus não muda significa não apenas compreender que ele é amor (1João 4.8), mas que ele sempre foi e sempre será o mesmo. Também envolve admitir que a justiça e o juízo — a execução da justiça — também permeiam o caráter divino, tanto no Antigo quanto no Novo Testamentos.

A imutabilidade de Deus

PERGUNTAS PARA REFLEXÃO

1. Qual a importância de se reconhecer a imutabilidade divina antes de ponderar as mudanças da antiga para a nova aliança?

2. Como a ênfase equivocada de que não há juízo no tempo da graça pode trazer dano à vida espiritual do cristão?

3. Como a justiça e a misericórdia podem não ser contraditórias?

CAPÍTULO 8

ENFIM, A JUSTIFICAÇÃO CHEGOU!

> Ninguém pode confiar nos méritos de Cristo antes que se
> tenha negado inteiramente a si mesmo.
> Aquele que tenta estabelecer sua própria justiça não pode
> receber a justiça que vem de Deus.
>
> *John Wesley*

A justificação é uma das maravilhosas obras da graça que é operada na nossa vida por meio da fé no evangelho de Cristo. Já tratamos da questão da caducidade da Lei e sua substituição pela graça — que se recebe mediante a fé em Jesus. Por que a Lei chegou ao fim? Já vimos que ela se tornou antiquada e interpretamos isso de duas formas: seu prazo de validade terminou, e suas figuras proféticas se cumpriram com a chegada do Messias bendito. Contudo, algo a ser melhor entendido é o prazo de validade da Lei; e isso está atrelado a seu propósito que, como vimos, era provar a incapacidade humana de obedecer a Deus por causa da natureza pecaminosa.

Tendo isso em mente, consideremos a declaração de Paulo aos santos de Roma: "Porque o fim da Lei é Cristo, para a justificação de todo o que crê" (Romanos 10.4). A maioria lê apenas a primeira frase e não atenta para a segunda. Por que o fim da Lei é Cristo? Resposta: "para a justificação de todo o que crê". Para que o homem pudesse finalmente ser justificado, a tentativa de cumprir as obras da Lei, como meio de justificação, deveria cessar, dando lugar à fé. A Lei já havia cumprido seu papel em provar o pecado humano e a necessidade do Salvador, mas não podia, em hipótese alguma, justificar o homem. Escrevendo aos romanos, o apóstolo foi categórico quanto a esse reconhecimento:

> Portanto, **ninguém será declarado justo diante dele baseando-se na obediência à Lei**, pois é mediante a Lei que nos tornamos plenamente conscientes do pecado (Romanos 3.20).

A Lei não podia justificar ninguém! O apóstolo Paulo faz a mesma declaração aos crentes da Galácia: "É evidente que diante de Deus ninguém é justificado pela Lei, pois 'o justo viverá pela fé'" (Gálatas 3.11). Antes, afirmamos que a Lei podia fazer um homem sábio para a salvação, mas não era apta para salvar. Ela poderia inspirar a fé que conduziria alguém à salvação, mas não justificava ninguém. Quando esteve em Antioquia da Pisídia, Paulo teve a oportunidade de falar em uma sinagoga, em um sábado (Atos 13.14). Ali, proclamou Cristo aos judeus reunidos:

> Portanto, meus irmãos, quero que saibam que mediante Jesus é proclamado **o perdão dos pecados** a vocês. Por meio dele, **todo aquele que crê é justificado** de todas as coisas das quais **não podiam ser justificados pela Lei de Moisés** (Atos 13.38,39).

A justificação foi finalmente disponibilizada por meio da fé na obra redentora de Cristo e veio fazer o que a Lei nunca foi capaz. Esta foi uma das razões pelas quais a Lei chegou a seu fim. Com isso em mente, atentemos para a declaração de Paulo, segundo a qual "o fim da Lei é Cristo", dentro do seu contexto:

> Irmãos, a boa vontade do meu coração e a minha súplica a Deus a favor deles são para que sejam salvos. Porque lhes dou testemunho de que eles **têm zelo** por Deus, porém **não com entendimento**. Porquanto, **desconhecendo**

a justiça de Deus e procurando estabelecer a sua própria, não se sujeitaram à que vem de Deus. Porque o fim da lei é Cristo, para justiça de todo aquele que crê (Romanos 10.1-4, ARA).

O apóstolo reconhece o desejo de seu coração, combinado com suas orações, de ver seus patrícios serem salvos. Reconhece o zelo deles, mas destaca a falta de entendimento. Qual entendimento? No versículo 3, ele afirma algumas verdades que merecem consideração; quero dividi-las em partes e considerá-las como distintas e, ao mesmo tempo, complementares:

1. *"desconhecendo a justiça de Deus"*. A palavra grega, empregada nos originais, é *agnoeo* (αγνοεω), que significa: "ser ignorante, não conhecer; não entender, desconhecer; errar ou pecar por ignorância, estar errado".[1] Os israelitas, embora zelosos, ignoraram a justiça de Deus. Ela não vinha pela Lei, mas tão somente por meio de Cristo, para o qual toda a Lei apontava (João 5.39).

2. *"procurando estabelecer a sua própria"*. Ao tentar outra justiça que não fosse a divina, os descendentes de Abraão tropeçaram em um segundo ponto. Além de desconhecer a justiça de Deus, tentaram estabelecer uma própria. Como? Achavam que, obedecendo aos ritos e preceitos da Lei, seriam salvos por merecimento. Tentaram alcançar a justiça por um caminho que jamais os levaria ao resultado que a humanidade tanto necessitava: justificação.

3. *"não se sujeitaram à que vem de Deus"*. Por ignorarem a justiça divina e, em razão disso, terem tentado estabelecer sua própria justiça, os hebreus incorreram em um terceiro erro. Não se sujeitaram à justiça celestial. João atestou, falando da atitude dos seus compatriotas em relação a Cristo, que eles "não o receberam" (João 1.11).

Somente depois dessa constatação dos erros dos israelitas, o apóstolo prossegue em seu discurso, que, assim como a primeira parte, merece a nossa atenção e define o padrão divino pelo qual se alcança a justiça:

---

[1] STRONG, **New Strong's Exhaustive Concordance of the Bible**.

> Ora, Moisés escreveu que o homem que praticar a justiça decorrente da lei viverá por ela. Mas **a justiça decorrente da fé** assim diz: Não perguntes em teu coração: Quem subirá ao céu?, isto é, para trazer do alto a Cristo; ou: Quem descerá ao abismo?, isto é, para levantar Cristo dentre os mortos. Porém que se diz? A palavra está perto de ti, **na tua boca e no teu coração**; isto é, **a palavra da fé que pregamos**. Se, com a tua boca, **confessares** Jesus como Senhor e, em teu coração, **creres** que Deus o ressuscitou dentre os mortos, **serás salvo**. Porque com o coração **se crê para justiça** e com a boca **se confessa a respeito da salvação**. Porquanto a Escritura diz: Todo aquele que **nele crê** não será confundido. Pois não há distinção entre judeu e grego, uma vez que o mesmo é o Senhor de todos, rico para com todos os que **o invocam**. Porque: Todo aquele que **invocar o nome do Senhor será salvo** (Romanos 10.5-13).

Resumindo: a Lei jamais justificaria o homem. Este só poderia experimentá-la pela fé na obra de Jesus Cristo, concretizada por meio de sua morte e ressurreição. Essa fé no coração deveria ser verbalizada por meio da confissão, e assim, somente assim, a salvação seria alcançada. Esta é a justiça de Deus, que não pode ser ignorada; caso contrário, não poderá ser desfrutada.

A Bíblia deixou incontestável o fato de que a justiça divina jamais seria alcançada por obras. Por isso, o apóstolo conclui que a justificação é um dom de Deus ao denominá-la "dádiva da justiça" (Romanos 5.17). Ele também a classificou como uma manifestação da graça divina:

> Houve tempo em que nós também éramos insensatos e desobedientes, vivíamos enganados e escravizados por toda espécie de paixões e prazeres. Vivíamos na maldade e na inveja, sendo detestáveis e odiando uns aos outros. Mas, quando, da parte de Deus, nosso Salvador, se manifestaram a **bondade e o amor** pelos homens, **não por causa de atos de justiça por nós praticados**, mas **devido à sua misericórdia**, ele **nos salvou** pelo lavar regenerador e renovador do Espírito Santo, que ele derramou sobre nós generosamente, por meio de Jesus Cristo, nosso Salvador. Ele o fez

a fim de que, **justificados por sua graça**, nos tornemos seus herdeiros, tendo a esperança da vida eterna (Tito 3.3-7).

Logo, segundo as Escrituras Sagradas, não há meios de ser justificado que não seja por graça, a graça de Deus. A forma de experimentar essa dádiva celestial é única e exclusivamente pela fé em Jesus, no sacrifício realizado por nós:

> Mas agora se manifestou uma justiça que provém de Deus, independente da Lei, da qual testemunham a Lei e os Profetas, **justiça de Deus mediante a fé em Jesus Cristo** para todos **os que creem**. Não há distinção, pois **todos pecaram e estão destituídos da glória de Deus**, sendo **justificados** gratuitamente **por sua graça**, por meio da **redenção que há em Cristo Jesus** (Romanos 3.21-24).

Antes, porém, de falarmos da fé que nos conduz à justificação em Cristo, convém, em primeiro lugar, tratar da *condição* do ser humano e por qual motivo ele se tornou tão necessitado de tal justificação. Em segundo lugar, destacaremos o reconhecimento dessa condição, denominado nas Escrituras *arrependimento*. Somente então, torna-se apropriado abordar a fé que justifica.

A CONDIÇÃO DO HOMEM

Antes de explanar melhor o conceito de justificação, seria sábio atentar para a condição do homem antes da chegada desse memorável advento divino. Quer fosse no período anterior à Lei, quer durante a própria Lei, quer mesmo após a manifestação da graça, o homem desconhece, por natureza, a justiça e não pode alcançá-la por meio das obras.

A Bíblia estabelece que todo ser humano é desprovido de justiça e, portanto, está debaixo de condenação. Veja a seguinte declaração de Paulo: "Já demonstramos que tanto judeus quanto gentios estão debaixo do pecado. Como está escrito: '*Não há nenhum justo*, nem um sequer' " (Romanos 3.9,10). Qual era o propósito de tal reconhecimento? O apóstolo responde ainda no mesmo capítulo: "para que toda boca se cale e *o mundo todo esteja sob o juízo* de Deus. Portanto, ninguém será declarado justo diante dele baseando-se na obediência à Lei, pois é mediante a Lei que nos tornamos plenamente conscientes do pecado" (Romanos 3.19,20).

Homem algum possui justiça própria. Isaías declarou que "Somos como o impuro — todos nós! Todos os nossos atos de justiça são como trapo" (Isaías 64.6). Isso é um fato, não importa se enxergamos ou não a nossa imundícia. Penso ser justamente pelo fato de que nem todos percebem sua própria miséria que a Escritura afirma que há "os que são puros aos seus próprios olhos e que ainda não foram purificados da sua impureza" (Provérbios 30.12).

Um exemplo desse tipo de gente pode ser encontrado na parábola do fariseu e do publicano que foram ao templo para orar (Lucas 18.9-14). O fariseu, membro da mais severa seita do judaísmo, extremamente religioso, orgulhava-se de suas obras e agradecia a Deus por ser melhor do que os demais homens, pecadores. Em nenhum momento, ele reconhece algum pecado seu nem mesmo a necessidade da misericórdia do Alto; era autossuficiente e, com suas atitudes, demonstrava que nem mesmo precisava de Deus! Já o publicano, designação dada aos coletores de impostos (que compunham, na cultura da época, um dos grupos dos piores pecadores, segundo alguns), não tinha de que se orgulhar; pelo contrário, envergonhado de si mesmo e de seus pecados, clamava pela misericórdia divina.

O Senhor Jesus evidenciou que o pecador arrependido é que foi *justificado*. Por quê? Porque, se acharmos que somos justos, que pode haver em nós qualquer justiça própria, então, à semelhança dos judeus, nós: 1) ignoraremos a justiça de Deus; 2) procuraremos estabelecer a nossa própria e 3) não nos submeteremos à justiça que vem de Deus ("Porquanto, ignorando a justiça que vem de Deus e procurando estabelecer a sua própria, não se submeteram à justiça de Deus", Romanos 10.3).

Conferimos, no capítulo 3, que todo o problema do pecado começou com o primeiro homem, Adão. Lemos acerca disso na epístola aos Romanos: "Portanto, da mesma forma como o pecado entrou no mundo *por um homem*, e pelo pecado a morte, assim também a morte *veio a todos os homens*, porque todos pecaram" (5.12). Como ele transmitiu a morte a todos? Ao tornar-se pecador, por natureza, passou a reproduzir sua natureza pecaminosa à medida que procriava.

Enfim, a justificação chegou!

Quando eu era garoto, tinha certo "ressentimento" para com Adão. Ouvia muitos pregadores que responsabilizavam o primeiro homem por toda desgraça na terra. Em razão disso, o meu sentimento, acompanhado da imaturidade de garoto, era o de, chegando ao céu, juntar um bando de irmãos e dar uma boa surra no tal Adão. Não conseguia ver nada de bom nesse homem. O interessante, contudo, é que Paulo afirma que Adão "era um tipo daquele que haveria de vir" (Romanos 5.14). Sabe o que isso quer dizer? Que o primeiro homem prefigura Cristo. Em que sentido? Que, assim como ele, Jesus também veio para ser o primeiro, uma matriz reprodutora. Se um foi o causador de uma desgraça que atingiu toda a humanidade, o outro, por sua vez, é o responsável pela graça que foi disponibilizada a todos os homens. Após essa declaração, o apóstolo descarrega um grande volume de informações que corroboram tal ideia:

> Entretanto, não há comparação entre a dádiva e a transgressão. **De fato, muitos morreram por causa da transgressão de um só homem, mas a graça de Deus, isto é, a dádiva pela graça de um só, Jesus Cristo, transbordou ainda mais para muitos.** Não se pode comparar a dádiva de Deus com a consequência do pecado de um só homem: **por um pecado veio o julgamento que trouxe condenação,** mas a **dádiva decorreu de muitas transgressões e trouxe justificação.** Se pela transgressão de um só a morte reinou por meio dele, muito mais aqueles que recebem de Deus a imensa provisão da graça e a dádiva da justiça reinarão em vida por meio de um único homem, Jesus Cristo. Consequentemente, assim como **uma só transgressão resultou na condenação de todos os homens,** assim **também um só ato de justiça resultou na justificação que traz vida a todos os homens.** Logo, assim como por meio da desobediência de um só homem muitos foram feitos pecadores, assim também por meio da obediência de um único homem muitos serão feitos justos (Romanos 5.15-19).

A condição pecaminosa do homem e sua completa ausência de justiça é a base do evangelho. Se não fosse isso, não necessitaríamos de justificação. Se assim não fosse, não haveria razão para se falar de Jesus como o Salvador.

A NECESSIDADE DO ARREPENDIMENTO

Sem esse reconhecimento de pecado — e consequentemente da culpa —, o homem nem sequer teria a necessidade de ser justificado. Esta é a razão pela qual o arrependimento é o *precursor* da fé que nos traz justificação. Se não há necessidade de arrependimento, que é o reconhecimento da nossa condição pecaminosa — e consequente admissão da nossa culpa — somada à constatação da impossibilidade de alcançarmos a justiça por qualquer meio humano, por que haveria a necessidade de salvação? Podemos dizer que isso está alinhado com a declaração de que Deus, por meio do profeta Oseias, fez aos israelitas: "Você foi destruído, ó Israel, porque está contra mim, contra o seu ajudador" (13.9). Ou seja, os problemas — a começar do pecado — se originaram em vocês; a solução procede de mim. Ou, ainda, como Wesley dizia: "Reconhecei vossa doença; conhecei vossa cura!".[2]

A doença precisa ser reconhecida antes de a cura ser recebida. É por essa mesma razão que a Palavra de Deus nos informa que João Batista precede a manifestação do ministério de Cristo com uma mensagem específica: "*Arrependam-se*, pois o Reino dos céus está próximo" (Mateus 3.2). Marcos, em seu evangelho, inicia a narrativa apresentando João Batista e o motivo pelo qual Deus o levantou: "Assim surgiu João, batizando no deserto e pregando um *batismo de arrependimento* para o perdão dos pecados" (1.4). Lucas fez a mesma declaração (Lucas 3.3). Paulo repete isso em sua pregação em Antioquia da Pisídia (Atos 13.24) e também em Éfeso (Atos 19.4). Temos aqui mais do que informação: o propósito da repetição bíblica é a *ênfase*; não haveria ênfase se o assunto não fosse importante.

Depois de João Batista, com o início do ministério de Jesus, qual era a pregação? A mesma! É o que está escrito: "O Reino de Deus está próximo. Arrependam-se e creiam nas boas-novas!" (Marcos 1.15; cf. Mateus 4.17). Lucas nos relata que, diante da reclamação dos fariseus de que Jesus e seus discípulos comiam com pecadores, Cristo afirmou: "Não são os que têm saúde que precisam de médico, mas sim os doentes. Eu não vim chamar justos, mas pecadores ao arrependimento" (Lucas 5.31,32). Em sua aparição,

---

[2] WESLEY, **Sermões pelo rev. João Wesley**, v. 2, sermão 44, p. 378.

depois de ressurreto, a dois discípulos no caminho de Emaús, o Filho Santo de Deus os advertiu: "Está escrito que o Cristo haveria de sofrer e ressuscitar dos mortos no terceiro dia, e que em seu nome seria pregado o *arrependimento* para perdão de pecados a todas as nações, começando por Jerusalém" (Lucas 24.46,47). Portanto, Jesus não só pregou a mesma mensagem de arrependimento que seu precursor, como também instruiu seus discípulos, que lhe sucederiam na proclamação do evangelho, a que levassem a mesma mensagem ao mundo todo!

O que os apóstolos fizeram? Obedeceram ao Senhor e cumpriram a missão que lhes foi confiada. No dia de Pentecoste, em seu primeiro sermão público, Pedro foi direto ao ponto: "*Arrependam-se*, e cada um de vocês seja batizado em nome de Jesus Cristo para perdão dos seus pecados" (Atos 2.38). Em outro momento, diante do sumo sacerdote e dos integrantes do Sinédrio, o apóstolo, falando de Jesus, esclarece: "Deus o exaltou, elevando-o à sua direita como Príncipe e Salvador, para dar a Israel *arrependimento* e perdão de pecados" (Atos 5.31). A ideia do arrependimento como primeiro passo para a fé salvadora era tão clara que aparece repetidas vezes em vários discursos. Por exemplo, quando Pedro retorna de Cesareia a Jerusalém e explica, em detalhes, o que havia acontecido na casa de Cornélio, os irmãos "louvaram a Deus, dizendo: 'Então, Deus concedeu *arrependimento* para a vida até mesmo aos gentios!' " (Atos 11.18). Não há manifestação de vida divina, eterna, a ser desfrutada por meio do evangelho sem que seja precedida pelo arrependimento! Em Mileto, onde se reuniu com os presbíteros de Éfeso, Paulo resume seu ministério entre eles com as seguintes palavras: "Vocês sabem que não deixei de pregar a vocês nada que fosse proveitoso, mas ensinei tudo publicamente e de casa em casa. Testifiquei, tanto a judeus como a gregos, que eles precisam converter-se a Deus com *arrependimento* e *fé* em nosso Senhor Jesus" (Atos 20.20,21). O apóstolo, diante do rei Agripa a quem testemunhava, relata o início do seu ministério logo após converter-se: "Preguei em primeiro lugar aos que estavam em Damasco, depois aos que estavam em Jerusalém e em toda a Judeia, e também aos gentios, dizendo que se *arrependessem* e se voltassem para Deus, praticando obras que mostrassem o seu arrependimento" (Atos 26.20).

Observemos que o arrependimento precede a fé. Constatamos esse fato na mensagem de Jesus e dos apóstolos. Acrescente-se a isso o fato de que o escritor de Hebreus, ao falar sobre os princípios elementares da doutrina de Cristo, elenca, em primeiro lugar e antes da fé — que aparece em segundo lugar na lista —, o arrependimento (Hebreus 6.1,2).

Infelizmente, a pregação contemporânea tem suprimido o apelo ao arrependimento. Os mensageiros modernos ignoram o fundamento do arrependimento e vão direto à ação de crer em Jesus. Eles o fazem sem denunciar a miséria humana estampada na natureza pecadora herdada de Adão (Romanos 5.12). Parecem acreditar que devem levar os homens a crer na mudança de posição em Cristo para, então, *depois* de reconhecerem o que Jesus fez por eles, deduzirem que já não precisam de arrependimento. É óbvio que, para quem entendeu o que Jesus fez por ele, e apropriou-se disso pela fé, já não há mais necessidade de arrependimento quanto aos atos passados. O problema é tentar suprimir o arrependimento *antes* de apresentar o que Deus, em Cristo, fez por nós. Se o homem não se reconhece pecador, por que precisaria reconhecer Jesus como Salvador?

Se o pecado humano, a raiz do problema, não for exposto e devidamente denunciado, conduzindo assim ao arrependimento, que tipo de fé estamos pregando? A fé que salva, como veremos no final deste capítulo, não é apenas crer que Jesus existe ou que ele é, de fato, o Filho de Deus. Essa fé significa crer especificamente na obra que ele realizou por nós na cruz, assumindo tanto os nossos pecados como a nossa culpa, a fim de que recebêssemos sua justiça (2Coríntios 5.21). Contudo, se não há reconhecimento do estado condenatório humano, questiono, então, em que as pessoas são conduzidas a crer?

Um evangelho pregado sem arrependimento não é evangelho! Chame-o de qualquer outra coisa, menos de evangelho. Não foi a mensagem que Cristo pregou, tampouco a que ele determinou que seus apóstolos proclamassem. Precisamos retornar à essência do evangelho e denunciar a real condição do homem: é pecador e carece da glória de Deus. Russell Shedd afirmou: "Uma teologia que oferece graça sem arrependimento é falsa. [...] Acontece que, se os pecadores não têm nenhuma ideia da majestade e santidade de

Deus, nem do inconcebível inferno para o qual caminham, a graça perde sua força transformadora".[3]

O arrependimento era o ponto de partida e só fazia sentido se as pessoas, além de entenderem sua condição de pecado, entendessem também que isso as tornava merecedoras do juízo divino. A mensagem de arrependimento sempre foi um ato de humilhação, um clamor por misericórdia, daquele que entendia sua sentença condenatória. Repare na argumentação que Paulo, em sua pregação em Atenas, fez a seus ouvintes:

> No passado Deus não levou em conta essa ignorância, mas agora ordena que **todos**, em todo lugar, **se arrependam**. Pois estabeleceu um dia em que há de **julgar o mundo com justiça**, por meio do homem que designou. E deu provas disso a todos, ressuscitando-o dentre os mortos (Atos 17.30,31).

Portanto, primeiramente se denunciava a condição miserável do homem. Isso sempre requeria o entendimento da inevitável e consequente condenação. Somente depois disso é que se apresentava a boa-nova do evangelho, que, por sua vez, mostrava que o ser humano não precisa ser julgado porque Cristo já havia sido julgado em seu lugar. O mesmo se deu quando Paulo teve a oportunidade de falar da fé em Cristo a Félix, governador romano:

> Vários dias depois, Félix veio com Drusila, sua mulher, que era judia, mandou chamar Paulo e o **ouviu falar sobre a fé em Cristo Jesus**. Quando Paulo se pôs a discorrer acerca da **justiça, do domínio próprio e do juízo vindouro**, Félix teve **medo** e disse: "Basta, por enquanto! Pode sair. Quando achar conveniente, mandarei chamá-lo de novo" (Atos 24.24,25).

John Bevere asseverou: "Não há como depositar fé no nosso Senhor Jesus Cristo a menos que haja primeiro arrependimento da desobediência voluntária a Deus".[4] John Wesley, em seu sermão "O Senhor, nossa justiça",

---
[3] SHEDD, **Lei, graça e santificação**, p. 32-33.
[4] BEVERE, **Kriptonita**, p. 218.

estabeleceu a mesma cronologia do arrependimento como precedente da fé no evangelho:

> Precisamos arrepender-nos antes de podermos crer no evangelho. Precisamos deixar de depender de nós mesmos antes de podermos depender realmente de Cristo. Precisamos abandonar toda a confiança em nossa própria justiça, do contrário não poderemos ter inteira confiança na dele. Enquanto não nos livrarmos da confiança nas coisas que fazemos, não poderemos confiar totalmente nas que ele fez e sofreu. Primeiramente recebemos a sentença de morte em nós mesmos, então confiamos nele que viveu e morreu por nós.[5]

Bem, reconhecida a completa ausência de justiça na humanidade, bem como a incapacidade humana de reverter sua condição de pecado por obras, por melhor que fosse, resta-nos entender o que Deus fez. Afinal de contas, se a fé se baseia naquilo que o Criador fez por nós em Cristo, é de suma importância entender tal obra em nosso favor. Essa compreensão é um fundamento para a fé cristã. A própria compreensão da graça divina como favor imerecido só faz sentido se o homem entender sua miséria espiritual, sua total depravação oriunda da natureza pecaminosa. Essa condição nos mantinha sob a ira divina. Por isso é que a fé (que nos leva a adentrar na graça) faz sentido: "Quem crê no Filho tem a vida eterna; já quem rejeita o Filho não verá a vida, mas a ira de Deus permanece sobre ele" (João 3.36). A mensagem do evangelho é simples e nos dá apenas duas opções: ou cremos no Filho de Deus, Jesus, ou permanecemos sob a ira divina. Se não há ira, da qual só escapa quando a pessoa crê no que Cristo fez em seu lugar, tampouco há salvação ou necessidade dela!

O QUE DEUS FEZ

Atestamos a pecaminosidade do homem e sua incapacidade de reverter sua própria condição. Discorremos sobre a completa falta de justiça no ser humano para, finalmente, destacar que aquilo que jamais poderíamos

---

[5] BURTNER; CHILES, **Coletânea da teologia de João Wesley**, p. 146.

alcançar, nem mesmo pela Lei, nos foi disponibilizado por meio de Jesus Cristo. Escrevendo aos coríntios, Paulo afirma como Deus interveio no nosso passado maculado pelo pecado e enfatiza a justificação:

> Vocês não sabem que **os perversos não herdarão o Reino de Deus**? Não se deixem enganar: nem imorais, nem idólatras, nem adúlteros, nem homossexuais passivos ou ativos, nem ladrões, nem avarentos, nem alcoólatras, nem caluniadores, nem trapaceiros herdarão o Reino de Deus. **Assim foram alguns de vocês. Mas vocês foram lavados, foram santificados, foram justificados no nome do Senhor Jesus Cristo** e no Espírito de nosso Deus (1Coríntios 6.9-11).

A obra de Cristo na cruz do Calvário determinou uma troca. Nós éramos pecadores e não tínhamos justiça alguma. Jesus se fez homem, concebido pelo Espírito Santo — portanto sem natureza pecaminosa — e nunca pecou (Hebreus 4.15); era o único homem de quem se podia afirmar que era justo. Deus, então, fez uma troca. Paulo explicou aos coríntios: "Deus *tornou pecado por nós* aquele que não tinha pecado, para que nele *nos tornássemos justiça de Deus*" (2Coríntios 5.21).

Esta é a essência da justificação. A justiça de Jesus Cristo nos é imputada pela fé. Da mesma forma que os nossos pecados foram transferidos sobre ele, que sofreu no nosso lugar, assim também sua justiça foi transferida sobre nós. Paulo, em 1Coríntios, afirmou que o Senhor Jesus foi feito justiça por nós: "É, porém, por iniciativa dele que vocês estão em Cristo Jesus, *o qual se tornou* sabedoria de Deus para nós, isto é, justiça, santidade e redenção" (1.30). Ele se tornou justiça "para nós".

Justificação é o ato pelo qual o estado de pecado e culpa do homem é removido, tornando-o justo perante Deus. Significa que o Criador não apenas perdoa o pecado, mas também torna o homem justo, como se nunca tivesse cometido delito algum. Eis a razão de Paulo ter dito: "Portanto, agora já *não há condenação* para os que estão em Cristo Jesus" (Romanos 8.1). Falando do homem que recebe a justificação divina, John Wesley atesta: "[...] a fé lhe é, assim, imputada como justiça precedente; isto é,

Deus, pelos méritos de Cristo, aceita o que crê, como se ele houvesse preenchido toda a justiça".[6]

Desse modo, a justificação — que é o oposto da condenação — nos introduz em uma situação de paz com Deus e completa ausência de culpa. Quem entende a obra da cruz não vive debaixo de condenação.

> Quem fará alguma **acusação contra os escolhidos de Deus**? É **Deus quem os justifica**. Quem os **condenará**? Foi Cristo Jesus que morreu; e mais, que ressuscitou e está à direita de Deus, e também intercede por nós. (Romanos 8.33,34)

É esse fato incontestável que levou Paulo a declarar aos crentes de Tessalônica: "Que ele fortaleça o coração de vocês para serem *irrepreensíveis* em santidade diante de nosso Deus e Pai" (1Tessalonicenses 3.13). Glória a Deus! Aos cristãos romanos, o apóstolo asseverou: "agora já *não há condenação* para os que estão em Cristo Jesus" (Romanos 8.1). Não há mais culpa. Não há mais condenação. Enfim, a justificação chegou!

COMO SE RECEBE

Depois de reconhecer a chegada da justificação, é importante entender como o homem pode recebê-la. Sabemos que ela pode ser recebida unicamente pela fé: "Por meio dele, todo aquele que crê é justificado de todas as coisas das quais não podiam ser justificados pela Lei de Moisés" (Atos 13.39).

Mesmo que seja óbvio para alguns, é necessário atentarmos para os versículos que definem essa gloriosa salvação e bendita justificação como ato da graça divina. Este, por sua vez, é experimentado mediante a fé, não mediante obras.

> Pois vocês **são salvos pela graça**, por **meio da fé**, e isto não vem de vocês, é dom de Deus; **não por obras**, para que ninguém se glorie. (Efésios 2.8,9)

---

[6] WESLEY, **Sermões pelo rev. João Wesley**, v. 2, sermão 35, p. 188.

"Pois vocês são salvos pela graça, por meio da fé." Graça e fé estão estreitamente relacionadas. De fato, de acordo com as Escrituras, a fé é a porta de entrada para a graça de Deus. Paulo declarou aos santos de Roma: "por meio de quem obtivemos *acesso pela fé a esta graça* na qual agora estamos firmes" (Romanos 5.2). Portanto, não adianta falar da graça sem falar da fé, pois o acesso à graça somente se dá pela fé. Observe que a fé, por si mesma, não justifica ninguém. Ela nos dá acesso à graça divina, que, por sua vez, nos providenciou a justificação em Cristo.

Quando falamos da fé que nos conduz à justificação, penso que seja necessário trabalhar melhor a definição do que é essa fé e de como ela opera. Algumas pessoas podem ser levadas à conclusão de que precisam crer na existência de Jesus, ou reconhecê-lo como o Filho de Deus. No entanto, a fé que nos conduz à salvação requer mais do que isso. É necessário não apenas crer na pessoa de Cristo, no sentido de sua existência ou do reconhecimento dele como Filho de Deus; também é preciso *crer naquilo que ele fez por nós*, em nosso favor. Cito, mais uma vez, um comentário esclarecedor de John Wesley:

> A fé cristã é, portanto, não só um assentimento a todo o evangelho de Cristo, mas também plena confiança no sangue de Cristo; confiança nos méritos de sua vida, morte e ressurreição; descanso nele como nossa propiciação e nossa vida, — vida divina que foi dada por nós e vive em nós; e, em consequência disto, união com ele, adesão à sua pessoa, como "nossa sabedoria, justiça, santificação e redenção", ou, numa palavra, — nossa salvação.[7]

O exercício dessa fé tem três estágios distintos. Vamos considerar cada um deles individualmente, bem como a necessidade de que todos esses aspectos, quando agregados, nos levem ao resultado que só a fé pode nos levar a experimentar. São eles: identificação, apropriação e confissão.

Identificação

O preço que Jesus pagou na cruz foi em nosso lugar. Logo, foi como se nós tivéssemos pago. É dessa forma que a Bíblia nos orienta a olhar a morte

---

[7] WESLEY, **Sermões pelo rev. João Wesley**, v. 1, sermão 1, p. 34.

de Cristo: um sacrifício vicário (palavra de origem latina que significa "o que substitui outra coisa ou pessoa").[8] Veja o que Paulo disse aos gálatas: "Fui crucificado com Cristo. Assim, já não sou eu quem vive, mas Cristo vive em mim" (Gálatas 2.20). Aqui podemos constatar o princípio da *identificação*. O apóstolo atesta que ele está em Cristo, e que Cristo está nele. Precisamos nos ver em Jesus, pois ele é o nosso substituto. Tal substituição já era anunciada pelos profetas no tempo da lei: "Mas ele foi traspassado por causa das nossas transgressões, foi esmagado por causa de nossas iniquidades; o castigo que nos trouxe paz estava sobre ele, e pelas suas feridas fomos curados" (Isaías 53.5). O juízo que merecíamos foi lançado sobre o Cordeiro de Deus!

A fé que nos salva é a fé que reconhece que estamos em Jesus. Quando nos identificamos com sua morte e ressurreição, entendendo que legalmente estamos em Jesus, algo acontece:

> Portanto, **se alguém está em Cristo**, é nova criação. As coisas antigas já passaram; eis que surgiram coisas novas! (2Coríntios 5.17).

Estar em Cristo. Esta é a chave. Se nos vemos nele e nos identificamos pela fé, entendendo que fomos representados por ele em sua morte, em seu sepultamento, em sua ressurreição e ascensão, então o nosso passado é apagado, as coisas velhas passam, e uma nova realidade se faz presente: a justificação.

Quando Jesus morreu, a Bíblia diz que nós morremos junto com ele: "Já que vocês morreram com Cristo" (Colossenses 2.20). Quando Cristo foi sepultado, as Escrituras asseguram que também fomos sepultados com ele: "fomos sepultados com ele" (Romanos 6.4). Quando o Senhor ressuscitou, também ressuscitamos com ele: "Portanto, já que vocês ressuscitaram com Cristo" (Colossenses 3.1). Finalmente, quando o Senhor foi elevado ao céu, assentando-se à direita de Deus, nós também ali nos assentamos com ele: "ele nos fez assentar nas regiões celestiais em Cristo Jesus" (Efésios 2.6).

---

[8] HOUAISS, Antônio e VILLAR, Mauro de Sales. **Dicionário Houaiss da Língua Portuguesa**, Rio de Janeiro, 2009, p. 1943.

Apropriação

Depois de nos identificarmos com Cristo, ver-nos nele pelo entendimento do sacrifício substitutivo e representativo, é necessário *tomar posse*, pela fé, daquilo que nos foi dado e selar essa verdade por meio da confissão:

> Combata o bom combate da fé. **Tome posse da vida eterna**, para a qual você foi chamado e fez a boa confissão na presença de muitas testemunhas (1Timóteo 6.12).

A partir do momento em que entendemos que algo nos pertence, devemos agarrar isso com toda a força. Se a Bíblia diz que fomos perdoados, então nos apropriamos dessa verdade e agarramos o perdão! Primeiro, precisamos entender que a salvação nos foi dada; depois, recebê-la pela fé.

Podemos ter certeza da salvação? Claro que sim, mas só depois de a agarrarmos. Se não fizermos isso, ninguém o fará por nós.

Confissão

O terceiro e último estágio da fé é o ato de confessar Jesus. Não basta ter fé no coração; é preciso expressá-la verbalmente: "*Se você confessar com a sua boca que Jesus é Senhor* e crer em seu coração que Deus o ressuscitou dentre os mortos, será salvo. Pois com o coração se crê para justiça e *com a boca se confessa para salvação*" (Romanos 10.9,10). O próprio Cristo declarou:

> "Quem, pois, **me confessar diante dos homens**, eu também **o confessarei diante do meu Pai** que está nos céus. Mas aquele que me negar diante dos homens, eu também o negarei diante do meu Pai que está nos céus" (Mateus 10.32,33).

Ou seja, se queremos ser aceitos, é necessário, depois da identificação e da apropriação, fazer a confissão de fé. Ela começa com uma declaração verbal e se estende por meio do batismo que Cristo instituiu: "[...] vão e façam discípulos de todas as nações, batizando-os em nome do Pai e do

Filho e do Espírito Santo" (Mateus 28.19). O Evangelho de Marcos também registrou a importância do batismo como algo que acompanha a fé: "Quem crer e for batizado será salvo" (Marcos 16.16).

Anteriormente, vimos que o apóstolo Paulo se referiu à circuncisão como selo da fé de Abraão: "[...] recebeu a circuncisão como sinal, como selo da justiça que ele tinha pela fé" (Romanos 4.11). No Novo Testamento, a circuncisão deixou de ser literal, na carne, e passou a ser no coração (Romanos 2.28,29). Escrevendo aos colossenses, o apóstolo interpretou a "circuncisão do coração" como sendo o batismo:

> Nele também **vocês foram circuncidados**, não com uma circuncisão feita por mãos humanas, mas com a **circuncisão feita por Cristo**, que é o despojar do corpo da carne. Isso aconteceu quando vocês foram sepultados com ele **no batismo** e com ele foram ressuscitados mediante a fé no poder de Deus que o ressuscitou dentre os mortos (Colossenses 2.11,12).

Portanto, esta é a razão pela qual batizamos todos os novos convertidos a Cristo. A fé do coração começa sendo expressa por meio de uma declaração verbal para depois ser testemunhada publicamente mediante o batismo. Este, por sua vez, além de ser "um selo da fé", também atesta o tipo de fé que temos em Jesus: aquela que se identifica com ele, que se apropria do que nos é dado e sacramenta o recebimento da dádiva gratuita por meio da confissão (tanto a verbal como a cerimonial, pelo batismo). Aliás, vale acrescentar que, falando sobre o batismo, Martinho Lutero, um dos grandes nomes da Reforma Protestante, apresentou, em seu "Sermão sobre as duas espécies de justiça", a visão de identificação, apropriação e confissão em um único comentário:

> Por isso, o homem pode se orgulhar seguramente em Cristo e dizer: "Meus são o viver de Cristo, o seu agir, o seu falar, o seu sofrer e morrer; são meus como se eu tivesse vivido, agido, falado, sofrido e morrido como ele".[9]

---

[9] LUTERO, Martinho. **Martinho Lutero:** uma coletânea de escritos. São Paulo: Vida Nova, 2017.

Uma definição de graça é "favor imerecido". A justificação pela fé fala exatamente a esse respeito. Se alguém fosse justificado pelo cumprimento da Lei, ou por boas obras, seria merecedor da salvação. No entanto, a salvação não se dá pelos nossos méritos, mas pelos de Cristo. Isto é graça divina!

No capítulo seguinte, trataremos daquilo que vem depois da justificação.

Tendo entendido a mensagem do evangelho, se você ainda não teve seu posicionamento pessoal de crer para a sua própria justificação, convido você a tomar essa decisão agora mesmo e expressar a sua fé em Jesus fazendo em voz alta a oração que segue. No entanto, vale ressaltar que confessar Jesus com a boca não é apenas fazer uma oração em voz alta; o mais importante é que você não se envergonhe dessa decisão e sempre fale dela aos outros. Você perceberá que, à medida que expõe os fatos bíblicos e os declara a outras pessoas, essas verdades vão ganhando vida no seu interior. Declare agora a sua fé em Deus e confirme a decisão que você já tomou, em seu coração, de se reconciliar com Deus, fazendo a seguinte oração:

Oração de reconciliação

Senhor Jesus, reconheço hoje que, como cada ser humano, nasci em pecado e preciso da tua salvação e justificação. Sei que tenho que tomar uma decisão. Neste momento, faço uso do meu poder de escolha para abrir o meu coração a ti. Faço isso pela fé na tua Palavra, que me foi exposta neste ensino, e creio que, a partir de hoje, serei uma nova pessoa.

Reconheço que Cristo morreu por mim para o perdão dos meus pecados e pagamento da minha dívida para com Deus. Sei, porém, que o Senhor Jesus não permaneceu morto, mas ressuscitou ao terceiro dia, vencendo a morte e o Diabo e hoje está assentado à direita de Deus e intercede por mim.

Identifico-me com a tua morte e ressurreição e recebo pela fé a minha justificação. A partir de agora, eu te reconheço como o Senhor da minha vida. Entrego a ti todo o meu ser: espírito, alma e corpo. Faz de mim a tua habitação; vem morar em mim enchendo o meu coração com a tua presença por meio do Espírito Santo.

> *Renuncio neste dia a todo e qualquer envolvimento, direto ou indireto, com os poderes das trevas, em nome de Jesus! Renuncio também todo o envolvimento com os pecados que custaram a tua morte. Clamo sobre a minha vida o poder do sangue de Jesus e a libertação completa que vem por meio da tua morte e ressurreição.*
>
> *Declaro que agora pertenço a Deus para sempre, para fazer a tua vontade. Ajuda-me, ó Deus, a não ceder às pressões e a ficar firme na tua graça, mantendo-me sempre sob os benefícios da reconciliação e com um compromisso firme para com o Senhor Jesus Cristo. Dá-me entendimento para compreender a Bíblia e crescer no teu conhecimento por meio dela. Em nome do Senhor Jesus Cristo. Amém.*

A partir de hoje, você é uma nova criatura em Cristo Jesus. Tudo se fez novo. Creia nisso de todo o coração, independentemente do que estiver sentindo. Sustente essa fé e desenvolva-a.

É importante saber que a melhor maneira de crescer espiritualmente não é sozinho, mas acompanhado de outros que já têm vivido essa mesma experiência; portanto, aconselho-o a procurar uma igreja evangélica que professe Jesus como Senhor e Salvador e que creia na Bíblia como a revelação da vontade divina aos homens. Informe-se com quem lhe ofereceu este livro, e essa pessoa poderá ajudá-lo.

Que Deus o abençoe e fortaleça a sua decisão, que certamente foi a coisa mais importante que você poderia fazer em toda a sua vida. Trata-se de uma decisão eterna, com uma recompensa eterna!

SINOPSE DO CAPÍTULO EM TÓPICOS

1. O prazo de validade da Lei estava atrelado a seu propósito: provar a incapacidade humana de obedecer a Deus por causa da natureza pecaminosa.

2. A Lei, que cumpriu seu papel em provar o pecado humano e a necessidade do Salvador, não podia, em hipótese alguma, justificar o homem.

3. Quer fosse no período anterior à Lei, quer durante a própria Lei, quer mesmo após a manifestação da graça, o homem desconhece, por natureza, a justiça e não pode alcançá-la por meio das obras.

4. A Bíblia estabelece que todo ser humano é desprovido de justiça e, portanto, está debaixo de condenação.

5. A condição pecaminosa do homem e sua completa ausência de justiça é a base do evangelho. Se não fosse isso, não necessitaríamos de justificação. Se assim não fosse, não haveria razão para se falar de Jesus como Salvador.

6. Sem esse reconhecimento de pecado — e consequentemente da culpa —, o homem nem sequer teria a necessidade de ser justificado. Esta é a razão pelo qual o arrependimento é o *precursor* da fé que nos traz justificação.

7. Se o homem não se reconhece pecador, por que precisaria reconhecer Jesus como Salvador?

8. A fé que salva não é apenas crer que Jesus existe ou que ele é, de fato, o Filho de Deus. Essa fé significa crer especificamente na obra que ele realizou por nós na cruz, assumindo tanto os nossos pecados como a nossa culpa, a fim de que recebêssemos sua justiça.

9. A obra de Cristo na cruz do Calvário determinou uma troca. A justiça de Jesus Cristo nos é imputada pela fé. Da mesma forma que os nossos pecados foram transferidos sobre ele, que sofreu no nosso lugar, assim também sua justiça foi transferida sobre nós. Essa é a essência da justificação.

10. Justificação é o ato pelo qual o estado de pecado e culpa do homem é removido, tornando-o justo perante Deus. Significa que o Criador não apenas perdoa o pecado, mas também torna o homem justo, como se nunca houvesse cometido delito algum.

11. A justificação pode ser recebida unicamente pela fé. Graça e fé estão estreitamente relacionadas. De fato, de acordo com as Escrituras, a fé é a porta de entrada para a graça de Deus.

12. O exercício dessa fé tem três estágios distintos. São eles: identificação, apropriação e confissão.

Enfim, a justificação chegou!

PERGUNTAS PARA REFLEXÃO

1. Por que o arrependimento é o ponto de partida na resposta humana ao chamado divino?

2. Sabemos que a salvação se dá por meio da fé. Contudo, no que, especificamente, se deve crer?

3. Como se dá o exercício da fé?

CAPÍTULO 9

DEPOIS DA JUSTIFICAÇÃO

A graça barata é a inimiga mortal da nossa igreja. Hoje, nossa luta é pela graça preciosa.

Dietrich Bonhoeffer

Abordamos, no capítulo anterior, a questão da justificação. Demonstramos, pelas Escrituras, que a justificação pela fé é precedida de *arrependimento*. Agora, desejamos comprovar que a justificação é seguida de um processo de desenvolvimento denominado *santificação*. Desse modo, a obra divina da salvação começa em nós mediante o arrependimento, passa pela justificação e engloba o crescimento da santificação. John Wesley, em seus ensinos, também apresentava essa ordem na obra redentora:

> A salvação começa com o que é usualmente chamado de maneira muito adequada de graça salvadora, incluindo o primeiro desejo de agradar a Deus, a primeira aurora de luz referente à sua vontade e a primeira convicção leve e passageira de ter pecado contra ele. Tudo isto implica alguma tendência para a vida, algum grau de salvação, o começo da libertação de um coração cego e totalmente insensível a Deus e às suas coisas. A salvação se realiza através da graça convencedora usualmente chamada nas Escrituras de *arrependimento*, que traz maior quantidade de

conhecimento próprio e libertação interior do coração de pedra. Depois experimentamos a salvação propriamente cristã, pela qual, "através da graça", "somos salvos pela fé", consistindo isto em dois grandes ramos — a *justificação* e a *santificação*. Pela justificação, somos salvos *da culpa do pecado* e restaurados ao favor de Deus; pela santificação, somos salvos *do poder e da raiz do pecado* e restaurados à imagem de Deus.[1]

Há vários aspectos da salvação, e a ideia aqui não é tratar de todos eles; contudo, vale deixar um panorama do que o sacrifício do Cordeiro de Deus, Cristo, nos proporcionou. Esses distintos e complementares aspectos da nossa tão abrangente salvação envolvem mudanças de natureza, posição, condição, propriedade e destino.

Deve-se reconhecer que, aliada à *justificação,* se dá a *regeneração* (1Pedro 1.23) mediante o novo nascimento. Acrescentemos ainda o ato da *reconciliação*, por meio do qual a inimizade contra Deus e a separação do pecado foram revertidas (Romanos 5.10). Há também a *adoção*, que nos inclui na família divina (Gálatas 4.5). Destaque-se, ainda, a bendita *redenção* (Efésios 1.7), o ato de compra que gerou, como consequência, a nossa libertação do reino das trevas (Colossenses 1.13). Adicione-se a isso o início do processo da *santificação* (Romanos 6.22), para então vislumbrar-se o grande desfecho da *glorificação* (Romanos 8.18-23), que é a transformação do nosso corpo físico à plena semelhança de Jesus (Filipenses 3.20,21).

É muito importante entender o que vem após a justificação, a saber, a santificação. No entanto, antes de entrarmos no assunto da santificação em si, o que faremos somente no capítulo seguinte, é necessário abordar ainda questões relacionadas à própria justificação e à transição para a santificação. O entendimento tanto do que já aconteceu na justificação como do que ainda pode acontecer, tanto o conceito bíblico de avanço e desenvolvimento quanto o de retrocesso, seguramente afetará a nossa *conduta* na caminhada cristã.

CERTEZA DE SALVAÇÃO

Depois de iniciado o glorioso processo da salvação na vida do crente em Cristo, é possível que este experimente algum tipo de certeza, de garantia,

---

[1] Burtner; Chiles, **Coletânea da teologia de João Wesley**, p. 129.

daquilo que Deus tem lhe dado? Certamente que sim! João, em sua primeira carta, falou a respeito disso:

> Escrevi estas coisas a vocês que creem no nome do Filho de Deus, **para que saibam que têm a vida eterna** (1João 5.10).

O apóstolo não apenas revelou a possibilidade de que alguém saiba que tem a vida eterna, mas também deixou claro que esta era a sua intenção: expressar a certeza do recebimento da vida eterna. Portanto, a nossa primeira garantia é a própria Palavra de Deus e suas declarações acerca da nossa salvação. Tais afirmações bíblicas ainda incluem a clara conclusão de que nada roubará o relacionamento que temos com Deus. Jesus, falando de suas ovelhas, declarou: "Eu lhes dou a vida eterna, e elas jamais perecerão; ninguém as poderá arrancar da minha mão" (João 10.28). Paulo também questionou: "Quem nos separará do amor de Cristo?" (Romanos 8.35). Na sequência, respondeu: "Pois *estou convencido* de que nem morte nem vida, nem anjos nem demônios, nem o presente nem o futuro, nem quaisquer poderes, nem altura nem profundidade, nem qualquer outra coisa na criação será capaz de nos separar do amor de Deus que está em Cristo Jesus, nosso Senhor" (Romanos 8.38,39).

Tanto Cristo como o apóstolo Paulo comunicaram a garantia de que o nosso Senhor não desistirá de nós, não deixará de nos amar e não permitirá que ninguém nos arranque das mãos dele. Isso é fato. Retornaremos a esse assunto para trazer mais luz sobre o significado de tais afirmações.

Além das declarações das Escrituras, como fonte de certeza da salvação para o crente, também há a ação do Espírito Santo em nós. Sua obra está, entre outras características, relacionada com a certeza da salvação. Por isso, a Bíblia fala acerca do penhor, ou da garantia, do Espírito Santo em nós:

> Quando vocês ouviram e creram na palavra da verdade, o evangelho que os salvou, **vocês foram selados em Cristo com o Espírito Santo** da promessa, **que é a garantia da nossa herança** até a redenção daqueles que pertencem a Deus, para o louvor da sua glória(Efésios 1.13,14).

Ora, é Deus que faz que nós e vocês **permaneçamos firmes** em Cristo. Ele nos ungiu, nos **selou como sua propriedade e pôs o seu Espírito** em nossos corações como garantia do que está por vir (2Coríntios 1.21,22).

A Escritura afirma que os crentes estão "sendo edificados juntos, para se tornarem morada de Deus por seu Espírito" (Efésios 2.22). Logo, a própria habitação do Espírito Santo em nós é evidência, ou garantia, de que "aquele que começou boa obra em vocês, vai completá-la até o dia de Cristo Jesus" (Filipenses 1.6). O apóstolo João também relacionou a presença e a atuação do Espírito de Deus em nós como garantia da nossa permanência em Cristo:

Sabemos que permanecemos nele, e ele em nós, porque ele **nos deu do seu Espírito** (1João 4.13).

O bendito Espírito Santo, além de trabalhar em nós, visando ao nosso aperfeiçoamento, também produz no nosso íntimo a certeza, a convicção da aplicação da salvação recebida em Cristo. Chamamos a isso *testemunho interior*:

O próprio Espírito **testifica** com o nosso espírito **que somos filhos de Deus** (Romanos 8.16, ARA).

A palavra grega, traduzida por "testificar", empregada nos manuscritos bíblicos, é *summartureo* (συμμαρτυρεω). Seu significado é "testemunhar juntamente com, confirmar". Portanto, podemos reconhecer que há um testemunho, uma confirmação interior, gerada pelo Espírito de Deus.

Antes de entender com clareza essa verdade bíblica, fui questionado, na adolescência, se eu tinha certeza da minha salvação. Garanti que sim. A pessoa que me questionava indagou se eu já havia visto Jesus, ou conhecido o céu, ou mesmo se algum anjo havia me aparecido com uma cópia do *livro da vida*, indicando o registro do meu nome lá. Assegurei que não. "Bom, se você não viu nada" — prosseguiu o questionador — "talvez, pelo menos, você tenha ouvido uma voz celestial pronunciar o seu nome". Também garanti que não. Diante disso, ele me bombardeou com o último questionamento: "Então, como você pode saber que foi, de fato, salvo?". Imediatamente, eu lhe garanti: "Eu sei porque sei". Eu não sabia como é que eu sabia, mas eu sabia que sabia — e sabia muito bem que eu era salvo! Esse irmão, então, passou-me a explicar o significado de Romanos 8.16 e me ensinou que aquela certeza exagerada e sem motivo dentro de mim era o testemunho do Espírito Santo.

O autor da epístola aos Hebreus afirmou: "Temos esta esperança por âncora da alma, segura e firme e que entra no santuário que fica atrás do véu, onde Jesus, como precursor, entrou por nós [...]" (Hebreus 6.19,20, NAA). A alegoria da âncora, usada para não deixar um barco à deriva, é empregada à nossa alma no contexto da salvação para nos comunicar esse tipo de convicção. Embora a Bíblia reconheça que é possível naufragar na fé, também sustenta que não é algo inevitável.

Portanto sustento, aliado à grande maioria dos mestres bíblicos, que, sim, é possível termos certeza da salvação. Entretanto, isso não significa, em absoluto, que o homem não possa comprometer o que foi iniciado ou que não tenha responsabilidade na continuação do processo. A justificação não é o fim; como demonstraremos, é apenas o começo.

UM ESTADO INALTERÁVEL?

Diante disso, cabe o questionamento: "A justificação, recebida pela fé, é um estado inalterável?". Essa pergunta é relevante porque influencia diretamente o nosso estilo de vida cristã. Tenho ouvido, com frequência, uma declaração comum a muitos pregadores modernos que enfatizam a graça em desacordo com a doutrina bíblica; eles afirmam: "Se, antes da minha conversão, quando eu era um *pecador por natureza*, os meus *atos de justiça* não mudavam aquilo que eu era, por que, depois de me tornar a *justiça* de Deus em Cristo, os meus *atos pecaminosos* mudariam aquilo que eu sou?".

Tal declaração é completamente descabida. Basta olharmos para Adão. O que somos hoje, em Cristo, o primeiro homem também era por criação. Com alguns acréscimos: Adão era plenamente justo e santo, criado à imagem e semelhança de Deus e sem a natureza pecaminosa com a qual nascemos. O pecado de Adão comprometeu sua realidade de justiça? É óbvio que sim!

Portanto, é evidente que essa tentativa de argumento reverso é um sofisma, para não dizer uma lógica infantil. Exemplifiquemos da seguinte maneira: se nenhum de nós podia vir ao mundo por si mesmo, sem progenitores que nos gerassem, nada tendo podido fazer a respeito, significa que, então, para deixarmos este mundo dependeríamos exclusivamente de um novo ato ou decisão deles? Seguramente que não! Para nascermos, não tínhamos nada a fazer; contudo, para morrermos, podemos conseguir isso independentemente dos nossos pais. Quer com uma vida desregrada quer por decisão própria, podemos antecipar o dia da morte.

Assim também, quando estávamos mortos nos nossos delitos e pecados, nenhuma obra de justiça — nem mesmo o cumprimento da Lei — poderia mudar a nossa natureza. Por quê? Porque só Deus pode comunicar vida a quem está espiritualmente morto: "Ele vos deu vida, estando vós mortos nos vossos delitos e pecados" (Efésios 2.1, ARA). Contudo, esse estado de vida é inalterável? Não! Paulo adverte os crentes, já vivificados em Cristo por meio do novo nascimento, de que "se vocês viverem de acordo com a carne, morrerão" (Romanos 8.13). Ou seja, é possível regressar à morte de onde saímos. Como? Da mesma forma que Adão o fez quando pecou. Esta é a razão pela qual Tiago assevera: "o pecado, após ser consumado, gera a morte" (Tiago 1.15). Nada disso é diferente da morte da qual Adão foi advertido: "mas não coma da árvore do conhecimento do bem e do mal, porque, no dia em que dela comer, certamente você morrerá" (Gênesis 2.17). Deus não limitou essa morte à dimensão física; antes de tudo, ela se instalou na dimensão espiritual.

Qual é o propósito de alguém insinuar que os atos pecaminosos de um crente não mudam a sua condição justa? Certamente não é para glorificar a Deus ou honrar o sacrifício de Cristo! O pior é ver pessoas, desprovidas de entendimento bíblico, ouvir afirmações como esta com ares de "grande revelação". A verdade é que prosseguem tentando transformar a graça de Deus em libertinagem. A graça divina não é permissão para pecar sem que haja consequências; é justamente o oposto! Ela é a maior força capacitadora para nos ajudar a andar em santidade.

João, escrevendo aos crentes em Jesus, justificados pela fé e nascidos de novo, fez a seguinte afirmação:

Depois da justificação

Esta é a mensagem que dele ouvimos e transmitimos a vocês: Deus é luz; nele não há treva alguma. **Se afirmarmos que temos comunhão com ele, mas andamos nas trevas**, mentimos e não praticamos a verdade. Se, porém, andarmos na luz, como ele está na luz, temos comunhão uns com os outros, e o sangue de Jesus, seu Filho, nos purifica de todo pecado. Se afirmarmos que estamos sem pecado, enganamos a nós mesmos, e a verdade não está em nós. **Se confessarmos os nossos pecados, ele é fiel e justo para perdoar os nossos pecados e nos purificar de toda injustiça.** Se afirmarmos que não temos cometido pecado, fazemos de Deus um mentiroso, e a sua palavra não está em nós (1João 1.5-10).

Antes de entender o que o apóstolo afirmou, podemos garantir o que ele não declarou. Às vezes, a melhor forma de definir o que algo é começa por definir o que aquilo *não é*. Sei que alguns dos "pregadores contemporâneos da graça" alegam que João, no texto citado, dirigia-se aos ímpios, àqueles que ainda não haviam se convertido. Discordo totalmente! Talvez tentem defender esse argumento porque o texto contraria sua crença equivocada de que a justificação seja um estado inalterável. Infelizmente, alguns, em vez de partirem do que a Bíblia diz para fundamentar suas crenças, escolhem o caminho oposto; decidem antes no que querem acreditar e, depois, se esforçam para *forçar* as Escrituras a dizer o que eles querem. É justamente desse tipo de "malabarismo teológico", de fabricar explicações que harmonizem com crenças previamente estabelecidas, que surgem as heresias e as falsas doutrinas.

Portanto, consideremos, em primeiro lugar, a quem João escrevia. Isso é fundamental para uma exegese adequada. No versículo 9, o apóstolo disse "se confessarmos os nossos pecados". A palavra grega, utilizada nos originais, e traduzida por "nosso", de acordo com o estudo lexical de Strong,[2] é *hemon* (ημον), um pronome possessivo que significa "nosso, nós". Logo, João, como escritor, inclui tanto os pecados dos leitores de sua epístola como os seus próprios pecados em sua lógica. Dessa forma, se alegarmos que os destinatários da carta não eram convertidos, forçosamente teríamos que admitir que o apóstolo também não era, uma vez que ele se incluiu entre

---

[2] STRONG, **New Strong's Exhaustive Concordance of the Bible.**

aqueles a quem dirigiu sua fala. Dá para aceitar isso? Obviamente que não. No versículo 6, ele afirmou que "Se afirmarmos que temos comunhão com ele, mas andamos nas trevas [...]", o que claramente aponta para a o fato de que o argumento é dirigido a quem alegadamente sustentava ter comunhão com Deus, excluindo, pela lógica, os ímpios. Finalmente, a continuação do texto aponta que João esperava que as pessoas a quem ele se dirigia não pecassem:

> Meus filhinhos, escrevo-lhes estas coisas **para que vocês não pequem**. Mas, se alguém pecar, temos Advogado junto ao Pai, Jesus Cristo, o Justo. E ele é a propiciação pelos nossos pecados — e não somente pelos nossos próprios, mas também pelos do mundo inteiro(1João 2.1,2, NAA).

Com isso em mente, pergunto: a expectativa de ausência de pecado seria possível para um não convertido? Claro que não! Logo, a quem João escreveu? Aos cristãos. Enquanto se dirige aos da família da fé, o apóstolo emprega o termo "nossos" pecados; ao mostrar que tal perdão não é exclusividade nossa, o apóstolo *inclui*, em sua declaração, os pecados do restante do mundo: "e não somente pelos nossos próprios, mas também pelos do mundo inteiro".

Reconhecido isso, analisemos a declaração do apóstolo: "Se confessarmos os nossos pecados, ele é fiel e justo para *perdoar os nossos pecados* e nos *purificar de toda injustiça*" (1João 1.9). O que se segue à confissão?

Duas coisas: 1) o perdão de pecados; 2) a purificação da injustiça. É no segundo aspecto que quero focar. Já vimos que todos pecam, embora não devessem. Quando pecamos, precisamos não apenas de *perdão*, mas também de *purificação*. O perdão é para os *pecados*, mas e a purificação? É por causa da *injustiça*. O que isso significa? A palavra traduzida por "injustiça" é *adikia* (αδικια), que, no grego, quer dizer: "injustiça, de um juiz; injustiça de coração e vida; uma profunda violação da lei e da justiça, ato de injustiça".[3] Isso por si só pode nos levar a concluir que o pecado é a quebra dos padrões justos de Deus. No entanto, é mais do que isso!

---

[3] STRONG, **New Strong's Exhaustive Concordance of the Bible**.

Quando fomos justificados pela fé, a nossa condição mudou da injustiça para "a justiça de Deus" em Cristo. Contudo, quando pecamos, revertemos o quadro da justiça para o quadro original, ou seja, o da injustiça. Em outras palavras, maculamos a justiça divina que nos foi comunicada. É por isso que precisamos ser purificados. Se o pecado do crente não trouxesse dano ou comprometimento, por que haveria tantas instruções no Novo Testamento a respeito de não pecar ou, em caso de pecado consumado, da necessidade de arrependimento?

UMA VEZ SALVO, SEMPRE SALVO?

Não admito a ideia, largamente defendida nos diferentes meios evangélicos, mesmo por líderes que respeitamos, de que, "uma vez salvos, salvos para sempre". É lógico que, como já expusemos, podemos ter certeza da salvação e não precisamos viver com medo de perdê-la. Entretanto, isso não nos dá o direito de concluir — muito menos de proclamar — que, não importa a forma em que um convertido viva, ele esteja garantido para a eternidade. No ambiente celestial prévio ao pecado, os anjos não estavam "garantidos". No ambiente prévio ao pecado do Éden, o primeiro casal também não estava "garantido". No ensino bíblico, como veremos, há grande número de advertências acerca desse perigo e, ainda assim, conseguimos concluir que, para aqueles de nós que escolhemos deliberadamente não atender às exigências divinas, não há nenhum risco?

O Senhor Jesus declarou que, se alguém blasfemar contra o Espírito Santo, "não será perdoado, nem nesta era nem na que há de vir" (Mateus 12.32). Em nenhum momento, disse que, se um ímpio, que nunca se convertesse, blasfemasse contra o Espírito Santo, então, unicamente para esse tipo de pessoa, não haveria perdão. Ao usar o termo "alguém" (ou "quem", ou "todo", dependendo da tradução), Cristo não excluiu os redimidos — e já perdoados — da possibilidade de fecharem a porta da salvação para si — ainda que esta permaneça aberta aos outros. Cristo também afirmou:

"**Permaneçam em mim,** e eu permanecerei em vocês. Nenhum ramo pode dar fruto por si mesmo se não permanecer na videira.

Vocês também não podem dar fruto se não permanecerem em mim. Eu sou a videira; vocês são os ramos. **Se alguém permanecer em mim** e eu nele, esse dará muito fruto; pois sem mim vocês não podem fazer coisa alguma. **Se alguém não permanecer em mim**, será como o ramo que **é jogado fora e seca**. Tais ramos são apanhados, **lançados ao fogo e queimados**" (João 15.4-6).

O conceito de permanecer em Jesus não é apresentado como uma consequente condição de segui-lo; pelo contrário, é apresentado como um imperativo a seus seguidores. A possibilidade de não permanecer também é apresentada por Cristo. Note que ele não falou sobre não o conhecer, mas sobre permanecer nele — o que indica necessariamente uma inclusão prévia em sua pessoa.

A própria ilustração dos ramos indica isso; a alegoria de um ramo que frutifica (*permanece*) é contrastada com a do ramo que é cortado, seca e acaba sendo lançado fora (*não permanece*). Caso não queiramos admitir que o fogo onde tal ramo é lançado signifique o inferno, o mínimo que devemos entender é que o Filho de Deus anunciou uma irreversível destruição desse ramo. No que diz respeito a nós, parece muito claro qual era o ensino e a sua lição.

Paulo advertiu os irmãos de Corinto de reterem a palavra do evangelho para não terminarem "crendo em vão":

> Irmãos, venho lembrar-lhes o evangelho que anunciei a vocês, o qual **vocês receberam e no qual continuam firmes**. Por meio dele vocês também são salvos, **se retiverem a palavra assim tal como a preguei a vocês**, a menos que tenham **crido em vão** (1Coríntios 15.1,2, NAA).

Ele atesta "por meio deste evangelho pregado que vocês são salvos" e, na sequência, inclui uma expressão condicional: "se". Qual era a condição? Era "se retiverem a palavra assim tal como a preguei a vocês". O que aconteceria se não cumprissem a condição estabelecida? Então, teriam "crido em vão" e comprometeriam a salvação. O escritor de Hebreus também trata do mesmo princípio condicional e da necessidade de preservar a fé do início da caminhada:

> Cuidado, irmãos, para que nenhum de vocês tenha **coração perverso e incrédulo**, que se **afaste do Deus vivo**. Ao contrário, encorajem-se uns aos outros todos os dias, durante o tempo que se chama "hoje", de modo que nenhum de vocês seja endurecido pelo engano do pecado, pois passamos a ser **participantes de Cristo**, desde que, de fato, **nos apeguemos até o fim à confiança** que tivemos no princípio (Hebreus 3.12-14).

Temos outra advertência de cuidado, dessa vez para evitar que algo nos afaste de Deus. A quem a exortação foi dirigida? Aos cristãos, já convertidos, o que se presume na frase "pois passamos a ser **participantes de Cristo**". Contudo, novamente, vem o condicional "desde que": "desde que, de fato, **nos apeguemos até o fim à confiança** que tivemos no princípio". Caso não evitemos o endurecimento do pecado, o afastamento do Deus vivo e não guardemos firmes, até o fim, a fé que tivemos no começo, então, obviamente, deixaremos de estar na classificação de "participantes de Cristo".

Obviamente, nenhum desses textos fala que, se alguém tropeçar, perde automaticamente a salvação. Não, em absoluto! Temos um advogado junto ao Pai, temos perdão à nossa disposição. Evidentemente, porém, é preciso abandonar o pecado, mediante arrependimento e confissão. Então, assim — e somente assim —, seremos purificados de toda injustiça. Se, contudo, não nos permitirmos ser restaurados, abortaremos aquilo que Deus, de forma graciosa, nos disponibiliza.

Advertências como essas são recorrentes nas Escrituras, mas, em especial, na epístola escrita aos crentes hebreus. Por quê? Porque muitos deles estavam se afastando de Cristo e precisavam saber com o que "estavam brincando". Observe outra declaração importante:

> Ora, para aqueles que uma vez foram **iluminados**, provaram o dom celestial, tornaram-se **participantes do Espírito Santo**, experimentaram **a bondade da palavra de Deus** e os **poderes da era que há de vir**, mas

caíram, é **impossível** que sejam reconduzidos ao arrependimento; pois para si mesmos estão crucificando de novo o Filho de Deus, sujeitando-o à desonra pública (Hebreus 6.4-6).

Alguém vai tentar me fazer acreditar que o escritor está falando a respeito de não convertidos? Impossível. Primeiramente, porque ele fala de "que sejam reconduzidos ao arrependimento"; portanto, presume-se que já haviam se arrependido da vida prévia de pecados. O mesmo se deduz da afirmação "estão crucificando de novo o Filho de Deus, sujeitando-o à desonra pública"; isso indica que, ao voltarem para o pecado, estavam novamente enviando Jesus à cruz e expondo-o à desonra pública. Por que Cristo havia sido crucificado? Para o perdão dos pecados dos seres humanos. Por que o estavam crucificando de novo? Embora não seja literal, essa frase aponta para o descaso com o que já havia sido feito por eles. Em segundo lugar, o texto atesta a real experiência que tiveram; esses hebreus já haviam tido determinadas experiências: 1) tinham sido iluminados; 2) tinham provado o dom celestial (menção ao novo nascimento); 3) haviam se tornado participantes do Espírito Santo (evidência do novo nascimento, segundo João 14.17 e Romanos 8.9); 4) tinham provado a boa palavra de Deus (o que retrata mais do que a pregação inicial e sugere a ideia de ensino e discipulado; a palavra "provaram" significa "saborear", como se faz com a comida); 5) tinham experimentado os poderes do mundo vindouro. Tudo isso além do arrependimento inicial já atestado. Consideremos outra exortação da mesma epístola:

Se **continuarmos a pecar deliberadamente depois que recebemos o conhecimento da verdade, já não resta sacrifício pelos pecados,** mas tão somente **uma terrível expectativa de juízo e de fogo intenso que consumirá os inimigos de Deus.** Quem rejeitava a Lei de Moisés morria sem misericórdia pelo depoimento de duas ou três testemunhas. **Quão mais severo castigo,** julgam vocês, **merece aquele que pisou aos pés o Filho de Deus, profanou o sangue da aliança pelo qual ele foi santificado e insultou o Espírito da graça?** Pois conhecemos aquele que disse: "A mim pertence a vingança;

eu retribuirei"; e outra vez: "**O Senhor julgará o seu povo**". Terrível coisa é cair nas mãos do Deus vivo! (Hebreus 10.26-31).

Novamente devemos considerar a quem a mensagem está sendo dirigida. Indubitavelmente, a advertência foi escrita aos cristãos, aos salvos. Isso se deduz de expressões como "**depois que recebemos o conhecimento da verdade**" e "profanou o sangue da aliança pelo qual ele foi santificado". É inadmissível tentar dizer que não se tratava de pessoas que haviam nascido de novo. O texto não fala de quem desprezou a santificação disponível no sangue da aliança, por não a ter recebido nunca. Fala de pessoas santificadas pelo sangue de Cristo! Como algum ímpio seria tratado como alguém que havia recebido o pleno conhecimento da verdade? Não se trata de informação, mas de revelação, tal como indica o termo "iluminados" (Hebreus 6.4).

A próxima constatação é que o texto não menciona um tropeço espiritual, uma queda. Fala da escolha de "pecar deliberadamente"; além disso, define que esse fato não se deu *antes* da conversão (o que seria de esperar), mas *depois* do pleno conhecimento da verdade.

A averiguação final envolve entender o que aguarda tal cristão, santificado pelo sangue da aliança e com pleno conhecimento da verdade, que não apenas pecou, mas decidiu viver deliberadamente em pecado. A ideia proposta no texto é de contrastar o juízo entre a antiga e a nova aliança para indicar que não se espera um juízo menor — no Novo Testamento — para quem cometeu uma afronta maior do que apenas desobedecer à Lei — do Antigo Testamento. Observemos: "Quem rejeitava a Lei de Moisés morria sem misericórdia". Já vimos que a obediência plena à Lei era impossível a um homem de natureza pecadora. Contudo, ainda assim, em determinados casos, ele seria julgado sem misericórdia. É aqui que aparece o contraste: "Quão mais severo castigo, julgam vocês, merece aquele que pisou aos pés o Filho de Deus, profanou o sangue da aliança pelo qual ele foi santificado e insultou o Espírito da graça?". A Palavra de Deus nos revela que a deliberada atitude de viver em pecado pisa intencionalmente no Filho de Deus; propositalmente profana o sangue da aliança e ultraja voluntariamente o Espírito da graça. Isso significa que essa pessoa atenta diretamente contra a aliança de Cristo e a graça que lhe foi dispensada. Como ignorar esse fato?

Pedro também consta no time dos que exortam a esse respeito. Analisemos sua advertência:

> Se, **tendo escapado das contaminações do mundo por meio do conhecimento de nosso Senhor e Salvador Jesus Cristo**, encontram-se **novamente nelas enredados e por elas dominados**, estão **em pior estado do que no princípio**. Teria sido melhor que **não tivessem conhecido o caminho da justiça**, do que, **depois de o terem conhecido, voltarem as costas para o santo mandamento** que lhes foi transmitido. Confirma-se neles que é verdadeiro o provérbio: "O cão volta ao seu vômito" e ainda: "A porca lavada volta a revolver-se na lama" (2Pedro 2.20-22).

A primeira coisa a ser feita novamente é analisar a quem o apóstolo escreve. Já no primeiro versículo de sua segunda epístola ele deixa isso registrado: "Simão Pedro, servo e apóstolo de Jesus Cristo, aos que *conosco obtiveram fé* igualmente preciosa *na justiça do nosso Deus e Salvador Jesus Cristo*" (2Pedro 1.1, ARA). Além dessa evidência, o escritor ainda acrescenta provas irrefutáveis de quem são os destinatários da mensagem em frases como "*tendo escapado* das contaminações do mundo por meio do conhecimento de nosso Senhor e Salvador Jesus Cristo" (2.20) (isso atesta a conversão), "encontram-se novamente nelas enredados" (ou seja, voltam à prisão de onde saíram), "conhecido o caminho da justiça" e, ainda, "depois de o terem conhecido, voltarem as costas para o santo mandamento que lhes foi transmitido" (2.21).

Depois de reconhecer que Pedro se dirige aos convertidos, justificados pela fé em Cristo, faz-se necessário constatar que a mensagem diz respeito a reprovar uma vida de pecado que despreza a obra de Cristo e a santa limpeza que nos foi oferecida. As frases "novamente nelas enredados e por elas dominados" e "voltarem as costas para o santo mandamento" confirmam isso. O contexto da mensagem também corrobora o fato.

O apóstolo havia afirmado que "o Senhor sabe livrar os piedosos da provação e manter em castigo os ímpios para o dia do juízo" (2Pedro 2.9). Quem são esses ímpios ou injustos? São "especialmente os que seguem os desejos impuros da carne" (v. 10), "Consideram prazer entregar-se à devassidão em plena luz do dia" (v. 13), "nunca param de pecar" (v. 14). O apóstolo está falando de ímpios que nunca se converteram? Não. Ele indica: "Eles abandonaram o caminho reto e se desviaram" (v. 15), "pois eles, com palavras de vaidosa arrogância e provocando os desejos libertinos da carne, seduzem os que estão quase conseguindo fugir daqueles que vivem no erro. Prometendo-lhes liberdade, eles mesmos são escravos da corrupção, pois o homem é escravo daquilo que o domina" (v. 18,19).

Por último, é imperioso reconhecer tanto a *condição* como o *destino* destes. Pedro revela que a limpeza em Cristo, que se deu na conversão, não impede ninguém de voltar a sujar-se: "O cão volta ao seu vômito" e: "A porca lavada volta a revolver-se na lama". Logo, não somente não há evidência bíblica de que o estado de justificação seja inalterável, como também há claras exortações para que não venhamos a comprometer tal condição. Reconhecido esse fato, passemos ao destino dos que assim procedem: "estão em pior estado do que no princípio". O que essa afirmação significa? Por acaso, Pedro diz que agora, caído e sujo, o cristão está pior do que quando se encontrava de pé e limpo? Claro que não! Não haveria necessidade de explicar o óbvio. O apóstolo assevera que o último estado, após a queda, é pior que o estado anterior à conversão! A comprovação de que este é o argumento é a frase posterior: "Teria sido melhor que não tivessem conhecido o caminho da justiça do que, depois de o terem conhecido, voltarem as costas para o santo mandamento que lhes foi transmitido". Resumindo: eles estavam melhor quando não eram crentes do que estão agora. Portanto, a que conclusão chegamos? Se, antes da conversão, eles estavam destinados ao inferno e à condenação eterna (por não terem crido em Cristo), então agora, que o estado deles piorou, eles estão salvos porque, "uma vez salvo, salvo para sempre"? Não, é indiscutível que não! Se estavam perdidos antes e o estado deles piorou, como podem agora estar a caminho do céu?

O propósito desse ensino não é desanimar um cristão a que prossiga na fé e permaneça em Cristo. Pelo contrário! A intenção é desencorajar os que cogitam desistir da fé e da fidelidade devidas ao Senhor Jesus. É também fundamentar o conceito, que trabalharemos adiante, de que devemos aperfeiçoar a nossa santidade "no temor de Deus" (2Coríntios 7.1).

A CONTINUIDADE DA FÉ E DA GRAÇA

O que precisamos entender, após a justificação, é a continuidade da ação tanto da fé quanto da graça na vida dos justificados. A fé não acaba quando nos convertemos, como algo que, depois de ter cumprido seu papel, se desvanece. O cristão é justificado pela fé, mas, depois de tornado justo, viverá pela mesma fé que o justificou; como está escrito: "o justo viverá pela fé [por sua fidelidade]" (Habacuque 2.4; Romanos 1.17; Gálatas 3.11; Hebreus 10.38).

Paulo declarou aos romanos que "a justiça de Deus se revela no evangelho, *de fé em fé*" (Romanos 1.17, NAA). Tal afirmação revela que a jornada de fé é como galgar os degraus de uma escada. Vamos de um nível de fé a outro; esse fato elucida a menção do apóstolo aos tessalonicenses: "porque a fé que vocês têm cresce cada vez mais" (2Tessalonicenses 1.3). Recebemos de Deus "a medida da fé" (Romanos 12.3) que deve se desenvolver. Seu progresso não se limita apenas a receber bênçãos específicas, como respostas a orações, mas é mais do que isso! A própria obediência, como trataremos no capítulo específico, entra na categoria das "obras da fé" mencionadas por Tiago (Tiago 2.14).

Adicione-se, ainda, ao conceito de prosseguir vivendo pela fé, bem como de desenvolvê-la, a advertência bíblica de *falhar* na fé. No tocante a isso, Paulo fez uma declaração a Timóteo que merece a nossa atenção:

> Timóteo, meu filho, dou a você esta instrução, segundo as profecias já proferidas a seu respeito, para que, seguindo-as, você **combata o bom combate, mantendo a fé e a boa consciência** que alguns rejeitaram e, por isso, **naufragaram na fé** (1Timóteo 1.18,19).

O que significa "naufragar na fé"? Antes de falar da fé, é preciso focar a própria alegoria do naufrágio. Este, por sua vez, pode ser resumido em uma jornada que é abortada, que não pôde, por diversos fatores, ser concluída. O apóstolo empregou um exemplo comum a pessoas que conheciam e utilizavam as embarcações como meio de transporte. Por exemplo, alguém entrava em um barco ou navio com um destino específico; havia um ponto de partida e um de chegada e uma jornada entre ambos. Contudo, por adversidades como o mal tempo, o navio, em vez de completar a jornada, poderia vir a afundar, e, nesse caso, normalmente a vida de seus ocupantes se perderia. Então, o que significa a advertência que Paulo deu de "manter a fé"? Ela é o oposto de "naufragar na fé" e, obviamente, determina o contexto da alegoria empregada. Um náufrago da fé é alguém que começou a caminhada da fé, mas que, em algum momento, teve essa jornada abortada, não chegando a seu destino. Pedro nos informou a respeito desse destino: "obtendo o alvo dessa fé: a salvação da alma" (1Pedro 1.9, NAA).

Entendemos que a razão pela qual Jesus é denominado "autor e consumador da nossa fé" (Hebreus 12.2) seja exatamente porque, assim como ele é quem inicia a nossa fé, deve ser também aquele que a desenvolve e conclui. A palavra grega traduzida dos originais por "consumador" é *teleiotes* (τελειωτης), quer dizer literalmente "aperfeiçoador". A Nova Versão Transformadora apresentou a seguinte tradução: "Jesus, o líder e aperfeiçoador de nossa fé". Nenhum de nós, cristãos, deveria deixar de manter, ou preservar, a fé. Não deveríamos abortar aquilo que Cristo começou e anseia aperfeiçoar, pois cooperar com ele é nossa responsabilidade! O apóstolo Paulo se referia a essa verdade quando afirmou aos colossenses: "desde que continuem alicerçados e firmes na fé, sem se afastarem da esperança do evangelho, que vocês ouviram" (Colossenses 1.23). Evidentemente, a terminologia de *continuar alicerçados* e *firmes* contrasta com a expressão "*afastar-se*" da esperança do evangelho.

A graça, assim como a fé, também continua atuando na vida do crente *após o novo nascimento*. Tais verdades se confirmam com declarações bíblicas, dirigidas aos *que creem*, como "Minha graça é suficiente a você, pois o meu poder se aperfeiçoa na fraqueza" (2Coríntios 12.9), "fortifique-se na graça que há em Cristo Jesus" (2Timóteo 2.1), "É bom que o nosso coração seja fortalecido pela graça" (Hebreus 13.9) e "Cresçam, porém, na graça e no conhecimento de nosso Senhor e Salvador Jesus Cristo" (2Pedro 3.18). Todas elas apontam para o avanço e para o aperfeiçoamento dos santos, ou seja, daqueles que já foram salvos. Além disso, ainda devemos levar em conta a abundância de saudações desejando graça aos convertidos; Paulo fez isso 14 vezes em suas epístolas, Pedro utilizou tal saudação duas vezes e João uma.

Trata-se de outras evidências de que a operação da graça divina não se limita à conversão e ao perdão inicial dos pecados; ela continua atuando na vida do cristão. Tony Cooke teceu o seguinte comentário acerca do assunto:

> Eu sabia que a graça de Deus estava bondosamente disponível para minha *iniciação* no seu reino, mas não tinha noção de que Deus também havia, amavelmente, provido graça para a minha *permanência* neste reino. Sem dúvida que, à medida que estudei mais profundamente sobre graça, comecei a enxergar a verdade: depois de ser salvo, a sua graça me tornou dele e me *capacitaria*, ao longo da vida, a viver de uma forma que lhe agradasse.[4]

No capítulo seguinte, aprofundaremos a questão da obediência e, na sequência, trataremos da graça como *força capacitadora* e seu impacto na obediência que devemos ao Senhor.

---

[4] COOKE, **Graça**: o DNA de Deus, p. 16.

SINOPSE DO CAPÍTULO EM TÓPICOS

1. A justificação dos pecadores não é o fim da obra redentora; é apenas o início.

2. Podemos ter certeza da salvação, tanto pelas afirmações bíblicas como pelo testemunho do Espírito Santo em nosso íntimo.

3. Entretanto, isso não significa, em absoluto, que o homem não possa comprometer o que foi iniciado ou que não tenha responsabilidade na continuação do processo.

4. A justificação, recebida pela fé, não é um estado inalterável. É possível, por negligência, naufragar na fé.

5. Entretanto, não se pode negar que tenhamos à nossa disposição os recursos para não precisar abortar o processo divino da salvação.

6. Após a justificação, há uma continuidade da ação tanto da fé quanto da graça na vida dos justificados. A fé não acaba quando nos convertemos. O cristão é justificado pela fé, mas, depois de tornado justo, viverá pela mesma fé que o justificou.

7. A graça, assim como a fé, também continua atuando na vida do crente *após o novo nascimento*. Tais verdades se confirmam com várias declarações bíblicas. Todas elas apontam para o avanço e aperfeiçoamento daqueles que já foram salvos.

PERGUNTAS PARA REFLEXÃO

1. Sabemos que a fé nos dá o *acesso* à graça (Romanos 5.2). Mas o que dizer da *permanência* na graça?

2. Você tem certeza da sua salvação?

3. O que a figura da âncora da alma (Hebreus 6.19) comunica para você?

4. O que significa a âncora entrar no santuário, além do véu?

CAPÍTULO 10

OBEDIÊNCIA NA GRAÇA

Se a graça que você recebeu não o ajuda a guardar
a lei, você não recebeu a graça.
Martin Lloyd-Jones

Já abordamos a existência da *lei moral* antes que chegasse a *lei cerimonial*. Também apresentei Adão, o primeiro homem, o cabeça da humanidade, como ser humano criado em plena sintonia com o Criador e sem pecado. Agora, gostaríamos de chamar a atenção do leitor para o fato de que, desde a criação do homem, Deus esperava que os seres humanos que ele criara lhe devotassem total obediência. Isso já era esperado antes da queda. Acerca disso, John Wesley comentou:

> Ao homem, reto e perfeito, Deus deu uma lei perfeita, exigindo plena e completa obediência a ela. Deus requeria inteira obediência a cada disposição legal, e isto sem intermitências, desde o momento em que o homem se tornara em alma vivente, até o tempo em que terminasse a sua prova. Nenhuma permissão se deu à menor falha. E, na verdade, não era necessária semelhante permissão, estando o homem preparado para cumprir a tarefa imposta e perfeitamente provido de toda boa palavra e obra.[1]

---
[1] WESLEY, **Sermões pelo rev. João Wesley**, v. 1, sermão 5, p. 109.

Se a obra redentora de Cristo visa à restauração do homem à posição original, ou seja, antes da queda, por que deduzir que essa obra apenas perdoa pecados cometidos, mas não empodera o homem para viver a obediência que dele era requerida no princípio?

Um dos grandes equívocos na interpretação do que é a graça é achar que ela veio anular completamente a ideia de obediência às leis divinas. Muitos alegam que a fé, revelada por meio do evangelho, não requer obediência. Grande engano! O apóstolo Paulo, na epístola dirigida aos romanos — a qual podemos classificar de um verdadeiro tratado de fé, justificação e graça —, emprega a expressão "obediência que vem pela fé" no início (Romanos 1.5) e no fim (Romanos 16.26) de sua carta. Atente para esta última referência:

> Ora, àquele que tem poder para confirmá-los pelo meu evangelho e pela proclamação de Jesus Cristo, de acordo **com a revelação do mistério oculto nos tempos passados**, mas **agora revelado** e dado a conhecer **pelas Escrituras proféticas** por **ordem do Deus eterno**, para que todas as nações venham **a crer nele e a obedecer-lhe** (Romanos 16.25,26).

O evangelho não veio substituir a obediência que o homem deve a Deus. Pelo contrário! Como demonstraremos neste capítulo, a graça é uma *força capacitadora* que nos foi dada não apenas para perdoar os pecados cometidos, como também para nos ajudar a evitar cometê-los. A graça nos *empodera* para viver a obediência aos mandamentos do Deus eterno. Falando da lei de Cristo que, em vez de ser anulada, é estabelecida pela fé (Romanos 3.31), John Wesley, conhecido mensageiro da doutrina da santidade, exortou:

> Esforcemo-nos por estabelecer desta forma a lei em nós mesmos; não pecando "porque estamos debaixo da graça", mas *usando de todo poder que decorre da graça* para "cumprir toda a justiça".[2]

Em resumo, a graça não diz respeito apenas à porta de entrada do Reino de Deus ou ao *início* da caminhada cristã; ela é para a toda a jornada! Interessante é a forma com que Tony Cooke aborda o tema:

---

[2] WESLEY, **Sermões pelo rev. João Wesley**, v. 2, sermão 36, p. 204.

A graça de Deus não está unicamente envolvida em nossa iniciação na família de Deus, também está presente para nos ajudar em nossa caminhada com o Pai. A graça que nos salva *também nos capacita* a viver uma vida produtiva e satisfatória para ele. [...]

John Newton, autor da música *Amazing Grace* (*Graça Maravilhosa*), transmitiu essas duas aplicações em seu famoso hino: "Graça maravilhosa, quão doce o som, que salvou um miserável como eu" (início da caminhada). Depois ele escreve: "Esta graça que me trouxe tão longe, também me guiará até meu lar" (continuação da caminhada). Estou feliz que a graça que me salvou tenha me trazido até aqui, e feliz também pois ela continuará me conduzindo até estar em casa, com ele, no céu. Também sou grato pela graça de Deus não por estar somente disponível para mim apenas no passado, para ser salvo por ela, mas por ser parte de mim hoje. A natureza de Deus está em mim, e sua graça presente em meu interior está sempre pronta para me ajudar a viver a vida que ele quer que eu viva.[3]

Uma das coisas que mais me preocupam no cenário atual da cristandade é a forma com que, em nome da graça, muitos têm sido levados a acreditar que a obediência perdeu sua importância ou, até mesmo, tornou-se absolutamente desnecessária. Não há base bíblica para que alguém pressuponha tal coisa; contudo, mesmo assim, esse erro vem se repetindo desde o início da era cristã. Um escrito anônimo, ao qual alguns se referem como o mais antigo sermão conhecido, que acabou denominado como "A segunda carta de Clemente" (embora não se trate de uma carta nem possa ter sua autoria atribuída a Clemente), refletia a preocupação das primeiras gerações dos líderes da igreja acerca da obediência:

> Esta, portanto, é a nossa recompensa oferecida a Deus: reconhecermos aquele por meio do qual estamos salvos. Mas como o reconhecemos? *Fazendo o que ele manda* e *não desobedecendo a seus mandamentos*; honrando-o não apenas com os lábios, mas de todo coração e mente.[4]

---

[3] COOKE, **Graça:** o DNA de Deus, p. 52.
[4] CLEMENTE et al. **Os pais apostólicos**. São Paulo: Mundo Cristão, 2017. p. 52.

O próprio Clemente, bispo de Roma e um dos chamados *pais da igreja*, exortou, em sua primeira carta, os irmãos à obediência devida a Cristo:

> Agora que isto está claro para nós e já espreitamos as profundezas do conhecimento divino, somos obrigados a *cumprir ordenadamente o que o Mestre nos mandou fazer* nos tempos adequados que ele estabeleceu.[5]

O recebimento da graça nunca foi desculpa para evitar a obediência. Dallas Willard afirmou: "A obediência e o ensino visando à obediência não formam uma unidade doutrinária ou prática com a 'salvação' apresentada nas versões recentes do evangelho".[6] A. W. Tozer, falando sobre o mesmo assunto, desabafou:

> As Escrituras não ensinam que a pessoa de Jesus Cristo nem qualquer um dos importantes ofícios que Deus lhe entregou podem ser divididos ou ignorados de acordo com os caprichos humanos.
>
> Portanto, devo ser franco quanto à minha impressão de que uma *notável heresia* tem surgido em todos os círculos cristãos e evangélicos — o conceito amplamente aceito de que somos seres humanos que podem optar por aceitar Cristo apenas porque precisamos dele como Salvador e que temos o direito de desprezar nossa obediência a ele como Senhor como bem entendemos!
>
> Esse conceito nasceu naturalmente de um equívoco quanto ao que a Bíblia realmente afirma sobre o discipulado e obediência cristãos. Ele é agora encontrado em quase toda literatura evangélica. Confesso que estou entre aqueles que pregavam esse conceito antes de começar a orar com seriedade, a estudar com diligência e a meditar com angústia sobre toda a questão. [...]

---

[5] CLEMENTE et al., O**s pais apostólicos**, p. 36-37.
[6] WILLARD, **A grande omissão**, p. 9.

A verdade é que a salvação *à parte da obediência* não é reconhecida nas Sagradas Escrituras. Pedro explica que somos "eleitos segundo a presciência de Deus Pai, em santificação do Espírito, *para a obediência*" (1Pedro 1.2).[7]

Mencionamos, no primeiro capítulo, a denúncia de Judas, irmão de Tiago, acerca de homens que "transformam a graça de nosso Deus em libertinagem" (v. 4). Entretanto, ao longo dos séculos, esse mesmo desvirtuamento da graça se repete, com periodicidade indefinida, mas sempre com determinação recorrente de voltar a sabotar a sã doutrina. Não podemos permanecer indiferentes a tais investidas contra o evangelho. Stanley Jones, missionário por muitos anos na Índia, onde conheceu oposição e perseguição ao evangelho, afirmou: "O maior inimigo do cristianismo não é o anticristianismo; é o subcristianismo". Apesar disso, muitos ainda continuam não percebendo a força opositora desse subevangelho que tenta diluir a obediência devida a Cristo.

Em seus dias, Martinho Lutero, pregador da justificação pela fé, não por obras, e mensageiro da graça, também teve que lidar com esse desequilíbrio doutrinário. Lutero criou um neologismo para definir tal mentalidade. Tratava-se do termo "antinomianismo" (ou "antinomismo") que era usado para exprimir a ideia dos que criam que, sob a dispensação do evangelho da graça, a lei moral passa a não ter nenhum valor ou obrigação, uma vez que somente a fé é necessária para a salvação. Obviamente, o reformador não concordava com tal pensamento. Russell Shedd expressa-o da seguinte forma:

> Esse termo originário do grego quer dizer "contra" (*anti*) a "lei" (*nomos*). Sinônimo do vocábulo "libertinagem", trata dos que pensam que a graça é tão abrangente que todo esforço para fazer o que Deus manda é desnecessário e até errado. O antinomismo crê que a graça anula toda a obrigação da lei. [...]

---

[7] Tozer, Alden Wilson. **Verdadeiras profecias para uma alma em busca de Deus**. São Paulo: Editora dos Clássicos, 2001. p. 269-270.

O antinomismo, ao desprezar a lei, faz com que ela não tenha nenhuma função legítima. Na antiga aliança, a lei compungiu a consciência, forçando o povo a buscar um refúgio no evangelho. Assim pensava Calvino. Mas crer que a recepção de tão estupendo presente, como é o perdão dos pecados, não cria qualquer obrigação, é esquecer que a aliança que Deus faz com suas criaturas sempre traz consigo sua exigência. Presumir que o privilégio de ser justificado vem junto com a liberdade para satisfazer os desejos da nossa carne, dissolvendo todo o compromisso com o autor da lei, não passa de perversão.[8]

John Wesley, que, em seus sermões, aprofundou ricamente este tema, declarou:

> Assim, não posso privar-me da lei nem por um momento, como também não posso privar-me de Cristo; verificando eu agora quanto a desejo para guardar-me junto a Cristo, do mesmo modo que dela necessitei antes, para levar-me a Cristo. De outro modo, este "mau coração de incredulidade" imediatamente me "separaria do Deus vivo". Ambos estão, na verdade, continuamente enviando-me um ao outro: a lei a Cristo e Cristo à lei.[9]

O evangelho proclamado foi denominado, nas Escrituras, de "a mensagem de sua graça" (Atos 14.3). Nem por isso deixava de apresentar um caminho de obediência. Aliás, como negar o contraste entre o nosso estado anterior a Cristo, quando nos encontrávamos "mortos em [nossas] transgressões e pecados" (Efésios 2.1) e éramos chamados "filhos da desobediência" (v. 2, ARA) com a nova realidade em Jesus, em que somos chamados de "filhos da obediência" (1Pedro 1.14, ARA)?

Despedindo-se dos presbíteros de Éfeso, Paulo apontou-lhes a importância de que a mesma **"palavra da sua graça"** que lhes foi pregada continuasse operando na vida deles, tanto para edificá-los quanto para conduzi-los a desfrutar a herança dos santificados:

---

[8] SHEDD, **Lei, graça e santificação**, p. 29.
[9] WESLEY, **Sermões pelo rev. João Wesley**, v. 2, sermão 34, p. 169-170.

> Agora, eu **os entrego** a Deus e **à palavra da sua graça,** que **pode edificá-los** e **dar-lhes herança entre todos os que são santificados** (Atos 20.32).

Como vimos no capítulo 7, ao tratar da mudança de lei que se deu com a mudança de sacerdócio, a graça requer obediência. Russell Shedd afirmou que "a obrigação de observar tudo o que o Senhor ensinou (Mateus 28.20) faz-nos sentir a graça pela qual a justiça de nosso Senhor Jesus Cristo complementa as falhas inevitáveis que todo esforço humano revela".[10] Esta obediência requerida dos fiéis não suprime a graça divina; pelo contrário, depende inteiramente dela para que seja possível.

O EVANGELHO DA OBEDIÊNCIA

Estabelecemos, anteriormente, que Cristo exigiu obediência de seus discípulos e, ao fazer isso, derrubamos as alegações de que era uma orientação limitada somente aos judeus da antiga aliança; Jesus mandou fazer discípulos *das nações*, ou seja, entre *os gentios*. Estes deveriam ser batizados e ensinados *a guardar tudo* quanto ele havia *ordenado* (Mateus 28.20). Portanto, sabemos que a obediência à Palavra não foi suprimida na nova aliança; pelo contrário, pode-se dizer que ela veio atrelada ao evangelho.

O vínculo entre a obediência e o evangelho não pode ser ignorado. Pedro, orientando as irmãs em Cristo, refere-se à possibilidade de que haja algum marido que ainda não se converteu. O termo empregado por ele para falar desse tipo de homem é classificando-o como alguém que "não obedece à palavra" (1Pedro 3.1). Repare que ele nem utilizou termos como "alguém que crê no evangelho" ou "convertido". Porque, ao dizer que tal pessoa ainda não obedecia à Palavra, o resto estava implícito e subentendido. Escrevendo aos romanos, Paulo mencionou que "nem todos *obedeceram* ao evangelho" (Romanos 10.16, NAA). Aqui temos a mesma lógica; obedecer ao evangelho é sinônimo de conversão.

---

[10] SHEDD, **Lei, graça e santificação**, p. 20-21.

Aliás, vale dizer que o ensino neotestamentário nunca limitou a obediência à linhagem natural de Abraão; pelo contrário, também revela que os gentios, que nunca estiveram debaixo da Lei, precisam praticar a obediência. Escrevendo aos romanos, e falando acerca de seu ministério, Paulo esclareceu sua missão de "levar os gentios a *obedecerem* a Deus" (Romanos 15.18). Dirigindo-se aos crentes de Corinto, o apóstolo menciona que os santos "louvarão a Deus pela *obediência* que acompanha a confissão que vocês fazem do evangelho de Cristo" (2Coríntios 9.13).

O evangelho envolve necessariamente a obediência. Pedro, em sua primeira carta, relaciona o resultado do evangelho, na vida dos salvos, como algo consequente da obediência: "vocês purificaram a sua vida pela *obediência* à verdade" (1.22). O apóstolo ainda faz, na mesma epístola, um contraste entre os que que creem e os rebeldes e, desse modo, revela que a desobediência é o oposto da fé.

> Pois assim é dito na Escritura: "Eis que ponho em Sião uma pedra angular, escolhida e preciosa, e **aquele que nela confia** jamais será envergonhado". Portanto, para vocês, os que creem, esta pedra é preciosa; mas, para os que não creem, "a pedra que os construtores **rejeitaram** tornou-se a pedra angular" e "pedra de tropeço e rocha que faz cair". **Os que não creem tropeçam, porque desobedecem à mensagem**; para o que também foram destinados. (2.6-8)

John Bevere comenta o mesmo texto com a mesma lógica e explicação:

> Uma expressão peculiar aparece nesses versículos: "*E assim para vós, os que credes... mas, para os rebeldes...*". Ele contrasta a expressão *os que credes* com a palavra *rebeldes*. Nós não fazemos isso hoje. Atualmente, a palavra "crente" não tem nada a ver com obediência ou rebeldia. É por isso que muitos dentro da igreja não enfatizam a obediência. Contudo, nos dias do Novo Testamento, os escritores se referiam muito a esse tema. Crer não somente significa reconhecer a existência de Deus, mas também obedecer-lhe. Em outras palavras, se você cresse, você obedeceria; e a evidência de não crer era uma vida de desobediência, também chamada de rebeldia. [...]

Obediência é um elemento essencial da salvação. O próprio Jesus disse que multidões creriam nele e o chamariam de Senhor, e até fariam milagres em seu nome, mas seriam rejeitados e não entrariam no Reino de Deus, porque não faziam ou obedeciam à vontade de Deus (v. Mateus 7.21).[11]

Não podemos dicotomizar a fé e a obediência, tampouco tentar dissociá-la do evangelho ou da salvação. Podemos comparar essa questão à das obras. A Bíblia diz: "Pois vocês são salvos pela graça, por meio da fé, e isto não vem de vocês, é dom de Deus; não por obras, para que ninguém se glorie" (Efésios 2.8,9). Logo, ninguém se atreveria a dizer que somos salvos *pelas* obras. No entanto, o versículo seguinte mostra que o assunto, em vez de encerrado, foi ampliado pelo apóstolo Paulo: "Porque somos criação de Deus realizada em Cristo Jesus para fazermos boas obras, as quais Deus preparou antes para nós as praticarmos" (Efésios 2.10). Portanto, é justo afirmar que não somos salvos *pelas* obras, mas salvos *para* as obras. Se elas não são o meio pelo qual a vida cristã se inicia, certamente farão parte dos passos a serem dados depois de passarmos pela porta da salvação. Semelhantemente, pode-se dizer que não somos salvos *pela* obediência praticada, mas somos salvos *para* a obediência.

Caso negligenciemos deliberadamente tal encargo, então, como expusemos no capítulo anterior, comprometeremos pela desobediência o estado de justiça que nunca teríamos alcançado por mera obediência. Dietrich Bonhoeffer, em sua obra clássica *Discipulado*, afirmou: "Só o que crê é obediente, e só o obediente é que crê".[12] A obediência é uma expressão de fé. Podemos classificá-la, com base nas declarações de Tiago, como as "obras da fé". Vejamos o que o irmão do Senhor declarou:

> De que adianta, meus irmãos, alguém dizer que tem fé, se não tem obras? Acaso a fé pode salvá-lo? Se um irmão ou irmã estiver necessitando de roupas e do alimento de cada dia e um de vocês lhe disser: "Vá em paz, aqueça-se e alimente-se até satisfazer-se", sem porém lhe dar nada, de

---

[11] BEVERE, John. **Um coração ardente**. Rio de Janeiro: Luz às Nações, 2016. p. 42-43.
[12] BONHOEFFER, Dietrich. **Discipulado**. São Paulo: Mundo Cristão, 2016. p. 38.

que adianta isso? Assim também a fé, por si só, se não for acompanhada de obras, está morta. Mas alguém dirá: "Você tem fé; eu tenho obras" (Tiago 2.14-18).

Tiago mostra que, assim como a fé não pode negar ou excluir as obras que "Deus de antemão preparou para que andássemos nelas" (Efésios 2.10, NAA), igualmente as obras não devem negar ou excluir a fé. Assim como não há salvação com obras sem fé (como as obras da Lei), igualmente não há fé — não a fé bíblica, genuína — sem obras.

Criamos conceitos equivocados sobre a fé. Um deles é quando se afirma que a fé é cega ou um passo no escuro. Não posso concordar com isso. Se, por um lado, a fé é definida como "a prova das coisas que não vemos" (Hebreus 11.1) e que "vivemos por fé, e não pelo que vemos" (2Coríntios 5.7), por outro lado, as Escrituras também reconhecem que a fé tem uma visão; a respeito de Moisés, nos foi dito que ele "perseverou, porque via aquele que é invisível" (Hebreus 11.27). As declarações não são contraditórias, mas complementares! Quando a Bíblia diz que a fé é a convicção do que não se vê (com os olhos físicos) e que não andamos por vista (natural), não significa que a fé não tenha a sua própria visão (espiritual). Temos feito a *mesma* confusão com a questão de fé e obras; deduzimos que se trata de "um ou outro", quando as Escrituras mostram que, na verdade, um não exclui o outro.

Na sequência dos versículos já apresentados, Tiago ressalta que uma fé sem obediência até os demônios possuem (Tiago 2.19); ou seja, eles creem, mas não estão alinhados a essa fé com obediência. Em seguida, argumenta que não podemos, em harmonia com as Escrituras, admitir uma fé sem obras:

> Insensato! Quer certificar-se de **que a fé sem obras é inútil**? Não foi Abraão, nosso antepassado, justificado por obras, quando ofereceu seu filho Isaque sobre o altar? Você pode ver que tanto **a fé como as obras estavam atuando juntas**, e **a fé foi aperfeiçoada pelas obras**. Cumpriu-se assim a Escritura que diz: "Abraão creu em Deus, e isso lhe foi creditado como justiça", e ele foi chamado amigo de Deus. Vejam

que uma pessoa é justificada por obras, e não apenas pela fé. Caso semelhante é o de Raabe, a prostituta: não foi ela justificada pelas obras, quando acolheu os espias e os fez sair por outro caminho? Assim como o corpo sem espírito está morto, também **a fé sem obras está morta** (Tiago 2.20-26).

A declaração "a fé como as obras estavam atuando juntas" mostra que uma não anula a outra; pelo contrário, cooperam entre si. Portanto, ao falar de obediência, a Bíblia fala da "obediência da fé". Por quê? Porque, da mesma forma que a fé e as obras se complementam, em vez de concorrerem, assim também se dá com a fé e a obediência.

Com isso estabelecido, exporemos a centralidade da obediência no propósito divino revelado na nova aliança, que é a manifestação plena da graça de Deus.

A ESSÊNCIA DA MUDANÇA

Há muita confusão a respeito do que mudou da antiga para a nova aliança. Já mostramos que, diferente do que pensam os marcionitas (antigos ou modernos), Deus não mudou. Sua imutabilidade é inquestionável.

Outros erram deduzindo que houve cessação da Lei; contudo, já comprovamos que, embora tenha havido mudança de sacerdócio, e consequentemente de lei (Hebreus 7.12), isso não quer dizer que vivemos sem nenhuma lei; antes, estamos "sob a lei de Cristo" (1Coríntios 9.21). Alguns pregadores batem na tecla do fim da Lei (de tal modo que pareça que a Lei morreu), enquanto Paulo, em Romanos, afirma que nós morremos para a Lei (Romanos 7.4) e fomos libertos dela (Romanos 7.6).

Ainda há os que insinuam que, uma vez que a Lei do Antigo Testamento "era pesada", impossível de se guardar, então no Novo Testamento fomos agraciados com mandamentos "mais leves". Ainda assim, alegam que, em caso de não obedecermos a estes, a rigidez já "não é tão séria". Quanta deturpação da verdade! Jesus não veio aliviar a humanidade de mandamentos "pesados" ou baixar o padrão da Lei. Na verdade, devemos admitir que Cristo elevou o padrão em vez de rebaixá-lo!

Em seus ensinos no Sermão do Monte, o nosso Senhor usou seis vezes as frases "Vocês ouviram o que foi dito" (Mateus 5.21,27,31,33,38,43) e, em cada uma delas, ele citou uma porção da Lei de Moisés. Entretanto, logo depois de cada uma dessas declarações, o Mestre complementava: "Mas eu digo" (Mateus 5.22,28,32,34,39,44). Já vimos que, dessa forma, ele atualizou os mandamentos a serem obedecidos. Mas em nenhum momento Cristo simplificou ou facilitou as ordenanças. Na Lei, não deveriam matar ou assassinar; na graça, não poderiam nem sequer se irar contra o irmão (Mateus 5.21,22). Na Lei, não era permitido adulterar; na graça, foi proibido até mesmo olhar para uma mulher com intenção impura (Mateus 5.27,28). Na Lei, foi concedido divorciar-se e casar-se novamente; na graça, o divórcio e novo casamento só seriam aceitos com uma única exceção (Mateus 5.31,32). Na Lei, não era aceitável um falso juramento; antes, seu cumprimento era obrigatório; na graça, o juramento nem é permitido, toda palavra deve ser honrada (Mateus 5.33-37). Na Lei, havia ordenanças sobre vingança e retribuição; na graça, não se pode resistir ao perverso, vira-se a outra face, entrega-se a capa juntamente com a túnica e anda-se a segunda milha (Mateus 5.38-42). Na Lei, foi dito para amar ao próximo, mas foi dada anuência para odiar o inimigo; na graça, temos que amar os inimigos e orar pelos que nos perseguem (Mateus 5.43,44).

Portanto, insistimos: o padrão diminuiu ou aumentou? É evidente que aumentou!

Isso significa, então, que, na graça, os mandamentos são ainda mais "pesados" do que eram na Lei? De forma alguma! O apóstolo João nos respondeu a essa indagação: "Porque nisto consiste o amor a Deus: em obedecer aos seus mandamentos. E os seus mandamentos *não são pesados*" (1João 5.3). Como, então, é possível aumentar a exigência da obediência e isso não se tornar pesado? Deve-se observar que não foi apenas o padrão de exigência que foi elevado; amplificaram-se também os recursos *capacitadores* para tal dimensão de obediência!

A graça não veio atacar a Lei, e a razão é simples: a Lei não era o problema! Quem despreza a Lei para tentar valorizar a graça não entende os desdobramentos daquilo que afirma. Paulo esclareceu que "a Lei é santa, e o mandamento é santo, justo e bom" (Romanos 7.12). Se não entendermos qual era o problema, teremos dificuldade de discernir qual é exatamente a solução oferecida pelo Criador. O apóstolo revelou que o cerne da aflição humana era a *incapacidade* do homem, por sua natureza pecaminosa, de obedecer à Lei:

> Porque, **aquilo que a Lei fora incapaz de fazer** por **estar enfraquecida pela carne**, Deus o fez, enviando seu próprio Filho, à semelhança do homem pecador, como oferta pelo pecado. E assim condenou o pecado na carne, a fim de que **as justas exigências da Lei fossem plenamente satisfeitas em nós**, que não vivemos segundo a carne, mas segundo o Espírito (Romanos 8.3,4).

Esses versículos são essenciais para a compreensão do que mudou da antiga aliança para a nova aliança. O apóstolo denuncia a incapacidade vivenciada pela Lei (outras versões bíblicas empregam o termo *"impossibilidade"*). Esta não deixou de cumprir seu propósito por não ser boa, ou porque fosse difícil por si mesma; a limitação da Lei é que estava enferma (doente, fraca, impotente) *pela carne*. A natureza humana pecaminosa não se curvava diante das ordenanças divinas.

Portanto, o que Deus mirou como alvo a ser atingido foi justamente essa limitação. Esta é a razão pela qual "Jesus Cristo veio em carne" (1João 4.2). Era necessário que Deus o fizesse, "enviando seu próprio Filho, à semelhança do homem pecador" por um simples motivo: "condenou o pecado na carne". O pecado tinha que ser julgado na carne porque entrou e se propagou na humanidade pela carne. Qual é o resultado da obra de Cristo? Paulo nos deu a resposta: "a fim de que as justas exigências da Lei fossem plenamente satisfeitas em nós, que não vivemos segundo a carne, mas segundo o Espírito". Aleluia! Deus não queria jogar a Lei fora porque a humanidade não podia cumpri-la; ele veio tratar do verdadeiro problema: a *incapacidade da obediência*. Esta, por sua vez, tinha origem na natureza pecaminosa. No entanto, a obediência à Lei, que antes era comprovadamente impossível, foi finalmente viabilizada pela obra de Jesus.

Portanto, a maior definição do que é a graça é que ela veio para ser a força capacitadora sem igual que viabiliza ao ser humano a obediência que antes havia sido impossível. Fico profundamente indignado quando vejo pessoas desprovidas de entendimento bíblico sugerir que a graça é "permissão para pecar", uma espécie de tolerância divina à inevitável desobediência humana. Não, mil vezes não! A graça é o maior remédio para o problema do pecado, porque não trata só com os frutos da árvore, mas com sua raiz.

Ressalte-se, portanto, que, na graça, a *incapacidade* — não a *responsabilidade* — de obedecer é que foi removida pela mudança de natureza proporcionada pela redenção divina. Ampliemos essa compreensão. Quando os judeus perguntaram a Jesus por que Moisés permitiu o divórcio (que não se enquadrava no plano divino no período *anterior* nem no *posterior* à Lei), a resposta foi elucidadora: "por causa da dureza de coração de vocês" (Mateus 19.8). A dureza do coração do homem o impedia de viver a plenitude do propósito de Deus: plena sujeição ao Criador e às leis divinas. Entretanto, o Senhor prometeu solucionar esse problema:

> "Darei a vocês um **coração novo** e porei um **espírito novo** em vocês; **tirarei de vocês o coração de** pedra e, em troca, darei um coração de carne. Porei **o meu Espírito em vocês** e **os levarei a agir segundo os meus decretos e a obedecer fielmente às minhas leis**" (Ezequiel 36.26).

A solução? Trocar o coração empedernido! Isso aponta para a *regeneração*, ou seja, a mudança de natureza disponibilizada na manifestação da graça. Essa transformação possibilitaria, quando se concretizasse, o que fora impossível à Lei: obediência. A frase "levarei a agir segundo os meus decretos e a obedecer fielmente às minhas leis" confirma isso. A declaração "Porei o meu Espírito em vocês" indica que a graça capacitadora está relacionada com a presença e com o ministério do Espírito Santo em nós.

O escritor de Hebreus faz referência a outra promessa similar, feita por meio do profeta Jeremias, para comprovar não só a chegada, como também a essência da nova aliança:

> Deus, porém, achou o povo em falta e disse: "Estão chegando os dias, declara o Senhor, quando **farei uma nova aliança** com a comunidade de Israel e com a comunidade de Judá. **Não será como a aliança que fiz com os seus antepassados**, quando os tomei pela mão para tirá-los do Egito; visto que eles não permaneceram fiéis à minha aliança, eu me afastei deles", diz o Senhor. "Esta é a aliança que farei com a comunidade de Israel depois daqueles dias", declara

o Senhor. **"Porei minhas leis em sua mente e as escreverei em seu coração**. Serei o seu Deus, e eles serão o meu povo. Ninguém mais ensinará o seu próximo nem o seu irmão, dizendo: 'Conheça o Senhor', porque todos eles me conhecerão, desde o menor até o maior. Porque eu lhes perdoarei a maldade e não me lembrarei mais dos seus pecados" (Hebreus 8.8-12).

Na primeira aliança com o Israel do Antigo Testamento, este não permaneceu no pacto. Isso fala principalmente da incapacidade de obedecer à Lei. Contudo, na nova aliança do Novo Testamento, uma característica se distinguiria — em contraste à primeira — e é o foco principal da promessa: "Porei minhas leis em sua mente e as escreverei em seu coração".

Novamente, fica nítida a verdadeira diferença entre a antiga aliança e a nova aliança. Na antiga, a Lei foi dada para ser obedecida. A não obediência implicava juízo, mas o homem *não tinha condições* de obedecer a ela. Na nova aliança, a Palavra ainda deve ser obedecida. A não obediência ainda implica juízo. No entanto, agora *o homem tem condições* de obedecer a Deus!

RESGATADOS DA MALDIÇÃO

Outra verdade que precisa ser considerada em relação à obediência envolve a questão do resgate da maldição da Lei. Portanto, analisemos a declaração que Paulo fez aos gálatas:

> **Cristo nos redimiu da maldição da Lei** quando se tornou maldição em nosso lugar, pois está escrito: "Maldito todo aquele que for pendurado num madeiro". Isso para que em Cristo Jesus **a bênção de Abraão chegasse também aos gentios**, para que **recebêssemos a promessa do Espírito mediante a fé** (Gálatas 3.13,14).

Vemos muita confusão na interpretação e aplicação desse texto. A dificuldade, entretanto, não se origina da falta de entendimento sobre a quem a mensagem foi dirigida. É cristalino, quer pelo contexto quer pelo texto em si, que o apóstolo se dirige aos gentios convertidos, aos que ele chamou de "filhos da fé" de Abraão. Talvez a confusão comece quando as pessoas focam apenas a substituição da maldição pela bênção e, desse modo, deixam de ver o quadro como um todo.

O resgate da maldição, realizado por Cristo em nosso favor, com o claro propósito de que a bênção chegasse aos gentios, também é indiscutível. Então, onde alguns se perdem? Em não perceber a distinção entre causa e efeito. Acabam por focar o fruto, mas não a raiz da árvore. Antes, porém, de "desatar este nó", é necessário estabelecer alguns fundamentos.

Notemos que o texto especifica "a maldição da Lei". Em Deuteronômio 28, nos primeiros 14 versículos, o Senhor anuncia a bênção que seguiria aqueles que obedecessem à sua Lei. Contudo, no restante do capítulo, ele adverte das maldições que viriam sobre os que lhe desobedecessem. Vários textos mostram que o Senhor foi claro e repetitivo acerca deste fato:

> "Prestem atenção! Hoje estou pondo diante de vocês **a bênção e a maldição**. Vocês terão bênção **se obedecerem aos mandamentos do Senhor**, o seu Deus, que hoje estou dando a vocês; mas terão maldição **se desobedecerem aos mandamentos do Senhor**, o seu Deus, e se afastarem do caminho que hoje ordeno a vocês, para seguir deuses desconhecidos. Quando o Senhor, o seu Deus, os tiver levado para a terra da qual vão tomar posse, vocês terão que **proclamar a bênção no monte Gerizim e a maldição no monte Ebal**" (Deuteronômio 11.26-29).

> No mesmo dia, Moisés ordenou ao povo: "Quando vocês tiverem atravessado o Jordão, as tribos que estarão no monte Gerizim **para abençoar** o povo serão: Simeão, Levi, Judá, Issacar, José e Benjamim. E as tribos que estarão no monte Ebal **para declararem maldições** serão: Rúben, Gade, Aser, Zebulom, Dã e Naftali" (Deuteronômio 27.11-13).

> Todo o Israel, estrangeiros e naturais da terra, com os seus líderes, os seus oficiais e os seus juízes, estavam em pé dos dois lados da arca da aliança do Senhor, diante dos sacerdotes levitas, que a carregavam. **Metade do povo estava em pé, defronte do monte Gerizim, e metade defronte do monte Ebal.** Tudo conforme Moisés, servo do Senhor, tinha ordenado anteriormente, para que o povo de Israel fosse abençoado. Em seguida Josué **leu todas as palavras da lei, a bênção e a maldição,**

segundo o que está escrito no Livro da Lei. Não houve uma só palavra de tudo o que Moisés tinha ordenado que Josué não lesse para toda a assembleia de Israel, inclusive mulheres, crianças e os estrangeiros que viviam no meio deles (Josué 8.33-35).

A determinação divina era pontual: se alguém andasse em obediência, seria abençoado, mas, se desobedecesse, seria amaldiçoado. Por que, pois, precisávamos ser resgatados da maldição? Porque, como vimos nas declarações de Paulo, nenhum ser humano conseguiu cumprir toda a Lei. Logo, a incapacidade de obedecer plenamente levou o homem a estar sob maldição. Contudo, do que Cristo veio nos resgatar? Apenas das consequências negativas de não termos obedecido? Ou da incapacidade de obedecer? Estas são duas questões importantes.

Normalmente se fala do resgate da maldição focando apenas as *consequências* da desobediência: enfermidades, falta de recursos, derrota diante dos inimigos etc. (Deuteronômio 28.15-25). Contudo, se este fosse o caso, então o resgate feito por Jesus teria meramente anulado as *consequências* do pecado, o que, como resultado, nos deixaria na posição em que poderíamos pecar sem ter de enfrentar nenhuma consequência. Nesse caso, não haveria mais nenhum tipo de maldição, porque ela já teria sido totalmente aniquilada na cruz, independentemente de como nos comportamos.

É esse tipo de engano que tem levado muitos a proclamarem uma graça distorcida. "Não há mais maldição nem condenação! Não deixe a religião aterrorizar você com sugestões de consequências de pecado", dizem alguns pregadores. "Jesus já aniquilou toda maldição!"

Há, porém, outros textos que contradizem esse conceito; o escritor de Hebreus fala de um tipo de crente que "perto está da maldição" (Hebreus 6.8, ARA). A Bíblia ainda anuncia que, por ocasião da volta de Cristo, e da consumação plena da redenção, uma nova realidade se estabelecerá: "Já não haverá maldição nenhuma [...]" (Apocalipse 22.3). Logo, se há crentes perto da maldição e, se ainda não se cumpriu a promessa de aniquilação total da maldição (assim como também não se cumpriu o mesmo gênero de promessa em relação à morte), então como dizer que não há mais maldição?

Agora deixemos de lado a *consequência* e nos concentremos na *causa*. Por que havia maldição? Por causa da desobediência. Por que o ser humano não conseguia viver na bênção plena? Porque não podia obedecer inteiramente. Se Jesus tivesse vindo tratar apenas com a *consequência*, mas não com a *causa*, ainda seríamos os mesmos desobedientes, escravos do pecado, que éramos antes. Nesse caso, Cristo só teria nos livrado da punição da desobediência, e seríamos iguais aos que estão debaixo da Lei, embora, nesse caso, com permissão de pecar sem consequência alguma!

Se a causa da maldição da Lei era a inevitável desobediência, oriunda da natureza pecaminosa, como Deus poderia nos resgatar dela? Quebrando a força da velha natureza, mediante a troca do coração de pedra por um de carne, dando-nos "um novo espírito" e, assim, imprimir em nossa mente as suas próprias leis e inscrevê-las no nosso coração. Esta seria a única forma de cumprimento para a promessa divina: "Porei o meu Espírito em vocês e os levarei a agir segundo os meus decretos e a obedecer fielmente às minhas leis" (Ezequiel 36.27). Veja que o escritor da carta aos Hebreus volta a tocar no mesmo assunto no capítulo 10:

> O Espírito Santo também nos testifica a esse respeito. Primeiro ele diz: "Esta é a aliança que farei com eles, depois daqueles dias, diz o Senhor. **Porei as minhas leis em seu coração e as escreverei em sua mente**"; e acrescenta: "Dos seus pecados e iniquidades não me lembrarei mais" (v. 15-17).

Portanto, é justo concluir que fomos libertos da maldição da Lei no sentido da impossibilidade de cumpri-la. A antiga aliança requeria uma *obediência* que não era possível ao homem não transformado. No entanto, a mudança de natureza, a dádiva do Espírito Santo e a graça transformadora finalmente viabilizaram a obediência aos que estão em Cristo.

Quando Paulo assegurou aos crentes da Galácia: "para que em Cristo Jesus a bênção de Abraão chegasse também aos gentios", o apóstolo falava de salvação; no entanto, ao dizer "para que recebêssemos a promessa do Espírito" (3.14), referia-se à capacitação dada aos salvos para andar em obediência. Por isso, entender a pessoa e a obra do Espírito Santo, bem como as realidades da nova criação e a forma de se render à nova natureza e à graça transformadora, é imprescindível. Na sequência, trataremos desse assunto.

Encontrei duas anotações do meu falecido pai, em um dos muitos livros que ele, como de costume, não apenas lia, mas grifava e comentava; a primeira frase era: "A verdadeira liberdade do povo de Deus não é a libertação da Lei, mas do pecado". A segunda anotação dizia: "A graça opera a transferência da Lei — das tábuas de pedra para o coração do homem". Com isso, falou tudo! Sou grato a Deus pelo amor à Palavra que testemunhei no meu pai e que ele, pela graça de Deus, conseguiu comunicar aos filhos.

Oramos para que a mensagem da *graça transformadora* alcance o coração do povo de Deus!

SINOPSE DO CAPÍTULO EM TÓPICOS

1. Deus esperava, desde a criação do homem, que os seres humanos que ele criara lhe devotassem total obediência.

2. O evangelho não veio substituir a obediência que o homem deve a Deus. A graça é uma *força capacitadora* que nos foi dada não apenas para perdoar os nossos pecados, como também para nos ajudar a evitar cometê-los; a graça nos *empodera* para viver a obediência aos mandamentos do Deus Eterno.

3. A obediência requerida dos fiéis não suprime a graça divina; pelo contrário, depende inteiramente dela para que seja possível.

4. A obediência à Palavra não foi suprimida na nova aliança; pelo contrário, veio atrelada ao evangelho. O vínculo entre obediência e evangelho não pode ser ignorado.

5. Da mesma forma que a fé e as obras se complementam, em vez de concorrerem, assim também se dá com a fé e a obediência.

6. A natureza humana pecaminosa não se curva diante das ordenanças divinas. No entanto, a obediência à Lei, que antes era comprovadamente impossível, foi finalmente viabilizada pela obra de Jesus e sua graça que nos foi disponibilizada.

7. Uma das definições de graça é: uma força divina capacitadora que viabiliza ao ser humano a obediência que antes fora impossível.

8. Na graça, a *incapacidade* — não a *responsabilidade* — de obedecer é que foi removida pela mudança de natureza proporcionada pela redenção divina. Essa transformação possibilitou o que fora impossível à Lei: obediência.

9. A libertação da maldição da Lei deve ser vista no sentido da impossibilidade de cumpri-la, não apenas no que diz respeito às consequências.

PERGUNTAS PARA REFLEXÃO

1. A Escritura afirma que "Antes da fundação do mundo, Deus nos escolheu, nele, para sermos santos e irrepreensíveis diante dele" (Efésios 1.4, NAA). À luz dessa declaração, qual o propósito divino para os seres humanos? Qual a relação entre tal afirmação e a *obediência*?

2. Como você explicaria a graça como força capacitadora para a obediência?

3. Cristo não veio nos resgatar apenas das consequências negativas de não termos obedecido, mas da incapacidade de obedecer. Qual a diferença entre uma coisa e outra?

CAPÍTULO 11

FORÇA CAPACITADORA

> Por meio da expiação de Cristo, o homem é capacitado a obedecer. A expiação é o ato capacitador de Deus.
>
> *E. M. Bounds*

Há muita controvérsia doutrinária a respeito da graça de Deus e a devida aplicação na vida cristã. Vários pregadores e mestres parecem limitar a ação da graça somente ao passado, direcionando-a somente aos pecados já cometidos. É quase como se a graça divina pudesse apenas consertar o que foi estragado, mas não tivesse nenhum poder preventivo de, após a conversão, dar poder ao homem para vencer o pecado. Precisamos enxergar a graça de Deus como *força capacitadora* para viver em obediência e santidade!

Na carta a Tito, Paulo enfatiza que a mesma graça que se revelou trazendo salvação aos homens também nos *ensina* a viver uma vida separada do mundo e do pecado:

> Porque a graça de Deus se manifestou **salvadora** a todos os homens. **Ela nos ensina** a **renunciar** à **impiedade** e às **paixões mundanas** e a viver de maneira **sensata, justa e piedosa** nesta era presente, enquanto aguardamos a bendita esperança: a gloriosa manifestação de nosso grande Deus e Salvador, Jesus Cristo. Ele se entregou por nós a fim de nos remir

de toda a maldade e purificar para si mesmo um povo particularmente seu, dedicado à prática de boas obras (Tito 2.11-14).

Graça não é permissão para pecar, como alguns parecem insinuar; ao contrário, é a provisão divina para libertar as pessoas do pecado. A mesma graça que salva o homem *também* o ensina acerca de como deve ser sua conduta após a conversão. As palavras de Paulo a Tito notoriamente instruem que devem ser feitas renúncias. O pecado e o mundo devem ser definitivamente deixados para trás. Uma vida de retidão, piedade e sobriedade precisa ser vivida. Esta é a obra completa da graça. Como disse Max Lucado: "A graça é a voz que nos chama a mudar e, assim, dá-nos o poder de sermos bem-sucedidos".[1] Jacó Armínio, falando acerca da graça, pontuou isso com clareza:

> Ela evita tentações, auxilia e concede socorro em meio às tentações, sustenta o homem contra a carne, o mundo e Satanás, e, nesse grande conflito, concede vitória ao ser humano. Ela levanta outra vez os que são vencidos e estão caídos, firmando-os e dando a eles nova força, além de fazer com que sejam mais cuidadosos. Esta graça inicia a salvação, promovendo-a, aperfeiçoando-a e consumando-a.[2]

Entretanto, e infelizmente, muitos têm propagado uma graça que apenas *cobre* os pecados, mas não nos *liberta* deles. Anunciam uma graça que livra o homem da *condenação* do pecado, mas, em contrapartida, negam — ou ignoram — que ela também livre do *poder* do pecado. Não podemos, de forma alguma, aceitar essa depreciação da graça!

Uma das definições da graça é "favor imerecido". Trata-se de algo que não envolve o mérito. O homem não pode ser salvo por si mesmo nem por suas obras, tampouco por mero esforço. A graça divina se faz necessária para conduzir o homem a um lugar que ele jamais chegaria sozinho — e

---

[1] LUCADO, Max. **Graça**: mais do que merecemos, maior do que imaginamos. Rio de Janeiro: Thomas Nelson Brasil, 2012. p. 20.
[2] ARMÍNIO, Jacó. **As obras de Armínio.** Rio de Janeiro: CPAD, 2015. v. 2, p. 406.

isso é indiscutível. Mas por que temos sido levados a acreditar que isso se aplica unicamente à experiência inicial da *conversão*?

Nós precisamos da graça de Deus para tudo, do início ao fim da jornada cristã. Aliás, vale lembrar que Cristo afirmou: "sem mim vocês não podem fazer coisa alguma" (João 15.5). Seria deliberadamente contraditório ao ensino do nosso Senhor e Salvador acreditar que, após o novo nascimento, não mais necessitamos da graça divina. Paulo, escrevendo aos irmãos de Corinto, afirmou: "Não que possamos reivindicar qualquer coisa com base em nossos próprios méritos, mas a nossa capacidade vem de Deus" (2Coríntios 3.5). Ele focava, nesses versículos, a capacitação para o exercício do ministério; entretanto, constatamos, nas Escrituras, que a capacitação divina é para *todos os aspectos* da vida cristã. Para suportar adversidades, necessitamos de graça, como o Altíssimo declarou a Paulo: "A minha graça te basta" (2Coríntios 12.9, ARA). A palavra grega traduzida neste versículo por "basta" é *arkeo* (αρκεω), e seu significado é "estar possuído de força infalível, ser forte, ser adequado, ser suficiente, defender, repelir, estar satisfeito, estar contente".[3] A Nova Versão Internacional empregou a expressão "Minha graça é suficiente a você", enquanto a Nova Versão Transformadora optou por "Minha graça é tudo de que você precisa".

A graça também é vista, nas Escrituras, como capacitação para a obra do *ministério*. Paulo declarou que lhe foi dada a "graça de pregar aos gentios o evangelho das insondáveis riquezas de Cristo" (Efésios 3.8, ARA). Também afirmou: "E a cada um de nós foi concedida a graça, conforme a medida repartida por Cristo" (Efésios 4.7); o contexto relaciona tal afirmação aos dons ministeriais, apresentados nos versículos seguintes (Efésios 4.8-11). Aos coríntios, depois de se chamar de "o menor dos apóstolos", Paulo atesta: "Mas, pela graça de Deus, sou o que sou, e sua graça para comigo não foi inútil; antes, trabalhei mais do que todos eles; contudo, não eu, mas a graça de Deus comigo" (1Coríntios 15.10). Semelhantemente, os dons que recebemos de Deus são uma manifestação de sua graça: "Temos diferentes dons, de acordo com a graça que nos foi dada" (Romanos 12.6). Hebreus mostra que, pela graça, podemos *servir* a Deus de modo agradável (Hebreus 12.28).

---

[3] STRONG, **New Strong's Exhaustive Concordance of the Bible**.

Pedro escreveu: "Cada um exerça o dom que recebeu para servir os outros, administrando fielmente a graça de Deus em suas múltiplas formas" (1Pedro 4.10). Tais palavras indicam que os dons que nos são dados para servir aos outros procedem da graça.

Igualmente, para viver a progressão da vida cristã — a santificação —, necessitamos da preciosa graça divina. A capacitação celestial se faz necessária, como já afirmamos, para cada aspecto da vida cristã. O apóstolo Paulo reconhece que seu andar em santidade e sinceridade não foi produzido por sua própria capacidade ou habilidade:

> Este é o nosso orgulho: A nossa consciência dá testemunho de que nos temos conduzido no mundo, especialmente em nosso relacionamento com vocês, com **santidade** e sinceridade provenientes de Deus, não de acordo com a sabedoria do mundo, mas de acordo **com a graça de Deus** (2Coríntios 1.12).

Necessariamente, a graça deve ser vista como uma força capacitadora. É uma fonte de socorro para o homem. Thomas C. Oden, em seu tratado de carismologia, afirma que "o ensino cristão clássico da graça sustenta e empodera o caminhar diário da fé" e pontua:

> Em uma cultura de ritmo acelerado, solitária e que se esforça pelo autoelogio, a boa-nova da graça é como uma fresca brisa de alívio. É como ganhar um parceiro de ajuda inesperado em uma batalha colossal cujo resultado era duvidoso. Descobrir o antigo ensino da graça é mais como ser descoberto do que descobrir.
>
> Esta geração tenta entender a responsabilidade moral sem aquilo que a capacita. Quanto mais tentamos autonomamente iniciar um imperativo moral interior, mais ele se torna pó e cinzas em nossas mãos. [...]
>
> Com a ausência da graça, a tarefa de crescimento espiritual torna-se uma busca frenética por estratégias inovadoras. Tentamos manufaturar crescimento espiritual enquanto deixamos escapar a própria graça que o capacita. Queremos produzir resultados sem uma prontidão para receber

ajuda através dos meios disponíveis de graça — oração, escritura, estudo, sacramento e amor servil praticante.[4]

Tony Cooke afirmou que "a graça nunca será uma permissão divina para fazer aquilo que é errado. Graça é a capacitação divina para fazer aquilo que é certo".[5] A graça divina empodera o homem para a obediência, como vimos no capítulo anterior. Outro aspecto dessa capacitação é que ela nos ajuda a vencer a tentação da desobediência. Acerca disso, Jacó Armínio escreveu:

> Em seu estado de descuido e pecado, o homem não é capaz de pensar, nem querer, ou fazer, por si mesmo, o que é realmente bom; pois é necessário que ele seja regenerado e renovado em seu intelecto, afeições e desejos, e em todos seus poderes, por Deus, em Cristo, por intermédio do Espírito Santo, para que possa ser corretamente qualificado para entender, estimar, considerar, desejar e fazer aquilo que realmente seja bom. Quando ele é feito participante dessa regeneração ou renovação, considero que, estando liberto do pecado, ele é capaz de pensar, de querer e fazer aquilo que é bom, mas ainda não *sem a ajuda continuada da graça divina*.[6]

TRONO DA GRAÇA

O autor da epístola de Hebreus faz menção do trono da graça e do auxílio que dele emana (4.16). Contudo, antes de examinar o texto, é fundamental entender o *contexto*. Acerca dos filhos de Israel, Hebreus termina falando que eles não entraram no descanso de Deus. A causa: incredulidade (3.19), não boicote divino. Eles não deixaram que a Palavra fosse unida à fé no coração (4.2). Com esse exemplo em mente, o escritor nos adverte de não seguir o exemplo:

> **Cuidado**, irmãos, **para que** nenhum de vocês tenha coração perverso e incrédulo, que se afaste do Deus vivo. Ao contrário, encorajem-se uns

---
[4] ODEN, Thomas C. **O poder transformador da graça**. Cuiabá: Palavra Fiel, 2019. p. 24-25, 28.
[5] COOKE, **Graça**: o DNA de Deus, p. 159.
[6] ARMÍNIO, Jacó. **As obras de Armínio**. Tradução de Degmar Ribas. Rio de Janeiro: CPAD, 2015. v. 1, p. 231.

aos outros todos os dias, durante o tempo que se chama "hoje", de modo que nenhum de vocês **seja endurecido pelo engano do pecado**, pois passamos a ser participantes de Cristo, desde que, de fato, nos apeguemos até o fim à confiança que tivemos no princípio (Hebreus 3.12-14).

A advertência revela que a responsabilidade de não deixar que o coração se endureça pelo engano do pecado é nossa, não de Deus. De acordo com as Escrituras, envolve *esforço* da nossa parte.

> Portanto, **esforcemo-nos** por entrar nesse descanso, **para que ninguém venha a cair**, seguindo aquele exemplo de **desobediência**. Pois a palavra de Deus é viva e eficaz, e mais afiada que qualquer espada de dois gumes; ela penetra até o ponto de dividir alma e espírito, juntas e medulas, e julga os pensamentos e as intenções do coração. Nada, em toda a criação, está oculto aos olhos de Deus. Tudo está descoberto e exposto diante dos olhos daquele a quem havemos de prestar contas. (Hebreus 4.11-13)

É interessante como a Bíblia fala do esforço humano e da graça divina *combinados*. Um não exclui necessariamente o outro. Mesmo dependendo da graça divina, devemos cooperar com ela. Devemos fazer a nossa parte. É importante lembrar que não estamos falando apenas da *conversão*, mas também da *caminhada cristã*. Detalharei melhor esse princípio no capítulo apropriado.

Depois de afirmar que a razão do esforço é que ninguém caia, o autor salienta que a Palavra de Deus é viva e eficaz, penetra profundamente e é apta para discernir os propósitos do coração. Que propósitos são esses? O versículo 13 diz que tudo está visível aos olhos do Deus, a quem prestaremos contas, o que indica a existência de algo que o homem poderia querer "esconder" — os maus propósitos de seu íntimo. Em concordância, encontra-se a afirmação do Senhor Jesus:

> "Pois do interior do coração dos homens vêm os maus pensamentos, as imoralidades sexuais, os roubos, os homicídios, os adultérios, as cobiças, as maldades, o engano, a devassidão, a inveja, a calúnia, a arrogância e a

insensatez. Todos esses males vêm de dentro e tornam o homem impuro" (Marcos 7.21-23).

Entendido o contexto de que o esforço humano deve se aliar à graça divina para que o homem não ceda a suas próprias fraquezas, emerge o fator "trono da graça":

> Portanto, visto que temos um grande sumo sacerdote que adentrou os céus, Jesus, o Filho de Deus, apeguemo-nos com toda a firmeza à fé que professamos, pois não temos um sumo sacerdote que não possa compadecer-se das **nossas fraquezas**, mas sim **alguém que, como nós**, passou por todo tipo de **tentação**, porém **sem pecado**. Assim, aproximemo-nos do **trono da graça** com toda a confiança, a fim de recebermos **misericórdia** e encontrarmos **graça que nos ajude no momento da necessidade** (Hebreus 4.14-16).

Jesus é apresentado como sumo sacerdote que se compadece das nossas fraquezas. Por que justamente essa virtude é destacada no texto bíblico? Para destacar a visão do Cristo homem, que foi tentado em tudo, embora *sem pecado*. Ele conhece plenamente as lutas e as fraquezas da carne com as quais temos que lidar. É importante frisar que essa compaixão não provém apenas de sua onisciência divina, mas também da identificação proporcionada por sua experiência humana. Essa verdade concorda com o que o apóstolo João testemunhou acerca dele: "Não precisava que ninguém lhe desse testemunho a respeito do homem, pois ele bem sabia o que havia no homem" (João 2.25).

É esse entendimento sobre o caráter compassivo do Salvador que introduz a ideia do trono da graça. Para uma compreensão ampla, é necessário analisar à luz da tipologia bíblica, bem como do contexto histórico e cultural, o que a palavra "trono" comunica. Trono é assento de reis e governantes. As pessoas normalmente apenas se aproximavam de um trono para uma audiência ou para apresentar uma causa a ser julgada. Na Bíblia, essa figura remete a juízo — como quando Cristo descreve a si mesmo sentado no trono de sua glória para julgar as nações (Mateus 25.31). O mesmo pode ser visto no juízo do grande trono branco (Apocalipse 20.11,12). Portanto, na própria tipologia bíblica, trono indica juízo.

Contudo, o trono da graça, ao qual devemos nos achegar para acessar socorro e misericórdia, *contrasta* com juízo. O propósito não é oferecer julgamento aos que lutam contra o pecado, mas graça. O objetivo não é condenar, mas ajudar os que são tentados. A aproximação a esse trono não causa receio e pode ser feita confiadamente!

Onde está o trono da graça? A uma oração de distância. Ele também se manifesta na Palavra e pelo Espírito Santo. A questão é que está disponível a todo aquele que precisa de ajuda — não para os totalmente santos, mas para os que querem vencer a luta contra seus próprios maus desejos, contra suas fraquezas. Quem se assenta nele é um Rei compassivo, que sabe exatamente o que é ser tentado e está pronto a socorrer os que também são. Temos que nos esforçar, mas jamais sozinhos, porque temos acesso ao trono da graça — e essa graça nos basta (2Coríntios 12.9). E. M. Bounds, voz profética singular acerca da oração no século XIX, abordando a "química explosiva" da obediência à Palavra somada à oração, atesta:

> Se qualquer um reclamar que a humanidade, sob a queda, é muito frágil e impotente para obedecer a esses elevados mandamentos de Deus, a resposta adequada para isso é: por meio da expiação de Cristo, o homem é capacitado a obedecer. A expiação é o ato capacitador de Deus. Aquilo que Deus opera em nós, na regeneração e por meio da agência do Espírito Santo, outorga graça capacitadora suficiente para tudo o que é exigido de nós sob a expiação.
>
> Essa graça é suprida, sem medidas, em resposta à oração; portanto, ao passo que Deus dá a ordem, ele, ao mesmo tempo, está comprometido em nos dar toda força necessária à nossa volição em graça — alma para cumprir suas demandas. Isso sendo verdade, o homem não tem desculpas para a sua desobediência e é decididamente censurável pela recusa ou pelo fracasso em assegurar a graça necessária, por meio da qual poderá servir ao Senhor com reverência e temor piedoso.[7]

---

[7] Bounds, E. M. **Os tesouros da oração.** Curitiba: Orvalho.Com, 2020. p. 135-136.

Força capacitadora

LUTA CONTRA O PECADO

Certa ocasião, ouvi alguém afirmar que, se um cristão está *lutando* contra o pecado, ele não sabe quem é em Cristo. Discordo totalmente! Trocaria essa afirmação por: "se a pessoa está *acorrentada* pela *prática* do pecado, ou mesmo se é seguidamente vencida por ele, então certamente ela não sabe nem quem é em Cristo, tampouco aquilo que lhe pertence". Não se deve confundir tentação com prática do pecado. A tentação é a provocação do desejo que, por sua vez, pode ser controlado. O pecado é a consumação do desejo que não foi dominado.

Entendida essa distinção, pergunto: existe uma vida cristã sem luta contra o pecado? Não! É possível que um crente em Jesus, neste momento, antes da glorificação final, nem sequer seja tentado? Claro que não! Até Jesus foi tentado — e isso porque ele não tinha a mesma natureza caída com a qual nascemos. Adão também pode ser incluído, pois, quando foi tentado e pecou, ainda não tinha a "natureza adâmica".

Se a Palavra de Deus cita explicitamente que tal luta contra o pecado existe, como dizer o contrário? A boa notícia é que é possível vencê-la, muito embora seja inegável a realidade dessa batalha.

> Portanto, também nós, uma vez que estamos rodeados por tão grande nuvem de testemunhas, **livremo-nos** de tudo o que nos atrapalha e **do pecado que nos envolve** e corramos com perseverança a corrida que nos é proposta, tendo os olhos fitos em Jesus, autor e consumador da nossa fé. Ele, pela alegria que lhe fora proposta, suportou a cruz, desprezando a vergonha, e assentou-se à direita do trono de Deus. Pensem bem naquele que suportou tal oposição dos pecadores contra si mesmo, para que vocês não se cansem nem desanimem. **Na luta contra o pecado**, vocês ainda não **resistiram até o ponto de derramar o próprio sangue.** (Hebreus 12.1-4)

A versão Almeida Revista e Atualizada diz que o pecado nos assedia com tenacidade. A Tradução Brasileira optou pela expressão "o pecado que se nos apega". A Nova Versão Internacional preferiu "pecado que nos envolve". A Nova Versão Transformadora, "pecado que nos atrapalha".

A Nova Almeida Atualizada fez uso "do pecado que tão firmemente se apega a nós". Todas revelam que precisamos lidar com a questão do pecado como um problema a ser vencido. No versículo 4, todas as versões também trazem exatamente a mesma ideia de luta. Como alguém pode dizer que não há luta contra o pecado?

Por outro lado, questiono: é possível vencer a luta contra o pecado? Claro que sim! Contamos com recursos para vencer porque a graça divina é a *força capacitadora*. É preciso, porém, ressaltar o fato de que ela oferece mais que perdão a pecados que já foram cometidos; vai além, muito além, uma vez que nos capacita a nem sequer pecar. Não pretendo diminuir a importância da purificação dos pecados; pelo contrário, louvo a Deus pelo perdão que está em Cristo! Contudo, a graça faz mais do que apenas perdoar; ela provê recursos divinos para vencer as tentações e não precisar chegar à queda.

É possível vencer as *tentações*?

Claro que sim!

Há uma solução divina. O propósito do trono da graça não é apenas reerguer, dia após dia, os crentes que vivem uma espécie de tropeço recorrente — é possível cortar o mal quando ainda é um intento. Quando a Bíblia fala de encontrar socorro em "ocasião oportuna", a que se refere? Que socorro é este? É apenas o ato divino de *perdoar* aquele que já pecou? Não!

A aproximação ao trono deve acontecer "a fim de recebermos misericórdia e acharmos graça para socorro em ocasião oportuna" (Hebreus 4.16, ARA). Primeiramente, recebemos misericórdia e graça para, quando for necessário, em ocasião oportuna, utilizarmos ambas para socorro. Ou seja, a ajuda vem antes da queda, ainda que haja misericórdia posterior a quem dela não fez uso. O projeto de Deus não é apenas levantar repetidamente o homem caído. É ajudá-lo a evitar a queda! Por isso, a advertência: "Assim, aquele que julga estar firme, cuide-se para que não caia!" (1Coríntios 10.12). Concordo plenamente com a declaração de Charles Swindoll: "A graça desperta, estimula e fortalece a nossa capacidade de vencer o pecado". Ele acrescenta:

> Assim que realmente entendermos a libertação que a graça nos dá, podemos passar longos períodos de nossa vida sem pecar ou sentir vergonha.

Sim, podemos! E por que não? Por que o pecado assumiria domínio sobre nós? Quem disse que não podemos fazer outra coisa senão ceder a ele? Que coisa mais antibíblica! Como você vê, a maioria de nós está tão programada em relação ao pecado que esperamos que ele aconteça.[8]

Erramos ao desenvolver nos cristãos a mentalidade de derrota para o pecado em vez de ensiná-los como eles podem, capacitados pelo favor divino, vencer o pecado. Nós os preparamos apenas para a queda, não os treinamos para andar em vitória. Swindoll denuncia que desenvolvemos, desde o início da fé, a mentalidade errada nos novos convertidos. O autor o exemplifica tão acuradamente que vimos a necessidade de compartilhar suas exatas palavras em vez de mera resenha:

> É como eu pegar a chave do meu carro, entregá-la a um de meus filhos adolescentes que acabaram de tirar a carteira de habilitação e dizer "agora deixe-me lembrá-lo que você vai bater o carro. Assim, a primeira coisa a fazer é memorizar o número de telefone de seu agente de seguros. Desse modo, quando sofrer um acidente, você terá certeza de que vai ligar para o número correto. Mas aqui estão as chaves. Espero que você goste do passeio".
>
> Que conselho mais esquisito e negativo. Contudo, é exatamente isso o que fazemos com os crentes novos: "Ouça, você tem que saber que *vai* pecar. Portanto, é preciso ficar realmente atento. Memorize 1João 1.9, o.k.? Assim, quando pecar, você saberá o que fazer". Como é raro (se é que isso acontece alguma vez) que os novos crentes ouçam algo como: "Sabe de uma coisa? Você não precisa mais servir ao pecado. Você pode realmente viver vários dias sem ele, talvez uma semana ou mais. A razão é que você tem um novo mestre — Cristo. E sabe o que mais? Você tem um grande poder aí dentro de você, um que nunca teve antes, chamado Espírito Santo. Você tem um conjunto de chaves chamado de Escrituras. Assim, quando girar a chave correta na ignição, você poderá desfrutar uma vida que nunca teve antes. Pode haver momentos em que vai sofrer um acidente. Haverá momentos

---
[8] SWINDOLL, Charles. **O despertar da graça**. São Paulo: Mundo Cristão, 2009. p. 124.

em que você vai realmente pecar. Quando isso acontecer, deixe-me dizer como lidar com ele. Mas lembre-se: isso não é o normal; isso é a exceção. A boa notícia é que você está liberto do velho mestre por causa de Cristo". A graça nos libertou! Fomos libertos![9]

Assim como Hebreus 4.16, há outro texto que fala desse tipo de ajuda e quando ela nos é disponibilizada:

> Não sobreveio a vocês **tentação que não fosse comum aos homens**. E Deus é fiel; **ele não permitirá que vocês sejam tentados além do que podem suportar**. Mas, quando forem tentados, ele mesmo **providenciará um escape, para que o possam suportar** (1Coríntios 10.13).

Quais lições esse versículo ensina? Pelo menos três podem ser destacadas.

A primeira lição é que *a tentação é humana*. As tentações não são demoníacas, mas humanas. Em outras palavras, não são sobrenaturais, mas naturais. Tiago afirmou que "Cada um, porém, é tentado pelo próprio mau desejo, sendo por este arrastado e seduzido" (Tiago 1.14). Embora a Bíblia denomine Satanás como "tentador" (Mateus 4.3 e 1Tessalonicenses 3.5), isso se refere mais à capacidade que ele tem de instigar o nosso próprio desejo do que produzir em nós um desejo que não existia anteriormente. Dessa forma, a tentação é humana, ainda que instigada pelo Diabo.

A segunda lição é que *não seremos tentados além do que podemos suportar*. O texto sagrado afirma que Deus é fiel e não permitirá que sejamos tentados além da nossa capacidade de resistência. Em outras palavras, a tentação não é insuportável, ela pode e deve ser vencida. Jamais ultrapassará o nosso limite de resistência. Isso significa que nenhuma tentação será mais forte do que a nossa capacidade de dizer não ao pecado.

A terceira lição é que *Deus proverá livramento para suportar a tentação*. Apesar de as tentações serem humanas e não transporem o nosso limite

---

[9] SWINDOLL, **O despertar da graça**, p. 149-150.

de resistência, ainda assim não estamos sozinhos na luta. Podemos contar com a ajuda celestial! O texto diz, com toda a clareza, que Deus proverá *livramento*; portanto, há auxílio divino à nossa disposição. A Tradução Brasileira diz que ele proverá "o meio de saída"; já a Nova Versão Internacional fala acerca de "um escape". Tiago, o irmão do Senhor, declarou: "Quando alguém for tentado, jamais deverá dizer: 'Estou sendo tentado por Deus'. Pois Deus não pode ser tentado pelo mal e a ninguém tenta" (Tiago 1.13). Deus não tenta ninguém; isso é fato. Já vimos que a tentação é humana, e o Maligno apenas instiga o desejo do homem. No entanto, há uma ação divina na tentação, que obviamente não é para favorecê-la, mas para dissipá-la.

O mesmo Jesus que venceu as tentações e o pecado — lembrando que ele fez isso como homem, não como Deus — nos ensinou como alcançar a provisão divina para vencer. Na chamada "Oração do Pai-nosso", Cristo nos instruiu a orar: "E não nos deixes cair em tentação, mas livra-nos do mal" (Mateus 6.13). Depois, no jardim do Getsêmani, voltou a dizer aos discípulos: "Vigiem e orem para que não caiam em tentação" (Mateus 26.41). As duas declarações de Cristo são preventivas e têm o propósito de evitar o pecado.

Apesar de ser nossa a responsabilidade de dominar os desejos da carne, o Pai celestial decidiu nos auxiliar, empoderando-nos com sua graça, a fim de podermos resistir às tentações com sua ajuda. Isso é maravilhoso! Entretanto, conheço poucos cristãos que realmente oram para não cair em tentação. Muitos deixam para orar somente depois que caem. A maioria parece não entender — ou não consegue acreditar — nessa *força capacitadora* para uma vida de santidade.

Os mandamentos divinos foram dados para serem obedecidos, por isso a transgressão deles é que constitui pecado. O pecado não é definido como *o desejo da carne*, mas como a quebra da Lei de Deus: "Todo aquele que pratica o pecado transgride a Lei; de fato, o pecado é a transgressão da Lei" (1João 3.4). Uma vez que a nossa natureza carnal se tornou pecaminosa, então seus desejos normalmente manifestam inclinação à rebeldia contra Deus e suas leis; portanto, quando o desejo carnal fala mais alto e escolhemos agradar a ele, não ao Senhor, é aí que pecamos. A graça, porém, nos capacita a negar os anseios da carne, antes mesmo de virarem pecado, para obedecer aos preceitos de Deus. Somente a graça pode levar a uma resposta de obediência.

GRAÇA TRANSFORMADORA

John Bevere compartilha como entendeu esse conceito, em *Kriptonita*. Na sequência de seu testemunho de libertação, também compartilha um dado interessante que prova o desconhecimento dos cristãos acerca da capacitação disponível na graça. Inspire-se com as palavras de Bevere e volte a acreditar:

> No início da minha vida cristã, eu tentava repetidamente viver santo e falhava várias vezes. Eu ficava frustrado, para dizer o mínimo. Então, descobri a graça de Deus. Descobri que a graça é a capacitação imerecida de Deus que nos dá a habilidade de fazer o que não conseguíamos fazer sozinhos. Eu não conseguia me libertar da pornografia e de outros hábitos pecaminosos, mas, quando descobri a graça de Deus, pude andar em liberdade e crer e cooperar com ela. Porém, há um fato triste. O nosso ministério fez uma pesquisa alguns anos atrás. Fomos a uma variedade de igrejas representando uma série de correntes doutrinárias e denominações. Entrevistamos mais de cinco mil cristãos nascidos de novo em todo o país. Pedimos aos participantes que dissessem três ou mais definições da graça de Deus. Os resultados da pesquisa mostraram que quase todos associavam a graça de Deus à salvação, ao perdão pelos pecados, a um presente imerecido e ao amor de Deus. Essa notícia era boa, mas o resultado trágico foi que menos de 2% desses cristãos sabiam que a graça é a capacitação de Deus.
>
> [...] A realidade é que não podemos receber nada de Deus a menos que acreditemos. E não podemos acreditar o que não sabemos. Se aproximadamente 2% dos cristãos sabem que a graça nos capacita, então mais ou menos 98% dos cristãos estão tentando viver santos por sua própria capacidade, o que é impossível. Frustração, derrota, depressão, condenação e culpa certamente estão inclusos nesse cenário.
>
> [...] A nossa estratégia de ensinar uma graça que acoberta, que omite a graça, que capacita tem fechado a porta e trancado a fechadura.[10]

---

[10] Bevere, **Kriptonita**, p. 309.

A MULTIFORME GRAÇA DE DEUS

O problema de alguns, ao tentarem definir a graça de Deus, foi tê-la limitado apenas *a partes* do que ela é. A graça não é algo que se defina de forma simplista. O apóstolo Pedro nos exortou a sermos "bons despenseiros da *multiforme* graça de Deus" (1Pedro 4.10, ARA). A palavra "multiforme", por si só, já fala muito; indica algo que tem várias formas. A palavra empregada nos originais, na língua grega, é *poikilos* (ποικιλος), um adjetivo usado com as seguintes significações: "várias cores, multicor; de vários tipos".[11] A Nova Versão Internacional traduziu esse versículo da seguinte forma: "administrando fielmente a graça de Deus em suas *múltiplas formas*". Outras traduções optaram pelo uso de "variada graça divina". Não se trata, contudo, de várias graças, e sim da expressão variada da mesma graça divina. Resumindo, a graça não é uma só coisa; tanto seu significado como sua operação são abrangentes.

Cabe aqui uma declaração de Charles Swindoll:

> O que exatamente é a graça? Ela está limitada ao ministério e à vida de Jesus? Você vai se surpreender ao descobrir que Jesus nunca usou essa palavra. Ele simplesmente a ensinou e, igualmente importante, ele a viveu. Além disso, a Bíblia nunca nos dá uma definição em uma única frase, embora a graça apareça em todas as suas páginas — não apenas a palavra em si, mas numerosas demonstraçoes dela.[12]

Portanto, não me atreverei a tentar estabelecer definições rápidas e resumidas da graça de Deus. Limito-me, aqui, a chamar a atenção para a multiforme graça. Quando falamos da salvação, por exemplo, podemos dividi-la, falando do espaço de tempo, em pelo menos três etapas: aquilo que se dá *antes*, *durante* e *depois* da conversão. Encontraremos a manifestação da graça divina em cada um desses eventos. Se examinarmos apenas um desses aspectos, então o resultado inevitavelmente será que não compreenderemos a graça como um todo. Mas se, ao analisar cada um desses

---
[11] Strong, **New Strong's Exhaustive Concordance of the Bible**.
[12] Swindoll, **O despertar da graça**, p. 23.

diferentes aspectos, entenderemos que eles são distintos e, ao mesmo tempo, complementares, será possível discernir a abrangência da atuação da graça.

A título de exemplo, mencionamos as definições que John Wesley empregava a respeito dos diferentes aspectos da graça. Ele empregava termos diferentes para tentar explicar aspectos distintos da mesma coisa. Ao referir-se à ação divina do Criador para com todos os homens, o fundador do metodismo utilizava o termo "graça preveniente", para falar de como *começa* a manifestação da graça no caminho da salvação. Ele ensinava, ainda, que a salvação é levada adiante pela "graça convertente", em referência ao *arrependimento* daqueles que se curvaram à ação da graça em um nível mais profundo do que o primeiro. Contudo, ao referir-se à salvação propriamente dita, o grande avivalista falava de "graça justificante". Após a conversão, o evangelista inglês ainda apontava para a "graça santificante". Para distinguir as duas últimas, Wesley explicava: "Na justificação, somos salvos da culpa do pecado e reconduzidos à misericórdia de Deus; na santificação, somos desatados e libertos do poder e da raiz do pecado e novamente firmados segundo a imagem e semelhança de Deus. Tanto a experiência como a Escritura atestam que essa redenção se realiza tanto instantânea como lentamente".[13]

Agostinho, bispo de Hipona, que pode ser considerado o precursor do calvinismo, entendia a graça por muitos aspectos: graça preveniente, suficiente, eficiente e cooperante. Jacó Armínio, por sua vez, também admitia várias ações ou operações da graça. Que não se confunda, porém, o reconhecimento de aspectos específicos de funcionamento da graça com diversidade ou com fragmentação dela. O próprio Armínio comentou acerca do tema:

> A graça, então, é uma só em essência, mas varia em seu modo; uma no princípio e no fim, mas variada em seu progresso, passos e meios; uma, quando considerada como absoluto e em geral; mas duas, quando interpretada de maneira relativa e particular, pelo menos, com respeito a assuntos opostos e distintos.[14]

---

[13] KLAIBER, Walter; MARQUARDT, Manfred. **Viver a graça de Deus**: um compêndio da teologia metodista. São Bernardo do Campo: Editeo, 1999. p. 240.

[14] RODRIGUES, Zwinglio. **Graça resistível**. São Paulo: Reflexão, 2016. p. 25.

Força capacitadora

A nossa intenção não é tentar rotular os diferentes aspectos da graça — embora também não seja contrário a esse tipo de auxílio didático. Concentro-me apenas em destacar o fato de que há aspectos distintos. O Criador, por sua própria obra, está sempre tentando chamar a atenção do homem para ele (Salmos 19.1; Atos 14.17; Romanos 1.20). Quando consegue tal atenção, também provê recursos que auxiliem o ser humano no processo de arrependimento (Romanos 2.4). A própria justificação é classificada, nas Escrituras, como expressão da graça divina (Romanos 3.24). Não diferente das primeiras, a santificação também está relacionada com o favor divino (2Coríntios 1.12).

Ao enxergar o "quadro completo", devemos evitar a ênfase em apenas um ou alguns desses aspectos. Não pretendo detalhar a manifestação da graça *antes* nem *durante* a conversão. Até porque escrevemos especificamente a pessoas que já passaram por essas duas etapas, e o fazemos com o propósito de auxiliar os que desejam entender e desfrutar a graça disponível *depois* da conversão.

Acredito que, se compreendermos a *graça transformadora* — que nos auxilia na progressão de um nível de glória a outro, na conformação com a imagem de Jesus (2Coríntios 3.18) —, e entendermos como *cooperar* com ela, avançaremos na frutificação que temos a responsabilidade de manifestar.

Caso você esteja se questionando se realmente leu "cooperar" com a graça, digo que sim. Não pactuo com o conceito de graça irresistível; prego a interação com a graça. Entendo ser esta uma chave importantíssima para a vida cristã. Por isso, proponho-me a elucidar essa afirmação nos próximos capítulos para, somente depois de estabelecer esse fundamento, prosseguir no tratamento do processo de santificação.

SINOPSE DO CAPÍTULO EM TÓPICOS

1. Graça não é permissão para pecar; ao contrário, é a provisão divina para libertar as pessoas do pecado. A mesma graça que salva o homem *também* o ensina acerca de como deve ser sua conduta após a conversão.

2. A graça divina não se aplica unicamente à experiência inicial da conversão. Necessitamos da graça de Deus para tudo, do início ao fim da jornada cristã. Um dos aspectos da capacitação da graça é que ela nos ajuda a vencer a desobediência.

3. Não se deve confundir tentação com a prática do pecado. A tentação é a provocação do desejo que, por sua vez, pode ser controlado. O pecado é a consumação do desejo que não foi dominado.

4. A graça oferece mais que perdão a pecados que já foram cometidos; vai muito além, uma vez que nos capacita a vencer o pecado. O propósito do trono da graça não é apenas reerguer, dia após dia, os crentes que vivem uma espécie de tropeço recorrente — é possível cortar o mal quando ainda é um intento.

5. Recebemos, do trono da graça, misericórdia e graça para, quando for necessário, em ocasião oportuna, utilizarmos ambas para socorro. Ou seja, a ajuda vem antes da queda, ainda que haja misericórdia posterior a quem dela não fez uso. O projeto de Deus não é apenas levantar repetidamente o homem caído. É ajudá-lo a evitar a queda.

6. A tentação *é humana*; não é demoníaca. Em outras palavras, não é sobrenatural; é natural.

7. Deus não permitirá que sejamos tentados além da nossa capacidade de resistência. Assim, a tentação não é insuportável; ela pode e deve ser vencida. Nenhuma tentação será mais forte do que a nossa capacidade de dizer não ao pecado.

8. Deus disponibiliza livramento para suportarmos a tentação. Apesar de elas serem humanas e não transporem o nosso limite de resistência, não significa que estejamos sozinhos na luta. Podemos contar com a ajuda celestial.

Força capacitadora

9. Ao tentar definir a graça de Deus, não podemos limitá-la apenas a *partes* do que ela é. A graça não é algo que se defina de forma simplista. A Bíblia fala da "*multiforme* graça de Deus"; indica algo que tem várias formas. Não se trata, contudo, de várias graças, e sim da expressão variada da mesma graça divina. Ou seja, a graça não é uma só coisa; tanto seu significado como sua operação são abrangentes.

10. Ao destacar a multiforme graça, podemos dividi-la, falando do espaço de tempo, em pelo menos três etapas: aquilo que se dá *antes*, *durante* e *depois* da conversão. Encontramos a manifestação da graça divina em cada um desses eventos.

PERGUNTAS PARA REFLEXÃO

1. Qual seria o propósito de Deus em livrar o homem da *condenação* dos pecados já cometidos sem livrá-lo do *poder* do pecado, a fim de evitá-lo?

2. O que significa a afirmação bíblica "o pecado não terá domínio sobre vocês" (Romanos 6.14, NAA)?

3. Acerca da tentação humana e do livramento divino, por que é importante definir qual deles é algo natural e qual é um recurso sobrenatural?

CAPÍTULO 12

GRAÇA IRRESISTÍVEL?

*Nenhum homem peca porque não possui a graça,
mas porque não faz uso da graça que possui.*
John Wesley

Anteriormente, afirmamos que não cremos na possibilidade de classificar a graça divina como algo *irresistível*. É lógico que não há como esgotar, em um único capítulo, um assunto que exigiria outro livro; entretanto, ainda que de forma sucinta, pretendemos demonstrar que há uma *interação* entre Deus e o homem na operação da graça. Se não reconhecermos tal fato, deixaremos de intencionalmente nos aprofundar na graça e cairemos na armadilha de acreditar que nada pode nos demover dela. Contudo, julgamos necessário, antes de tratarmos da interação entre Deus e o homem, refletir sobre a questão do livre-arbítrio.

Ao debater esse tipo de assunto, encontramos pessoas que questionam, antes mesmo de considerar a argumentação bíblica, com frases prontas, a relação do tema com a soberania divina. Dizem: "Se o homem tem o poder de escolha, de autodeterminação, onde é que fica a soberania divina?". Costumamos responder afirmando que a soberania de Deus é definida por ele mesmo; são os termos dele, não os nossos, que explicam sua soberania. Se o Criador soberano decidiu conceder ao homem a livre escolha de modo que possa interagir ou não com ele, deixou, por esse motivo, de ser soberano? É óbvio que não! Não foi a criatura quem determinou que assim fosse, à revelia do Criador; o que se deu foi exatamente o oposto.

Consideremos um exemplo prático: a criação. Trata-se de uma obra divina que foi entregue ao cuidado humano. O Altíssimo declarou que o homem teria domínio sobre a obra dele: "Façamos o homem à nossa imagem, conforme a nossa semelhança. *Domine ele* sobre os peixes do mar, sobre as aves do céu, sobre os grandes animais de toda a terra e sobre todos os pequenos animais que se movem rente ao chão" (Gênesis 1.26). Com tal decisão, Deus "perdeu" sua soberania sobre a terra? Não. A mesma Escritura, por um lado, sustenta os direitos divinos de possessão das coisas criadas: "Os céus são teus, e tua também é a terra; fundaste o mundo e tudo o que nele existe" (Salmos 89.11). Por outro lado, ainda preserva a autonomia humana: "Os céus são os céus do Senhor, mas a terra, deu-a ele aos filhos dos homens" (Salmos 115.16, ARA). Quando o texto sagrado revela que a terra foi dada por ele "aos filhos dos homens", esse fato não revoga a soberania de Deus sobre a criação. Esta, ainda que sofrendo as consequências do pecado humano, será redimida no futuro (Romanos 8.19-21) pelo mesmo Criador que a entregou aos cuidados humanos sem jamais ter perdido sua soberania sobre ela. Logo, se, por um lado, não podemos dizer que a propriedade e o controle sobre a terra são exclusivamente divinos, por outro, também não podemos afirmar que são inteiramente humanos. Resumindo, o Deus soberano permitiu, por vontade, propósito e decisão próprios, que o homem participasse como uma espécie de "administrador" da criação.

Vale lembrar, quando falamos da graça, que não se trata apenas de algo que Deus concede ou faz; ela é uma extensão de quem ele é. Assim como o amor, a bondade, a misericórdia e a justiça de Deus estão ligados a seu caráter, não a uma mera decisão ou plano de ação, entendemos que devemos olhar de modo semelhante para a graça divina. Portanto, é inconcebível ouvir alguém dizer que o Altíssimo é soberano para oferecer ou reter sua graça a alguém.

Diante disso, perguntamos: se, para ser soberano, o Criador precisa negar um atributo seu, o mesmo vale para os demais atributos? Podemos, então, considerar o amor de Deus, no contexto de sua soberania, passível de uma recusa por parte dele em manifestar seu amor a alguém? Igualmente, podemos ponderar a justiça divina, dentro de tal visão de soberania, como algo que possibilita uma deliberada recusa do Senhor em manifestar sua justiça? Cogitaríamos o mesmo com respeito à sua misericórdia? Se você acredita que não, então fazemos outra pergunta: se não usamos a soberania divina para anular os demais atributos de Deus, por que isso se aplicaria à graça?

Se para ser, de fato, soberano — em tal equivocado conceito — Deus tem de ter liberdade para fazer o que quer, isso significa que não há limite algum, nem mesmo aqueles que foram definidos por ele mesmo? Se enveredarmos por uma resposta negativa, como explicar as afirmações bíblicas evidentes das *impossibilidades* divinas? Por exemplo, a Escritura é determinante em afirmar que "é impossível que Deus minta" (Hebreus 6.18). No entanto, o Altíssimo, em sua soberania, não tem o direito de escolher mentir? Não! Porque ele "não pode negar-se a si mesmo" (2Timóteo 2.13), e a *verdade* é uma expressão do caráter divino. Reconhecer que há limites, autoimpostos, em Deus, diminui sua soberania? A resposta ainda é não! Deus é soberano da forma que ele mesmo escolheu ser soberano e o revelou em sua Palavra.

A graça é um fluxo constante que emana do Criador. Se ela será aproveitada, desfrutada, usufruída, é outra questão. O homem precisa entender quão maravilhosa é essa graça e, com tal entendimento, compreender que pode e deve interagir com ela.

Tratando de forma sucinta, pode-se dizer que o conceito de *graça irresistível* (propagado pelos que negam ou relativizam o livre-arbítrio humano) necessariamente implica reconhecer duas coisas: 1) que Deus não escolheu (o que significa o mesmo que "não quis") salvar todos os homens; 2) que o Criador não deu ao homem o direito de escolha, ou seja, o livre-arbítrio.

Não há como negar que há textos bíblicos, especialmente os debatidos nessas questões, que são verdadeiros desafios de interpretação nessa disputa teológica milenar. Contudo, se partimos para a interpretação de *predeterminismo*, em vez de *presciência*, as verdades claras e recorrentes das Escrituras podem ser ofuscadas por aquilo que poderia, no máximo, ser classificado como "possibilidades de interpretação questionáveis".

Os que creem na predeterminação e na escolha divina arbitrária de quem será salvo (o que obviamente também inclui quem não será) estão, a nosso ver, negando, no mínimo relativizando, verdades notórias da Bíblia, tanto sobre a vontade divina de salvar todos os homens como sobre a autodeterminação humana. Concordo com as palavras atribuídas a John Wesley, que, referindo-se ao equivocado conceito de predeterminismo, disse: "Pois ela está fundamentada em tal interpretação de alguns textos (mais ou menos, isto não interessa) que categoricamente contradiz todos os outros textos, e de fato toda a extensão e tendência geral da Escritura". Portanto, faz-se necessário questionar o que as Sagradas Escrituras falam abertamente sobre tais questões.

DEUS QUER SALVAR TODOS OS SERES HUMANOS

O primeiro ponto a ser observado é se a salvação foi ou não disponibilizada a todos os homens. Em caso afirmativo, concluímos não somente que o Criador deseja que todos sejam salvos, como também que aceitar ou não o que o Deus Eterno disponibilizou a todos os homens é *responsabilidade humana*. Por outro lado, se não há indícios de que o Altíssimo deseja salvar todos os homens, deduz-se, como consequência, que a salvação não é uma oferta aberta a toda a humanidade e só podem aceitá-la os que foram predeterminados para tal. Isso aponta inevitavelmente para a responsabilidade estritamente *divina* na questão da salvação. Correndo o risco de simplificar demais esse embate das diferentes escolas teológicas, acreditamos que estes sejam os aspectos principais que cada parte considera.

Comecemos pela revelação bíblica de Deus como *Salvador*. Observemos as palavras de Paulo a Timóteo:

> Isso é bom e agradável perante **Deus**, nosso Salvador, **que deseja que todos os homens sejam salvos** e cheguem ao conhecimento da verdade. Pois há um só Deus e um só mediador entre Deus e os homens: o homem Cristo Jesus, o qual se entregou a si mesmo **como resgate por todos.** Esse foi o testemunho dado em seu próprio tempo (1Timóteo 2.3-6).

Depois de assim apresentar o Criador, Paulo explicitamente declara a vontade divina: "deseja que *todos* os homens sejam salvos". O apóstolo ainda reforça o conceito ao apresentar, na sequência, a universalidade do sacrifício de Cristo. A afirmação é explícita: "o qual se entregou a si mesmo como resgate por *todos*".

Declarações como estas são encontradas repetidamente na Palavra de Deus. A universalidade do convite divino ao homem não pode ser negada. Jesus disse: "Venham a mim, todos os que estão cansados e sobrecarregados, e eu darei descanso a vocês" (Mateus 11.28). A palavra empregada nos originais, traduzida por "todos", é *pas* (πας), e seu significado envolve as seguintes definições: "individualmente: cada, todo, algum, tudo, o todo, qualquer um, todas as coisas, qualquer coisa; coletivamente: algo de todos os tipos"[2]. Os textos, por si mesmos, deixam bastante claro o convite universal da salvação.

Entretanto, os que creem na graça irresistível relativizam a aplicação generalizada da palavra "todos". Charles Spurgeon, por exemplo, em um sermão sobre a "Redenção particular", alegou que essa palavra foi utilizada nos textos sagrados sem seu sentido literal em várias ocasiões, por exemplo, em "todos o seguiam". Por esse motivo, o pregador questionou se, de fato, *todos* seguiam Cristo. Citou, ainda, "A ele vinha toda a região da Judeia e todo o povo de Jerusalém" (Marcos 1.5). Spurgeon também indagou se *toda* a Judeia e toda a Jerusalém foram batizadas no Jordão. Depois, citou as expressões "Sabemos que somos de Deus" e "o mundo todo está sob o poder do Maligno" (1João 5.19), acrescentando a indagação final: "O mundo inteiro aqui significa todos?" O pregador inglês concluiu que as palavras "mundo" e "todo" foram usadas em vários sentidos na Escritura e que raramente a palavra "todos" significava todas as pessoas, do ponto de vista individual. Deduziu, com isso, que as palavras foram geralmente usadas para significar que Cristo redimiu alguns de todas as classes — alguns judeus, alguns gentios, alguns ricos, alguns pobres, sem restringir sua redenção a judeus ou gentios.[1]

---

[1] STRONG, **New Strong's Exhaustive Concordance of the Bible.** Comentários, apresentado em g3956.

O que dizer a esse respeito? É lógico que encontramos, nas Escrituras, expressões não literais. No relato da criação, no livro de Gênesis, por exemplo, lemos a frase "Passaram-se a tarde e a manhã" depois de cada "dia" da criação. Considerando que não havia sol, lua nem outros astros até o quarto dia, deduz-se que nem a expressão "dia" pode ser tomada de forma literal, como um dia de 24 horas, tampouco os termos "tarde e manhã" podem ser literais, uma vez que seria necessária a presença do sol para determinar tanto o entardecer como o amanhecer. Essa não literalidade é inegável e foi muito usada como linguagem poética. Contudo, ir ao extremo de relativizar que *nunca* podemos saber quando existe literalidade às menções bíblicas de dia, tarde ou manhã seria ridículo. É inquestionável que o número de menções literais da palavra "dia" empregado nas Escrituras é muito maior do que o uso não literal. Constatamos, no mesmo livro de Gênesis, o uso dessas menções: "No dia em que Noé completou seiscentos anos, um mês e dezessete dias, nesse mesmo dia todas as fontes das grandes profundezas jorraram, e as comportas do céu se abriram. E a chuva caiu sobre a terra quarenta dias e quarenta noites" (Gênesis 7.11,12). Aqui tanto o dia da vida de Noé é específico e pontual como o emprego da expressão "quarenta dias e quarenta noites".

Se há expressões não literais — cuja presença nas Escrituras já reconhecemos como fato incontestável —, aquelas é que devem ser detectadas quando o contexto ou o restante da doutrina bíblica aponta isso. Se partirmos pela lógica inversa, relativizando sempre a literalidade, não sobrarão valores absolutos para crer, praticar ou defender. Outro exemplo da não literalidade no uso de expressões que se referem às partes do dia é este: "o choro pode persistir uma noite, mas de manhã irrompe a alegria" (Salmos 30.5). O anoitecer ou o amanhecer aqui são literais? Claro que não! Se assim fosse, as pessoas chorariam apenas durante a noite e automaticamente cada amanhecer traria consigo a alegria e o consolo. Essa informação não está alinhada com o restante das Escrituras, que indica gente que chorou "[por] muitos dias" (1Crônicas 7.22) e ainda aponta a possibilidade de alegria noturna (como a celebração da Páscoa) e tristeza diurna (lemos que José encontrou os servos do faraó tristes pela manhã — Gênesis 40.6).

Portanto, insistimos em que localizemos, com precisão, as expressões não literais em vez de relativizar a precisão da descrição bíblica de forma generalizada. Se seguirmos a lógica do comentário de Spurgeon, citado (por mais que eu o respeite e aprenda com Spurgeon, obviamente não concordo com tudo o que ele ensinou), então teremos de relativizar todos os "todos" da Bíblia. Para onde isso nos levaria?

Quando Paulo diz aos romanos: "pois todos pecaram e estão destituídos da glória de Deus" (Romanos 3.23), quer dizer, então, que "todos" não significa *todos*? Há algum homem que não seja pecador? Quando diz: "Portanto, da mesma forma como o pecado entrou no mundo por um homem, e pelo pecado a morte, assim também a morte veio a todos os homens, porque todos pecaram" (Romanos 5.12), as Escrituras não usam de literalidade? Então, não podemos dizer que todos sejam, de fato, *todos*? Se assim não fosse, como sustentar qualquer outra verdade absoluta da Palavra de Deus?

O equívoco, a nosso ver, tem origem no fato de que os que acreditam na graça irresistível, bem como em uma salvação seletiva, precisam "explicar" os textos que acabam por contradizer aquilo que eles já decidiram crer. Isso é tão absurdo quanto alguém que, em nome do desejo de Deus salvar a todos — que é uma verdade bíblica incontestável —, tentar negar a doutrina da predestinação — que é outra verdade bíblica igualmente incontestável. Ninguém tem o direito de crer em uma doutrina bíblica em detrimento de outra. Contudo, o que se entende por *predestinação* é que deve ser discutido.

Se afirmamos, com base nas declarações escriturísticas, que o Criador predeterminou alguns para a perdição, negamos a literalidade de que ele deseja salvar todos os seres humanos. Se, entretanto, cremos que Deus deseja salvar todos, como explicar a predestinação? Com as declarações da própria Palavra de Deus que relacionam a predestinação e eleição à sua presciência, ou seja, a seu conhecimento prévio de todas as coisas. Paulo afirmou aos crentes romanos que "aqueles que de antemão *conheceu*, também os predestinou" (Romanos 8.29). Pedro também falou acerca disso: "eleitos segundo a *presciência* de Deus Pai" (1Pedro 1.2, ARC).

Em outras palavras, Deus não precisaria esperar o dia em que cada ser humano fará a sua escolha por ele. Como já conhece antecipadamente a escolha de cada um, tanto seus planos como seu agir já estariam em operação em favor deles, antes mesmo de tomarem uma decisão. A prova disso seria a declaração de Paulo aos gálatas: "Mas Deus me separou desde o ventre materno e me chamou por sua graça" (Gálatas 1.15); o apóstolo esclarece que, embora tenha sido *chamado* depois de existir e já ser adulto, ele havia sido *separado* antes do nascimento. O texto fala de predestinação. Contudo, quando falamos de predestinação, a presciência não deve ser confundida com predeterminismo. Paulo discorreu acerca disso em sua carta aos crentes de Roma:

> E esse não foi o único caso; também os filhos de Rebeca tiveram um mesmo pai, nosso pai Isaque. Todavia, **antes que os gêmeos nascessem ou fizessem qualquer coisa boa ou má** — a fim de que o propósito de Deus conforme a eleição permanecesse, não por obras, mas por aquele que chama — , foi dito a ela: "O mais velho servirá ao mais novo". Como está escrito: "Amei Jacó, mas rejeitei Esaú" (Romanos 9.10-13).

Ao mencionar Jacó e Esaú, as Escrituras fazem referência ao fato de que o Altíssimo se antecipa ao nascimento deles, revelando aspectos do futuro dos gêmeos: "Os meninos se empurravam dentro dela, pelo que disse: 'Por que está me acontecendo isso?' Foi então consultar o SENHOR. Disse-lhe o SENHOR: 'Duas nações estão em seu ventre; já desde as suas entranhas dois povos se separarão; um deles será mais forte que o outro, mas o mais velho servirá ao mais novo' " (Gênesis 25.22,23). O apóstolo citou, na epístola aos Romanos, esse registro bíblico. Qual foi, então, o propósito de mencioná-lo? Falar da eleição, que precede o nascimento, as escolhas e as obras humanas. Isso é indiscutível. No entanto, como se interpreta isso é que merece ser discutido.

Os predeterministas acreditam que uma profecia, uma vez dita, forçará as circunstâncias a se ajustarem a ela. Acreditam, por exemplo, que Judas estava destinado a trair Jesus porque era "escravo" do cumprimento das Escrituras (João 17.12), sem opção de escolha. Entretanto, nos unimos aos não predeterministas no entendimento de que tanto as profecias como a eleição têm como fundamento a presciência divina. Tal conclusão ainda mantém o homem responsável por suas escolhas sem deixar de levar em conta a onisciência do Criador que, mesmo antes de as escolhas humanas serem feitas, já as conhece e se antecipa a elas. Logo, ao referir-se ao futuro, o Altíssimo fala daquilo que já sabe que irá acontecer. Isso não precisa significar, em absoluto, que as circunstâncias apenas sejam desencadeadas por causa do que Deus disse.

Resumindo, nenhuma escola teológica pode negar a doutrina da eleição. O que as diferencia é que enquanto, de um lado, para os predeterministas, as circunstâncias se alinham aos decretos divinos, não ao livre-arbítrio humano, de outro lado, para os demais, o livre-arbítrio é que determina o destino do homem, não ignorando, porém, que tais escolhas são conhecidas do Deus presciente, e, portanto, permitem que o Eterno, em sua administração de todas as coisas, se antecipe às escolhas que serão feitas.

Se o Criador determina uns para a salvação e outros para a perdição, por que razão ordena que todos os homens se arrependam? Pois está escrito: "Deus não levou em conta os tempos da ignorância, mas agora ele ordena a *todas as pessoas*, em *todos os lugares*, que se arrependam" (Atos 17.30, NAA).

Outro aspecto a ser compreendido é que, embora a salvação seja oferecida a todos os homens, sem acepção e indiscriminadamente, isso não significa que todos serão salvos. A oferta divina exige aceitação e cooperação humanas. Veja esta declaração em Hebreus:

> Todas as coisas sujeitaste debaixo dos seus pés. Ora, desde que lhe sujeitou todas as coisas, nada deixou fora do seu domínio. Agora, porém, ainda não vemos todas as coisas a ele sujeitas; vemos, todavia, aquele que, por um pouco, tendo sido feito menor que os anjos, Jesus, por causa do sofrimento da morte, foi coroado de glória e de honra, para que, pela graça de Deus, **provasse a morte por todo homem**. Porque convinha que aquele, por cuja causa e por quem todas as coisas existem, **conduzindo muitos filhos à glória**, aperfeiçoasse, por meio de sofrimentos, o Autor da salvação deles (2.8-10, ARA).

A frase "provasse a morte por todo homem" indica que a salvação é para todos. Jesus não provou a morte apenas em favor de alguns, mas por todo e cada um dos seres humanos. Contudo, a coerência também exige que reconheçamos a expressão "conduzindo muitos filhos à glória". O termo "muitos" deve ser visto como indicativo de que, embora a vontade divina seja resgatar todos os homens, nem todos abraçarão a salvação oferecida. Para que a salvação seja consumada, é necessária a combinação das vontades divina e humana. Se o homem não crer, não poderá desfrutar o que lhe é disponibilizado por Deus. No entanto, se isso acontecer, não se poderá concluir que o Criador não deseja salvá-lo.

> Pois é para esse fim que trabalhamos e nos esforçamos, porque temos posto a nossa esperança no Deus vivo, **Salvador de todos, especialmente dos que creem.** (1Timóteo 4.10, NAA)

Observemos que Deus é chamado de "Salvador de todos". Por quê? Porque sua oferta de salvação se estende a toda a humanidade. Na sequência, porém, Paulo acrescenta a expressão "especialmente dos que creem", uma vez que somos "salvos pela graça, por meio da fé" (Efésios 2.8). Por que essa diferenciação sobre os que creem? Porque a única maneira de o homem não perecer é crendo: "para que todo o que nele crer não pereça, mas tenha a vida eterna" (João 3.16). Sabemos que nem todos crerão. Entretanto, a vontade de Deus de salvar todos os seres humanos foi claramente revelada em sua Palavra: "não querendo que ninguém pereça, mas que todos cheguem ao arrependimento" (2Pedro 3.9). Por isso, é necessário entender a questão da vontade humana.

LIVRE-ARBÍTRIO

A avaliação do livre-arbítrio ou autodeterminação necessariamente deve começar pelo livro dos começos: Gênesis. O Eterno criou e estabeleceu o primeiro homem no jardim do Éden e lhe deu tanto um mandamento quanto a faculdade de escolher obedecer ou não a seu Criador. Este é o ponto de partida da nossa reflexão. Para os predeterministas, que atribuem toda escolha humana ao conselho divino, a inevitável conclusão é a de que, se Adão escolheu pecar, é porque seu Criador assim o quis. Discordo! Se o homem apenas cumpriu um inevitável decreto eterno, por que, então, por tal suposta "obediência", deveria ser julgado?

O Altíssimo concedeu a Adão instruções e advertências. Explicou que o homem deveria obedecer a suas instruções. Obedecer ou não era uma escolha da criatura, não do Criador. Entretanto, é evidente que, aliadas à escolha, viriam as consequências. Foi comunicado, com clareza, que, se o homem optasse pela desobediência, o resultado seria a morte. Aliás, o mesmo Deus que faculta a escolha normalmente aponta para as consequências dela:

> "Vejam que hoje **ponho** diante de vocês **vida e prosperidade, ou morte e destruição.** Pois hoje **ordeno a vocês** que amem o Senhor, o seu Deus, andem nos seus caminhos e **guardem os seus mandamentos**, decretos e ordenanças; então vocês **terão vida e aumentarão em número**, e o Senhor, o seu Deus, os abençoará na terra em que vocês estão entrando para dela tomar posse. **Se, todavia, o seu coração se desviar e vocês não forem obedientes**, e se deixarem levar, prostrando-se diante de outros deuses para adorá-los, **eu hoje declaro a vocês que, sem dúvida, vocês serão destruídos.** Vocês não viverão muito tempo na terra em que vão entrar e da qual vão tomar posse, depois de atravessarem o Jordão. Hoje invoco os céus e a terra como testemunhas contra vocês, de que **coloquei diante de vocês a vida e a morte, a bênção e a maldição. Agora escolham a vida, para que vocês e os seus filhos vivam**, e para que vocês amem o Senhor, o seu Deus, ouçam a sua voz e se apeguem firmemente a ele. Pois o Senhor é a sua vida, e ele dará a vocês muitos anos na terra que jurou dar aos seus antepassados, Abraão, Isaque e Jacó" (Deuteronômio 30.15-20).

Deus propôs dois caminhos distintos aos israelitas. Figurativamente, eles estavam diante de uma encruzilhada. Um caminho era de vida e bênção. O outro era de morte e maldição. A escolha do caminho a ser seguido foi dada a eles, bem como a advertência de qual seria a consequência de cada escolha.

Até mesmo em relação a Cristo, o Filho de Deus, as Escrituras sustentam a presença do livre-arbítrio. Constatamos que o Mestre, no Getsêmani, orou: "Meu Pai, se for possível, afasta de mim este cálice; contudo, não seja como eu quero, mas sim como tu queres" (Mateus 26.39). Obviamente que, como homem, Jesus expressou em oração sua vontade. Contudo, sujeitou-a à vontade do Pai celestial. O livro de Hebreus revela a respeito de Cristo: "Embora sendo Filho, ele aprendeu a obedecer por meio daquilo que sofreu" (Hebreus 5.8). É lógico que, se a Bíblia se referisse a Jesus como Deus, não como homem, não haveria necessidade alguma de aprender a obediência. Semelhantemente, se a oração, mencionada por Mateus, feita no jardim, tivesse como foco a divindade de Cristo, não haveria divergência de vontades nem necessidade de sujeição. O profeta Isaías, pelo Espírito Santo, expressou, ao falar da vinda do Messias, que há um momento em que o ser humano passa a ter a capacidade de escolher o bem e rejeitar o mal:

> Por isso o Senhor mesmo dará a vocês um sinal: **a virgem ficará grávida, dará à luz um filho e o chamará Emanuel**. Ele comerá coalhada e mel até a idade em que saiba **rejeitar o erro e escolher o que é certo**. Mas, **antes que o menino saiba rejeitar o erro e escolher o que é certo**, a terra dos dois reis que você teme ficará deserta (Isaías 7.14-16).

A escolha humana — seguida de suas consequências — é apresentada recorrentemente nas páginas da Bíblia Sagrada. Josué, o responsável por introduzir os israelitas na terra prometida, declarou: "Se, porém, não agrada a vocês servir ao Senhor, escolham hoje a quem irão servir, se aos deuses que os seus antepassados serviram além do Eufrates, ou aos deuses dos amorreus, em cuja terra vocês estão vivendo. Mas eu e a minha família serviremos ao Senhor" (Josué 24.15). Se, contudo, o homem não tem direito algum a escolha, por que a Palavra de Deus falaria tanto sobre isso? Para nos enganar, fazendo-nos crer em algo que não é verdadeiro? Por ser incoerente consigo mesma? Claro que não! Porque ao homem foi dado, pelo Criador, o livre-arbítrio, ou seja, a capacidade de escolha, de autodeterminação.

Não podemos negar, como vimos, afirmações da ação divina em favor da salvação do homem que precede a decisão que ainda será tomada. Contudo, reconhecemos que a própria Bíblia atribui tais afirmações à *presciência* de Deus. Também não podemos negar que alguns homens são, de acordo com as Escrituras, entregues, pelo próprio Criador, a suas práticas pecaminosas. Contudo, vale ressaltar que, antes das afirmações de Romanos 9 — texto mais usado pelos predeterministas —, Paulo fez, na mesma epístola, afirmações que dão outro tom ao assunto. Observemos:

Graça irresistível?

> Portanto, a ira de Deus é revelada dos céus contra toda impiedade e injustiça dos homens que suprimem a verdade pela injustiça, pois **o que de Deus se pode conhecer é manifesto entre eles, porque Deus lhes manifestou**. Pois desde a criação do mundo **os atributos invisíveis de Deus, seu eterno poder** e **sua natureza divina**, têm sido vistos claramente, **sendo compreendidos** por meio das coisas criadas, de forma que **tais homens são indesculpáveis**; porque, **tendo conhecido a Deus, não o glorificaram** como Deus, nem lhe renderam graças, mas os seus pensamentos tornaram-se fúteis e o coração insensato deles obscureceu-se. Dizendo-se sábios, tornaram-se loucos e trocaram a glória do Deus imortal por imagens feitas segundo a semelhança do homem mortal, bem como de pássaros, quadrúpedes e répteis (Romanos 1.18-23).

O Senhor usa diversos meios — incluindo o testemunho da criação — para chamar a atenção do homem para ele. O texto, contudo, aponta que há aqueles que, a despeito do conhecimento divino, não se dobram à grandeza do Criador. A menção de não glorificarem a Deus apenas retrata a rebeldia e a independência de um coração indiferente, apesar de todo testemunho divino que tiveram. Esta é a razão pela qual o apóstolo classifica tais homens de "indesculpáveis". O adjetivo aqui traduzido é a palavra grega *anapologetos* (αναπολογητος), que significa "sem defesa ou desculpa, aquilo que não pode ser defendido, indesculpável". Observemos que o argumento apresentado não é que o Altíssimo é quem decide em lugar do homem, e este, por sua vez, colhe os frutos de decisão alheia; pelo contrário, encontramos nesse texto justamente o oposto. Temos aqui o conceito de escolha seguida de consequência. E qual é a consequência dessa escolha feita pelos homens?

> **Por isso**, Deus entregou tais homens à imundícia, pelas concupiscências de seu próprio coração, para desonrarem o seu corpo entre si; pois eles mudaram a verdade de Deus em mentira, adorando e servindo a criatura em lugar do Criador, o qual é bendito eternamente. Amém! **Por causa disso**, os entregou Deus a paixões infames; porque até as mulheres mudaram o modo natural de suas relações íntimas por outro, contrário à natureza; semelhantemente, os homens também, deixando o contato

natural da mulher, se inflamaram mutuamente em sua sensualidade, cometendo torpeza, homens com homens, e recebendo, em si mesmos, a merecida punição do seu erro. (Romanos 1.24-27, ARA)

Alguns se utilizam de afirmações como "Deus entregou tais homens à imundícia" e "os entregou Deus a paixões infames" para atribuir à responsabilidade divina o destino de cada ser humano. O que eles ignoram são justamente as expressões "por isso" e "por causa disso", que, respectivamente, precedem as declarações que citei. A pergunta a ser feita é: "Por que Deus os entregou a tais práticas pecaminosas?". Obviamente, há uma razão não apenas *informada*, mas também *destacada* no texto sagrado. Atentemos para a continuidade do raciocínio do apóstolo:

> E, **por haverem desprezado o conhecimento de Deus**, o próprio **Deus os entregou a uma disposição mental reprovável, para praticarem coisas inconvenientes**, cheios de toda injustiça, malícia, avareza e maldade; possuídos de inveja, homicídio, contenda, dolo e malignidade; sendo difamadores, caluniadores, aborrecidos de Deus, insolentes, soberbos, presunçosos, inventores de males, desobedientes aos pais, insensatos, pérfidos, sem afeição natural e sem misericórdia(Romanos 1.28-31, ARA).

Note que a ordem apresentada não é a de que Deus entregou esses homens a uma disposição mental reprovável, e, então, como consequência, estes passaram a desprezar o conhecimento de Deus, como se isso não lhes fosse possível em razão de tal privilégio ter-lhes sido previamente vedado. Não! O que encontramos nesses versículos é o inverso! Pelo fato de eles terem desprezado o conhecimento de Deus (escolha), é que foram entregues a uma disposição mental reprovável (consequência).

O apóstolo continua argumentando que tais homens, à semelhança de Adão, conheciam o certo e o errado, bem como suas consequências, mas ainda assim fizeram sua escolha.

> Ora, conhecendo eles a sentença de Deus, de que são passíveis de morte os que tais coisas praticam, **não somente as fazem, mas também aprovam os que assim procedem**. (Romanos 1.32, ARA)

Graça irresistível?

As Escrituras também apontam, em vários outros textos, para a possibilidade de o homem rejeitar Deus, suas palavras e até mesmo a oferta divina de salvação. Alisto alguns desses textos:

> "Jerusalém, Jerusalém, você, que mata os profetas e apedreja os que são enviados a vocês! Quantas vezes **eu quis** reunir os seus filhos, como a galinha reúne os seus pintinhos debaixo das suas asas, mas **vocês não quiseram**" (Mateus 23.37).

Temos um contraste evidente de vontades nessa declaração de Cristo. Ele afirmou acerca de sua própria vontade: "eu quis reunir os seus filhos", mas denunciou a falta de vontade dos israelitas: "mas vocês não quiseram". Jesus também tratou, repetidas vezes, da rejeição dos homens com relação a ele e suas palavras:

> E disse-lhes ainda:
> — Vocês sempre encontram uma maneira de **rejeitar** o mandamento de Deus para guardarem a própria tradição (Marcos 7.9, NAA).
>
> Todo o povo, até os publicanos, ouvindo as palavras de Jesus, reconheceram que o caminho de Deus era justo, sendo batizados por João. Mas os fariseus e os peritos na lei **rejeitaram** o propósito de Deus para eles, não sendo batizados por João (Lucas 7.29,30).
>
> "Aquele que dá ouvidos a vocês está me dando ouvidos; aquele que os rejeita **está me rejeitando**; mas aquele que me rejeita **está rejeitando aquele que me enviou**" (Lucas 10.16).
>
> "Vocês estudam cuidadosamente as Escrituras, porque pensam que nelas vocês têm a vida eterna. E são as Escrituras que testemunham a meu respeito; contudo, vocês **não querem** vir a mim para terem vida" (João 5.39,40).
>
> "Há um juiz **para quem me rejeita e não aceita as minhas palavras**; a própria palavra que proferi o condenará no último dia" (João 12.48).

O apóstolo Paulo também abordou a questão da rejeição a Deus como algo possível:

> Portanto, **aquele que rejeita estas coisas não está rejeitando o homem, mas a Deus**, que lhes dá o seu Espírito Santo (1 Tessalonicenses 4.8).

Estamos conscientes de que o assunto é rico e mais complexo do que a abordagem resumida aqui apresentada. No entanto, longe de querer tratar o assunto de forma exaustiva, o propósito é mostrar, tanto com os textos bíblicos como com os argumentos apresentados, que o homem é responsável tanto por suas escolhas como por *cooperar* com a graça divina.

GRAÇA PREVENIENTE

Obviamente que, ao usar expressões como "cooperar" e "interagir" com a graça de Deus, sustento que o homem, que tem responsabilidade nesse processo, não poderia, sozinho e por si mesmo, voltar-se para o Redentor. Tratamos anteriormente do pecado original que transmitiu tanto o pecado quanto a morte a todos os seres humanos (Romanos 5.12). Isso significa que todos os homens se encontram em condição de depravação plena. O que muitos teólogos denominaram de *graça preveniente* é justamente a ação indiscriminada do Criador de atrair os homens para ele — uma vez que, em estado de completa corrupção, não teriam condições de fazerem isso sozinhos, por si mesmos.

Se, por um lado, não reconheço a graça irresistível como ato unilateral divino, não se pode reconhecer, por outro, que os homens possam, como ato unilateral, aproximar-se de Deus unicamente por vontade própria. Reconhecer o livre-arbítrio humano significa admitir a responsabilidade humana de cooperar e interagir com a graça divina, que o tempo todo e em todos os lugares procura atrair todos os homens ao Criador e ao Salvador da humanidade. Como afirmou Agostinho de Hipona, "desejar o auxílio da graça é o começo da graça". No entanto, essa afirmação é verdadeira apenas porque o Criador desperta inicialmente o desejo? Ou também por que a não correspondência à ação dessa manifestação impede que ela progrida? Acredito que ambos os aspectos estão envolvidos.

Graça irresistível?

Inúmeros versículos atestam o aspecto da ação da chamada graça preveniente. Cristo afirmou: "Pois o Filho do homem veio buscar e *salvar* o que estava perdido" (Lucas 19.10). O verbo "salvar" pode indicar apenas a dádiva da salvação oferecida a todos os homens, mas "buscar" fala de algo específico, a saber, a ação de Deus batalhar para que os perdidos sejam alcançados. Jesus também declarou: "Ninguém pode vir a mim se o Pai, que me enviou, não o atrair" (João 6.44). É patente a incapacidade humana de ir ao encontro de Deus sem a ajuda divina. Também se constata que o pecador não rompe com sua rebeldia sem ajuda: "Ou será que você despreza as riquezas da sua bondade, tolerância e paciência, não reconhecendo que a bondade de Deus o leva ao arrependimento?" (Romanos 2.4).

Esses textos revelam que o homem não se volta para Deus por si mesmo, sozinho, sem a ajuda divina. A isso chamamos graça preveniente. Entretanto, não significa que a graça aja de forma unilateral, sem responsabilidade humana. Logo depois de falar da bondade divina como o agente que conduz o homem ao arrependimento, Paulo declarou que os homens são responsáveis por seus atos (e escolhas) e serão justamente julgados por isso:

> Mas, **segundo a tua dureza e coração impenitente**, acumulas **contra ti mesmo ira** para o dia da ira e da revelação do **justo juízo de Deus**, que **retribuirá a cada um segundo o seu procedimento**: a **vida eterna** aos que, perseverando em fazer o bem, procuram glória, honra e incorruptibilidade; mas **ira e indignação** aos facciosos, que desobedecem à verdade e obedecem à injustiça. Tribulação e angústia virão sobre a alma de qualquer homem que faz o mal, ao judeu primeiro e também ao grego; glória, porém, e honra, e paz a todo aquele que pratica o bem, ao judeu primeiro e também ao grego. Porque **para com Deus não há acepção de pessoas** (Romanos 2.5-11, ARA).

Portanto, embora se admita, nas Escrituras, a graça preveniente que auxilia o homem a voltar-se para Deus, constata-se, concomitantemente, que Deus responsabiliza — de forma justa — o homem por seus atos. Não seria injusto, até mesmo inconcebível, o Criador julgar os homens por escolhas que ele mesmo teria feito no lugar dos homens?

Quando falamos de livre-arbítrio, destacamos uma vontade inviolável. Contudo, isso não significa que a vontade humana não seja influenciável. Esta é razão pela qual Paulo declarou: "Uma vez que conhecemos o temor ao Senhor, procuramos persuadir os homens" (2Coríntios 5.11). O apóstolo afirmou isso depois de reconhecer que "todos nós devemos comparecer perante o tribunal de Cristo, para que cada um receba de acordo com as obras praticadas por meio do corpo, quer sejam boas quer sejam más" (2Coríntios 5.10). Portanto, ao empregar a expressão "Uma vez que conhecemos o temor ao Senhor", ele se referia ao julgamento divino das obras e, justamente por isso, procurava persuadir (que significa "convencer", "influenciar", "induzir", "fazer mudar de ideia e opinião") os homens. Logo, conclui-se que, embora dotado de vontade, o ser humano é passível de persuasão. Eis a razão pela qual Satanás tenta os homens; a mesma razão pela qual Deus, não apenas por meio da pregação do evangelho, mas também pela ação personalizada do Espírito, procura convencer e atrair os perdidos. Pode-se dizer, portanto, que o Eterno ainda age do mesmo modo que se referiu à nação israelita: "Eu a amei com amor eterno; com amor leal a atraí" (Jeremias 31.3).

O mesmo Paulo que, pelo Espírito Santo, nos apresenta um imperativo que nos responsabiliza pelo desenvolvimento da nossa salvação, dizendo "ponham em ação a salvação de vocês com temor e tremor" (Filipenses 2.12), também afirma, na sequência, que "é Deus quem efetua em vocês tanto o querer quanto o realizar, de acordo com a boa vontade dele" (Filipenses 2.13).

Desse modo, conclui-se que Deus procura influenciar a vontade humana sem, porém, subjugá-la. Auxilia o homem à salvação sem, contudo, privá-lo de sua responsabilidade. No capítulo seguinte, trataremos mais acerca dessa interação.

Graça irresistível?

SINOPSE DO CAPÍTULO EM TÓPICOS

1. A graça não é apenas algo que Deus concede ou faz, mas uma extensão de quem ele é.

2. Assim como o amor, a bondade, a misericórdia e a justiça de Deus estão ligados a seu caráter, não a uma mera decisão ou plano de ação, devemos olhar de modo semelhante para a graça divina. Portanto, é inconcebível concluir que o Altíssimo é soberano para oferecer ou reter sua graça a alguém.

3. A Bíblia atesta que Deus "deseja que *todos* os homens sejam salvos" e, na sequência, sustenta a universalidade do sacrifício de Cristo: "o qual se entregou a si mesmo como resgate por *todos*" (1Timóteo 2.3-6).

4. A Escritura apresenta Deus como o "Salvador de todos os homens, especialmente dos que creem" (1Timóteo 4.10). Por quê? Porque sua oferta de salvação se estende a toda a humanidade. Na sequência, porém, destaca "especialmente dos que creem", uma vez que somos "salvos pela graça, por meio da fé" (Efésios 2.8). Por que essa diferenciação sobre os que creem? Porque a única maneira de o homem não perecer é crendo: "para que todo o que nele crer não pereça, mas tenha a vida eterna" (João 3.16).

5. Ao homem foi dado, pelo Criador, o livre-arbítrio, ou seja, a capacidade de decisão, de autodeterminação. Ele é responsável tanto por suas escolhas como pelas consequências resultantes dessas escolhas.

6. A graça não é irresistível porque não *arrasta* o homem para Deus. Ela apenas o *atrai* e, por conta do livre-arbítrio, pode encontrar ou não a interação necessária para a salvação.

7. Deus procura influenciar a vontade humana sem, porém, subjugá-la. Auxiliar o homem à salvação sem, contudo, privá-lo de sua responsabilidade.

PERGUNTAS PARA REFLEXÃO

1. Qual a importância da fé para receber a salvação divina?

2. Por que os atributos divinos não se contradizem nem se anulam?

3. Se Deus é soberano (o que não se pode negar), ele não tem o direito de exercer sua soberania em seus próprios termos?

4. Quais são os limites, revelados nas Escrituras, que o Altíssimo impôs a si mesmo?

5. Qual a diferença, quando se fala sobre a graça divina, entre *atrair* e *arrastar*?

CAPÍTULO 13

A INTERAÇÃO COM A GRAÇA

*A prontidão e o compromisso de um homem não
são suficientes se ele também não desfruta a ajuda
que vem do alto; igualmente, a ajuda do alto não nos
trará benefício algum, a não ser que também
exista compromisso e prontidão da nossa parte.*

João Crisóstomo

Li uma ilustração simples e, ao mesmo tempo, fantástica, a respeito da graça. Quero compartilhá-la aqui. Tony Cooke diz:

> Há um antigo desenho animado chamado *Dennis, o Pimentinha* que retrata lindamente o conceito da graça. Dennis e seu amiguinho Juca estão saindo da casa de sua bondosa vizinha, senhora Wilson, com as mãos cheias de biscoitos. Juca diz a Dennis: "Eu me pergunto o que fizemos para merecer isto". Dennis, então, explica de uma forma que só uma criança poderia fazer: "Ora, Juca, a senhora Wilson não nos dá biscoitos porque nós somos legais, e sim porque ela é legal!".
>
> Se pudermos entender esse simples desenho, então estaremos começando bem em nossa compreensão a respeito da graça. A graça pela qual

Deus nos salvou — que é bem melhor do que biscoitos — é baseada na bondade dele, não em nosso desempenho ou perfeição.[1]

Trata-se de uma analogia maravilhosa. Como já vimos, esta é uma verdade bíblica incontestável. Se o homem entende a condição pecaminosa da sua natureza, bem como a consequente condenação merecida, não há outro caminho senão crer na obra de Cristo que, pela graça divina, nos inocentou. O problema, entretanto, é que nos recusamos a enxergar o quadro todo, "o outro lado da moeda". Esse outro lado indica não o merecimento, mas a responsabilidade humana. Se, na analogia apresentada, a salvação é algo parecido com os biscoitos, devemos questionar: todos os seres humanos "ganharão esses biscoitos"? Trata-se de algo inevitável ou automático? Acontece só porque Deus é bom?

É lógico que a bondade divina é o ponto de partida, como disse Paulo: "Ou será que você despreza as riquezas da sua bondade, tolerância e paciência, não reconhecendo que a bondade de Deus o leva ao arrependimento?" (Romanos 2.4). Para que a graça encontre lugar para agir em nós, precisamos entender a nossa responsabilidade de interagir com ela.

Já vimos que a graça é uma força capacitadora disponível pra vencer a tentação e o pecado, mas o que esperar dessa graça? Certamente, não se trata de uma ação unilateral divina. O fato de Deus ser aquele que sempre faz o primeiro movimento não anula o fato de que, à semelhança de um jogo de xadrez, não haja, em contrapartida, a necessidade de movimentos da nossa parte. A mesma Bíblia que apresenta a realidade do trono da graça, com clara aplicação à pessoa de Cristo, também diz que devemos nos *aproximar* de Jesus, nosso sumo sacerdote, se queremos receber ajuda (Hebreus 4.14-16), e esta é *a nossa parte*. Se a graça operasse sozinha, sem ação nenhuma do homem, as Escrituras não nos convocariam para que achegássemos ao trono da graça. Achegar-se é aproximar-se, é chegar perto; isso depende de nós, ou seja, é responsabilidade humana. Se assim não fosse, a resposta a ser dada aos que não vencem o pecado seria mera e simplesmente que, nesse caso, Deus não teria feito *a parte* dele para nos ajudar.

---

[1] COOKE, **Graça:** o DNA de Deus, p. 81.

A verdade é que o homem, sem a graça, nada pode fazer. Por outro lado, a graça divina também não opera sozinha, sem a cooperação humana. Como já definido, é necessário, ao mesmo tempo, um posicionamento nosso e busca do favor de Deus, que procede do trono da graça. Ou seja, é necessário que haja *interação* com a graça.

Costumo afirmar que a graça não apenas *age*, mas também *reage*. Se, por um lado, a graça se manifestou salvadora (Tito 2.11), o que revela a parte de Deus, por outro, o homem precisa se arrepender e crer para ser salvo (Marcos 1.15), pois é pela fé que ele tem acesso à graça (Romanos 5.2). A mesma Bíblia que diz que a salvação procede de Deus (Romanos 1.16; Efésios 2.8,9) também aplica ao homem o imperativo "Salvem-se" (Atos 2.40). Como poderia ser dada uma instrução generalizada de um movimento humano em direção à salvação, se isso não fosse possível? Estaríamos, ao admitir essa possibilidade, contrariando a inerrância bíblica ou acusando Deus de mentiroso ou, no mínimo, de enganador.

A porta de entrada da graça, portanto, é a fé; Paulo falou a esse respeito aos romanos: "Por meio de quem obtivemos acesso pela fé a esta graça" (Romanos 5.2). Se a maneira de adentrar a graça divina é pela fé, de quem é a responsabilidade de crer? Novamente, vemos as Escrituras apresentando esse aspecto da interação divina e humana. Por um lado, a fé procede de Deus (Romanos 10.17; 12.3); por outro, a Bíblia responsabiliza o homem por crer (Mateus 3.2; João 14.1). Logo, constatamos, mais uma vez, a interação. O homem não pode crer sem Deus; isto é um fato. Contudo, ao decidir corresponder ao Criador e acreditar, a criatura recebe, em contrapartida, a fé que é uma dádiva do alto (Tiago 1.17). Caso não haja receptividade humana, a fé que procede de Deus não invadirá o coração do homem como ato unilateral por parte do Criador. Se assim fosse, qual seria o sentido da afirmação "sem fé é impossível agradar a Deus" (Hebreus 11.6)? Se só pudesse crer aquele a quem Deus determinasse que cresse (o que significaria admitir que aquele que não pode crer também teria sido divinamente vetado da possibilidade de crer), como a questão de *agradar a Deus* seria discutida? No caso do determinismo absoluto de todas as coisas, então todos estariam agradando ao Criador porque, desse modo, não somente não seria possível contrariá-lo, como também todos executariam sua vontade prévia. Entretanto, contrariando essa ideia, a responsabilidade de crer é transferida para o homem: "pois quem dele se aproxima precisa crer que ele existe e que recompensa aqueles que o buscam" (Hebreus 11.6).

Não compreendemos a tentativa de dicotomizar o assunto da responsabilidade de aproximação, transferindo-a a apenas uma das partes: ou à deidade, ou à humanidade. A chave para essa compreensão está em entendermos a interação necessária entre as duas partes. O mesmo evangelho que registrou as palavras: "Ninguém pode vir a mim se o Pai, que me enviou, não o atrair" (João 6.44), primeiramente assinalou: "Vocês não querem vir a mim para terem vida" (João 5.40). Qual é a solução? Abrir uma disputa entre as afirmações ou entender que elas se somam, revelando aspectos distintos — e complementares — de uma mesma verdade?

Quanto à afirmação do Messias "Vocês não me escolheram, mas eu os escolhi" (João 15.16), esta pode ser vista pela perspectiva da *iniciativa*, de quem faz o primeiro movimento, não da eliminação de responsabilidade, o que continua fortalecendo a ideia de graça preveniente. Outros sustentam o conceito de que isso diz respeito ao chamado ministerial, não salvífico; entretanto, mesmo se assim for, também não anularia as demais afirmações de que o movimento inicial sempre foi e será divino.

Não estou tentando, em absoluto, negar o aspecto divino ou seu caráter de "ponto de partida" de todos os desdobramentos do processo redentor, o que é inquestionável. Entretanto, é igualmente inegável que há atitudes humanas que atraem a expressão da graça divina, ao passo que, em contrapartida, também há outras que a afastam. Tiago falou acerca disso:

> Mas **ele nos concede graça maior**. Por isso diz a Escritura: **"Deus se opõe aos orgulhosos,** mas **concede graça aos humildes"** (Tiago 4.6).

Se o fluxo da graça de Deus independe da participação do homem, qual é a razão de se fazer essa notória distinção entre o soberbo e o humilde? O texto não diz que a pessoa é soberba porque lhe falta graça, enquanto o outro, por sua vez, é humilde porque a graça lhe sobra. É o contrário! Alguns recebem "graça maior" porque interagem devidamente com ela. Por outro lado, há aqueles que vedam o fluxo divino da graça e, desse modo, se excluem daquilo que o Eterno disponibiliza a todos.

A interação com a graça

Quando Cristo falou dos dois homens que foram orar no templo (Lucas 18.9-14), asseverou que um foi justificado, e o outro não. Qual é a razão dada por Jesus? Uma escolha arbitrária feita pelo Altíssimo? Não! O comportamento de um *atraiu* a graça (que quer se manifestar em todos), e a atitude do outro a *repeliu*. Não nos referimos aqui a ser "merecedor" da graça porque não se trata disso. O homem que saiu do templo justificado, segundo o Senhor, não apresentou as obras da Lei, não foi justificado por "bom comportamento" (ao menos segundo a avaliação humana), mas, sim, pelo arrependimento, pelo reconhecimento de sua miséria e insuficiência; ele se abriu à suficiência divina, uma vez que era considerado um pecador (não apenas por si, como também por todos). Já o outro, patente religioso, que se orgulhava das obras da Lei sem, porém, se dar conta de sua própria miséria ou insuficiência aos olhos de Deus, vedou o fluxo — disponível a todos os homens — da graça divina. Se a graça fosse determinada apenas pelo Senhor, independentemente da interação humana, qual seria o propósito de, nessas duas passagens bíblicas, destacar o comportamento humano?

Após a pregação de Paulo e Barnabé em Antioquia da Pisídia, a mensagem foi bem específica: "Despedida a congregação, muitos dos judeus e estrangeiros piedosos convertidos ao judaísmo seguiram Paulo e Barnabé. Estes conversavam com eles, recomendando-lhes que *continuassem* na graça de Deus" (Atos 13.43). A palavra grega traduzida por "continuar" é *epimeno* (επιμενω), e seu significado é "permanecer em ou com, esperar, demorar, continuar, perseverar".[2] Se não temos responsabilidade alguma de interagir com a graça divina, qual é o propósito ou o significado de uma orientação como esta? O que significa, então, perseverar na graça de Deus? A verdade é que a graça pode fluir livremente da parte de Deus e ser desperdiçada pelo homem, razão pela qual Paulo exortou aos coríntios:

> Como **cooperadores de Deus,** insistimos com vocês **para não receberem em vão a graça de Deus** (2Coríntios 6.1).

A afirmação "para não receberem *em vão* a graça de Deus" merece a nossa consideração. Por que razão seria feita tal exortação senão pelo reconhecimento de que é possível impedir a graça divina de cumprir seu propósito?

---
[2] STRONG, New Strong's Exhaustive Concordance of the Bible.

Observe que o apóstolo não fala de gente que não recebeu a graça; ele fala da possibilidade de, mesmo recebendo a graça divina, acabar não deixando que ela cumpra seu propósito. Caso não haja interação entre o homem e Deus, por que seria dito que somos "cooperadores de Deus"?

Em sua primeira epístola aos Coríntios, Paulo declarou: "E a sua graça, que me foi concedida, *não se tornou vã*. Pelo contrário, trabalhei muito mais do que todos eles; todavia, não eu, mas a graça de Deus comigo" (1Coríntios 15.10, ARA). Por que o apóstolo, ao falar da graça divina, empregaria o termo "não se tornou vã"? Se ela não pudesse ser anulada, qual é a razão de tocar nesse assunto repetidamente?

Escrevendo aos gálatas, Paulo mostrou que a atitude errada deles, de querer regredir à Lei de Moisés, os faria anular a graça — algo que ele mesmo não faria: "Não anulo a graça de Deus" (Gálatas 2.21). Se a graça não pudesse sofrer anulação, qual seria o propósito dessa declaração? Sem contar que, adiante, na mesma epístola, o apóstolo diz explicitamente: "Vocês, que procuram ser justificados pela Lei, separaram-se de Cristo; *caíram da graça*" (Gálatas 5.4). Se é impossível que alguém caia da graça (notemos que não foi dito que Deus os jogou fora dela), tal definição não seria contraditória? Se é verdade que alguém pode, por si mesmo, *sair* da graça, como, então, deduzimos ser possível *entrar* nela sem a interação do homem com Deus?

É impossível atentar para o ensino bíblico da santificação e ignorar a necessidade de interação humana com a graça divina, bem como a nossa capacidade de impedi-la de cumprir seu propósito em nós. Vejamos mais uma porção das Escrituras:

> Segui a paz com todos e a **santificação**, sem a qual ninguém verá o Senhor, atentando, diligentemente, por que ninguém seja faltoso, **separando-se da graça de Deus** [...](Hebreus 12.14,15, ARA).

A Tradução Brasileira registra "para que a ninguém falte a graça de Deus". A Nova Versão Internacional optou por "que ninguém se exclua da graça de Deus". A Nova Versão Transformadora, "que nenhum de vocês deixe de experimentar a graça de Deus". Boa parte das traduções inglesas foca os termos "cair" ou "falhar".

A interação com a graça

Falando do novo nascimento, John Wesley, que nadou contra a correnteza doutrinária de muitos predeterministas em seus dias, e de uma longa tradição de ensino contrário ao comprometimento da graça na nossa vida, afirmou: "São também salvos do temor, embora *não da possibilidade de caírem da graça de Deus* e privarem-se das grandes e preciosas promessas".[3] Caso alguém acuse Wesley de mudar uma tradição de muitos séculos, saio em defesa do fundador do metodismo e questiono quem deu o direito, a quem quer que seja, de mudar não a tradição, mas a clara apresentação das Sagradas Escrituras que predominavam desde os tempos dos apóstolos?

Se não é possível separar-se da graça, então por que aconselhar os irmãos a atentar diligentemente para que isso não ocorra? No final do mesmo capítulo, o escritor volta a tratar da responsabilidade de cooperação:

> Por isso, recebendo nós um reino inabalável, **retenhamos a graça**, pela qual sirvamos a Deus de modo agradável, com reverência e santo temor (Hebreus 12.28, ARA).

O que é a ordem de *reter* a graça, senão a demonstração de que é possível comprometê-la? Ou por que seríamos ordenados a reter aquilo que não se pode perder?

Vale retomar aqui que muito do ensino acerca da graça tem como foco uma manifestação divina na qual não há ação humana. Se tal fosse verdadeiro, por que seríamos encorajados a nos *aproximar* do trono da graça, para, então — somente então — ser socorridos por aquele que nele se assenta? Se a graça é unilateralmente divina, ninguém precisaria se aproximar; a graça é que deveria nos procurar! Se ela fosse irresistível, como seria possível me *separar* dela? Ou mesmo *cair* da graça? Por que haveria a instrução de *reter* o que não precisa ser retido? O fato é que o trono da graça aguarda a devida interação e cooperação humanas. Sem isso, a provisão divina para vencer não será desfrutada.

Discorremos sobre a fé ser a porta de entrada na graça (Romanos 5.2), mas, no tocante a isso, outra consideração necessária sobre a possibilidade

---

[3] Burtner; Chiles, **Coletânea da teologia de João Wesley**, p. 133.

de comprometer a manifestação da graça divina é que, se a esta se usufrui por fé e a fé pode ser perdida (Colossenses 1.23; 1Timóteo 1.19), por que deduzir o contrário da graça? O propósito de tantas e recorrentes advertências sobre não comprometer a ação da graça divina não tem o propósito de nos desanimar; pelo contrário, ao mostrar o valor da graça, bem como a necessidade de protegê-la, a Bíblia nos deixa em uma posição privilegiada de poder honrar a obra divina e cooperar com Deus. Portanto, conclui-se que a graça, como força capacitadora para vencer a tentação e o pecado, deve ser tanto compreendida quanto buscada.

OUTROS NÍVEIS DE INTERAÇÃO

A ideia de cooperação do homem com Deus pode ser constatada em vários aspectos da vida cristã e, para corroborar o conceito, trazemos outro exemplo: a interação humana com Deus por meio da obra do Espírito Santo.

Antes mencionamos que o arrependimento é uma manifestação da bondade de Deus para com os homens (Romanos 2.4). No entanto, convém entender como essa oferta divina é estendida à humanidade. Como? Por meio da ação do Espírito de Deus. Cristo, ao ensinar sobre a vinda desse bendito Ajudador, previu a seus discípulos: "Quando ele vier, convencerá o mundo do pecado" (João 16.8). Logo, é indiscutível o papel que ele tem de conduzir o pecador ao convencimento de sua condição. Contudo, é importante questionar, tem o Espírito Santo uma ação irresistível no íntimo do homem? A resposta é não. Estêvão, pregando antes de ser executado, afirmou a seus ouvintes: "sempre *resistem* ao Espírito Santo" (Atos 7.51). Reparemos que as Escrituras também se referem ao Espírito Santo como o *Espírito da graça* (Hebreus 10.29); portanto, se é possível resistir ao próprio Espírito da graça, também é possível resistir à graça que ele expressa. Além disso, a Bíblia aborda a possibilidade de resistir ao Espírito de Deus em diversos textos!

Observemos o protesto divino, anterior ao dilúvio, quando o próprio Deus declarou: "Por causa da perversidade do homem, meu Espírito não [permanecerá nele] para sempre" (Gênesis 6.3, nota da NVI). Foi nesse mesmo momento que, além de determinar o juízo do dilúvio sobre toda a humanidade, o Senhor também diminuiu a duração da vida do homem (que até então chegava a quase mil anos de idade): "ele só viverá cento e vinte anos". Qual é o motivo dado para

A interação com a graça

um tempo menor de vida? Tratava-se justamente da não correspondência do homem com a obra do Espírito Santo. Aliás, tal juízo só foi decretado nos dias de Noé após a recusa ao arrependimento, dado este que não é mera dedução lógica, mas parte do registro neotestamentário (1Pedro 3.20).

Paulo, escrevendo aos tessalonicenses, adverte: "Não apaguem o Espírito" (1Tessalonicenses 5.19). Qual é o significado da exortação apostólica? A palavra grega, utilizada nos manuscritos, é *sbennumi* (σβεννυμι), cujo significado é "extinguir, apagar, ser apagado, apagar". Está relacionado com o "fogo ou coisas no fogo" e, em sentido metafórico, significa "sufocar, suprimir, abafar".[4] Diante disso, questionamos se é possível extinguir o Espírito Santo, no sentido de sua existência? É inequívoco que não. Logo, conclui-se que o termo "apagar" é aplicado quanto à *influência divina*. Embora o homem não possa extinguir a existência da pessoa do Espírito Santo, pode, com toda a certeza, "apagar sua ação" ao não corresponder a ele. A obra do Espírito, semelhante à do fogo, precisa ser alimentada para que não se extinga. Esse combustível nada mais é do que a interação humana.

Consideremos essa mesma verdade de outro prisma. Falando sobre a limitação humana e o auxílio divino, Paulo aponta aos santos de Roma uma peculiaridade da obra do Espírito Santo:

> Da mesma forma o Espírito nos **ajuda** em nossa fraqueza, pois não sabemos como orar, mas o próprio Espírito intercede por nós com gemidos inexprimíveis (Romanos 8.26, "assiste", ARA).

A palavra traduzida por "ajuda" ou "assiste", no grego, é *sunantilambanomai* (συναντιλαμβανομαι), cujo significado, de acordo com James Strong, é "trabalhar junto com, lutar para obter algo juntamente com, ajudar a obter, trabalhar lado a lado com alguém".[5] O dr. T. J. McCrossan, famoso professor de grego, comentou a palavra traduzida por "assiste", em seu livro *Bodily Healing and the Atonement* [A cura do corpo e a expiação]: "[...] observe bem a palavra traduzida por 'assiste' (*sunantilambanomai*),

---

[4] STRONG, **New Strong's Exhaustive Concordance of the Bible**.
[5] Ibidem.

que vem de *sun*, 'junto com'; *anti*, 'contra'; e *lambano*, 'eu tomo o controle de'. Essa palavra, portanto, significa 'responsabilizar-se contra juntamente com' ".[6] Alguns também apontam a ideia da palavra *lambano* com o significado de "agarrar, pegar firme". O *Dicionário Vine* define o significado dessa palavra como "agarrar no lado para ajudar".[7] Tal expressão cabe bem na hipótese de alguém que auxilia outro a carregar algo pesado, por exemplo, um piano. É literalmente "pegar a outra ponta do peso", o que reflete, na verdade, um trabalho em sociedade. Descreve o tipo de ajuda que é feito em parceria, não em caráter de substituição. Ou seja, o conceito aponta, mais uma vez, para uma interação entre Deus e o homem. O Espírito Santo não fará nada sozinho, em nosso lugar, tampouco poderemos lidar com as fraquezas sozinhos, sem a ajuda dele. Isso é cooperação; é sinergismo — não monergismo.

Se discutirmos especificamente, dentro da obra do Espírito, a questão dos dons espirituais, novamente constataremos a presença da interação entre Deus e a humanidade. Se, por um lado, as Escrituras atestam que o Espírito Santo é quem distribui seus dons "como quer" (1Coríntios 12.11), por outro lado, também somos desafiados, da nossa parte, a buscar os melhores dons (1Coríntios 12.31).

Paulo adverte o discípulo Timóteo com palavras que evidenciam a responsabilidade humana no exercício dos dons: "Não negligencie o dom que foi dado a você" (1Timóteo 4.14). A palavra traduzida por "dom" nesse texto é a mesma usada na primeira epístola aos Coríntios; e o contexto, como se pressupõe, está relacionado com os dons espirituais, porque o apóstolo fala de uma transferência que se deu por profecia e imposição de mãos. A manifestação é de quem? Do Espírito Santo. Então, por que Paulo fala a Timóteo para que não seja negligente? Porque a manifestação do Espírito é, em essência, uma interação entre o homem e Deus. A inspiração é divina; a execução é humana. Por isso, a definição de profecia, dada pelo apóstolo, é de alguém "que fala pelo Espírito de Deus" (1Coríntios 12.3). Quem fala? A pessoa. De quem procede aquilo que é falado? Do Espírito Santo.

---

[6] Apud HAGIN, Kenneth. **A arte da oração**. Campina Grande: Rhema Brasil, 2018. p. 80.
[7] VINE et al., **Dicionário Vine**, p. 383.

A interação com a graça

Uma nova exortação do apóstolo a seu filho na fé, dessa vez na segunda carta de Paulo a Timóteo, confirma as evidências de interação já apresentadas: "te admoesto que reavives o dom de Deus que há em ti" (2Timóteo 1.6, ARA). Mais uma vez, a palavra "dom" é a mesma usada para "dons espirituais", e o contexto do recebimento do dom por imposição de mãos se repete. A palavra "reavives", em outras versões bíblicas, foi traduzida por "desperte" ou "manter viva a chama". O que isso nos diz? Que, se um dom espiritual vem a minguar, a responsabilidade não é divina, mas, sim, humana. Paulo não disse a Timóteo que pedisse a Deus que o dom fosse reavivado; ele responsabilizou Timóteo para que ele mesmo o fizesse!

A mesma lição da interação do homem com o Espírito Santo pode ser vista na figura que nos é apresentada na visão que o profeta Ezequiel recebeu de Deus:

> O homem levou-me de volta à entrada do templo, e vi água saindo de debaixo da soleira do templo e indo para o leste, pois o templo estava voltado para o oriente. **A água descia de debaixo do lado sul do templo,** ao sul do altar. Ele então me levou para fora, pela porta norte, e conduziu-me pelo lado de fora até a porta externa que dá para o leste, **e a água fluía do lado sul**. O homem foi para o lado leste com uma linha de medir na mão e, enquanto ia, mediu quinhentos metros e levou-me pela água, que batia no **tornozelo**. Ele mediu mais quinhentos metros e levou-me pela água, que chegava ao **joelho**. Mediu mais quinhentos e levou-me pela água, que batia na **cintura**. Mediu mais quinhentos, mas agora **era um rio que eu não conseguia atravessar**, porque a água **havia aumentado** e era tão profunda que **só se podia atravessar a nado**; era um rio que não se podia atravessar andando (Ezequiel 47.1-5).

Primeiro, temos que reconhecer que esse rio emana do próprio Deus; ele faz coisas que só Deus poderia fazer: por onde passa, tudo volta a viver, incluindo o mar Morto, cujas águas ficarão saudáveis e produzirão toda sorte de enxames de peixes (Ezequiel 47.8,9). No simbolismo do próprio livro, o rio fala da restauração de Israel e do novo tempo que viria sobre eles;

isso também aponta para o fato de que o rio representa a ação e o mover de Deus em favor de seu povo.

O livro de Salmos nos revela que "Há um rio cujos canais alegram a cidade de Deus, o Santo Lugar onde habita o Altíssimo" (46.4). Esse rio nunca esteve no santuário, de forma literal, mas é simbólico e fala da ação do Espírito Santo no lugar da manifestação da presença de Deus.

Outra coisa a ser observada é que, no texto de Ezequiel, vemos que o rio sai do templo, mas, na analogia com esse texto, em Apocalipse, o apóstolo João declara: "Então o anjo me mostrou *o rio da água da vida que, claro como cristal, fluía do trono de Deus* e do Cordeiro" (Apocalipse 22.1). Sabemos que se trata de uma alusão ao texto de Ezequiel, porque João continua: "[...] no meio da rua principal da cidade. De cada lado do rio estava a árvore da vida, que frutifica doze vezes por ano, uma por mês. As folhas da árvore servem para a cura das nações" (v. 2). Ezequiel, por sua vez, registrou árvores à margem do rio: "Seus frutos servirão de comida; suas folhas, de remédio" (47.12).

Na visão, não é o rio que faz qualquer movimento em direção ao profeta. O profeta é que tem de entrar no rio. Há muitos cristãos esperando um avivamento ilusório, que não chegará. Sonham com o dia em que haverá uma espécie de "enchente espiritual" por meio da qual o rio inundará a vida de cada um; contudo, deveriam entender que "o rio é que está aguardando" que eles tomem a decisão de entrar nas águas.

Outro fato que se percebe quanto ao rio de Deus é que, quanto mais se entra nele, mais fundo fica. O que aprendemos disso? Se quem conduzia o profeta não permitiu que aquela medição parasse nos primeiros três estágios (águas no tornozelo, no joelho e na cintura), é porque não era o momento de parar. Se a medição não prosseguiu até que se atravessasse o rio, é porque este também não era o propósito. Até onde foi a medição? Até as águas profundas. Por quê? Porque este é o nosso alvo, o nosso destino.

Enquanto estamos com as águas no tornozelo, no joelho ou mesmo na cintura, e ainda tocamos o fundo do rio, estamos no controle e decidimos em que direção caminhamos. No entanto, quando chegamos às águas profundas, e já não dá mais pé, aí é que o rio passa a estar no controle e nos conduz. É necessário entender essa dinâmica de interação com o Espírito Santo. Ser "cheio do Espírito", terminologia bíblica conhecida, não quer dizer *ter mais dele do que tínhamos*, até porque, como está escrito, "porque ele dá o Espírito sem limitações" (João 3.34). Ser cheio do Espírito significa que *ele tem mais de nós do que tinha*. O termo "cheio" não foi usado para se referir meramente à medida, mas a algo plenamente preenchido, tomado por completo. Portanto, quanto mais nos rendemos ao Espírito Santo, quanto mais fundo entramos no rio, quanto mais *controle* cedemos, maior é o domínio dele e sua influência sobre a nossa vida!

Podemos perceber vários aspectos da inquestionável interação entre os homens e o Espírito de Deus nesse exemplo bíblico. Contudo, ainda há mais a ser considerado.

O que dizer das nossas atitudes contrárias ao Espírito Santo?

Ainda que não foquemos as questões mais graves, como a blasfêmia contra o Espírito (Mateus 12.31) e o insulto ou ultraje ao Espírito da graça (Hebreus 10.29) — ambas menções de pecados sem perdão —, ainda temos que lidar com a real possibilidade de entristecer o Espírito Santo (Efésios 4.30).

Esta é uma questão tratada nas Escrituras e de responsabilidade humana; contudo, a consequência dos nossos atos afetará a ação divina na nossa vida. A exemplo disso, averiguamos que os israelitas, na antiga aliança, "se revoltaram e entristeceram o seu Espírito Santo. Por isso ele se tornou inimigo deles e lutou pessoalmente contra eles" (Isaías 63.10). Tiago também nos adverte da possibilidade de deixarmos o Espírito Santo enciumado em virtude de uma amizade cultivada com o mundo, o que representa inimizade com Deus (Tiago 4.4,5); novamente, a ação humana provoca uma reação divina. A consequência não depende de Deus, que estabeleceu o princípio, mas do homem, quando escolhe ou não obedecer ao princípio divino.

O propósito aqui não é mudar o assunto da graça para *pneumatologia*, a doutrina do Espírito Santo, mas destacar que, não importa se falamos de salvação, graça, fé ou obra do Espírito Santo, o elemento comum, nas Escrituras, quando tratamos de qualquer um desses assuntos, é a interação entre o homem e Deus.

É POSSÍVEL EXPERIMENTAR MAIS GRAÇA?

Por que Paulo começa e termina suas epístolas desejando graça aos santos? Seria apenas para demonstrar que se trata de mera decisão divina, unilateral, ou para lembrar que precisamos dela e, assim, produzir algum tipo de resposta em nós?

Parece-nos bem evidente qual é a razão. Basta conectar isso com o restante do ensino bíblico sobre a graça que encontramos nas Escrituras. O apóstolo Pedro declarou: "[...] eu escrevi resumidamente, encorajando-os e testemunhando que esta é a verdadeira graça de Deus. *Mantenham-se firmes na graça de Deus*" (1Pedro 5.12). Se a ação da graça fosse um ato unilateral da parte de Deus, por que exortar os irmãos a ficarem *firmes* na graça? A própria exortação não sugere que a firmeza pode ser comprometida?

Paulo também fez semelhante afirmação a Timóteo: "Portanto, você, meu filho, fortifique-se na graça que há em Cristo Jesus" (2Timóteo 2.1). Se o fortalecimento na graça dependesse única e exclusivamente de Deus, qual seria o propósito de tal declaração? Por que o imperativo seria dirigido ao homem? É fato que se pode crescer na graça, como registrado no Evangelho de Lucas: "Jesus ia crescendo em sabedoria, estatura e graça diante de Deus e dos homens" (Lucas 2.52). Se assim não fosse, por que Pedro também teria escrito: "Cresçam, porém, na graça e no conhecimento de nosso Senhor e Salvador Jesus Cristo" (2Pedro 3.18)?

Todas essas ações — ativas, positivas — mostram que o homem é responsabilizado por Deus tanto para entrar na graça como para crescer nela. Da mesma forma, é fundamental entender, como já vimos, que é possível *sabotar* a ação da graça divina. Não que o Senhor interrompa, por sua parte, o fluxo da graça; antes, sem dúvida, somos nós que podemos comprometer o processo e a nossa parte nessa interação. Por essa razão, também há exortações que nos previnem quanto ao comportamento passivo e negativo de não interagir corretamente com a graça.

Vimos que a Palavra de Deus revela ser possível crescer na graça. No entanto, é importante questionar como podemos experimentar isso. Paulo também falou acerca desse crescimento:

> Porque todas as coisas existem por amor de vós, para que **a graça**, **multiplicando-se**, torne abundantes as ações de graças **por meio de muitos**, para glória de Deus (2Coríntios 4.15, ARA).

A palavra traduzida por "multiplicando-se" é *pleonazo* (πλεοναζω), que significa: "superabundar, existir em abundância, crescer, ser aumentado, fazer crescer". Algumas versões modernas, as chamadas traduções por equivalência dinâmica, não pela literalidade, *interpretam* essa palavra como se indicasse mais pessoas sendo salvas ("Tudo isso é para o bem de vocês, para que a graça, **que está alcançando um número cada vez maior de pessoas**, faça que transbordem as ações de graças para a glória de Deus", NVI). Eu não ousaria eliminar essa possibilidade; contudo, sem prestar a devida atenção nos demais textos bíblicos que tratam do crescimento da graça, podemos deduzir que o único crescimento possível seja o de pessoas alcançadas por ela, não o aumento da própria graça. A verdade é que os demais textos apontam na direção que estamos abordando: é possível crescer na graça.

Quando o apóstolo João escreveu que "Todos recebemos da sua plenitude, *graça sobre graça*" (João 1.16), referia-se à *progressividade* da graça, assim como Paulo, ao usar a expressão "a justiça de Deus se revela no evangelho, *de fé em fé*" (Romanos 1.17, ARA), referia-se à progressividade da fé. O conceito do crescimento da graça também é visto na afirmação de João.

Se não fosse possível ter mais da graça divina, o que significaria, então, esse crescimento? Se respondermos o que significa a graça ter mais de nós, então, no mínimo, chegaremos à conclusão de que não estamos interagindo com ela como deveríamos. Contudo, se entendermos, como afirmamos, que a graça não somente age, como também reage (à nossa fé e atitudes), então poderemos nos fortalecer voluntariamente nessa graça — como Paulo orientou Timóteo (2Timóteo 2.1).

Eu diria ainda que, assim como em Martinho Lutero a antiga verdade da justificação pela fé foi resgatada, semelhantemente, em John Wesley, o entendimento correto da interação com a graça de Deus foi restituído à igreja. Esse gigante da fé afirmou: "Desde o momento em que somos justificados, pode haver uma santificação gradual, um crescimento na graça, um avanço diário no conhecimento e no amor de Deus".[8]

A verdade é que, quanto mais insuficientes nos vemos e quanto mais dependemos de Deus, mais graça poderá ser experimentada. Quanto menos

---

[8] BURTNER; CHILES, **Coletânea da teologia de João Wesley**, p. 174.

soberba e mais humildade, mais expostos estaremos ao fluxo da graça divina. Quanto maior a fé em Cristo, mais profundamente adentraremos os "terrenos da graça". Quanto mais nos aproximamos do trono da graça, mais socorro e misericórdia poderão ser experimentados. Se graça é capacitação divina, até mesmo para o ministério, é possível ir além daquilo que já alcançamos? Creio que sim, porque, além do conceito recorrente de progressividade na vida em Deus, podemos crescer na graça capacitadora em todas as áreas. Por mais paradoxal que soe, devemos nos esforçar para crescer na graça. Russell Shedd atesta:

> Pelo fato de sermos seres inteligentes, criados à imagem de Deus, capazes de decidir e agir com volição própria, concluímos que tanto a apatia morta como a ação independente não nos conduzem à santidade. Os dois trilhos nos quais o trem da glória caminha devem ser: 1) Dependência da graça de Deus, acompanhada por confiança no seu soberano poder, e 2) submissão à sua orientação. Toda altivez, rebeldia e autoconfiança são incompatíveis com a graça de nosso Senhor. Mas a inércia, sem interesse ou ação, também não vence a corrida para a santidade.[9]

Concluo com as palavras de Dallas Willard: "Devemos parar de usar o fato de não podermos merecer graça (quer para justificação quer para santificação) como desculpa para não nos envolvermos energicamente na busca por receber graça. Uma vez que fomos encontrados por Deus, passamos a buscar uma vida cada vez mais plena nele. Graça é o oposto de mérito, e não de esforço".[10]

---

[9] Shedd, **Lei, graça e santificação**, p. 104.
[10] Willard, **A grande omissão**, p. 38.

A interação com a graça

SINOPSE DO CAPÍTULO EM TÓPICOS

1. A salvação divina é uma expressão da graça, que, por sua vez, é um favor imerecido. Portanto, não há nada que possamos fazer para merecer a graça. Entretanto, isso não significa que não haja responsabilidade humana no processo.

2. O homem, sem a graça, nada pode fazer em relação à sua salvação. Por outro lado, a graça divina também não opera sozinha, sem a cooperação humana. Portanto, trata-se de interação.

3. Se, por um lado, a graça se manifestou salvadora, o que revela a parte de Deus no processo, por outro, o homem precisa se arrepender e crer para ser salvo, pois é pela fé que ele tem acesso à graça. A mesma Bíblia que diz que a salvação procede de Deus também aplica ao homem o imperativo "Salvem-se".

4. Não se pode dicotomizar o assunto da responsabilidade de aproximação do homem a Deus, transferindo-a a apenas uma das partes: ou à deidade, ou à humanidade. A chave para essa compreensão está em entendermos a interação necessária entre as duas partes.

5. A afirmação do Messias "Vocês não me escolheram, mas eu os escolhi" (João 15.16) deve ser vista pela perspectiva da *iniciativa*, de quem faz o primeiro movimento, não da eliminação da responsabilidade humana. Isso aponta para o conceito de graça preveniente.

6. Se, como sustentam as Sagradas Escrituras, Deus resiste ao soberbo e dá graça aos humildes, então presume-se que alguns recebem "graça maior" porque interagem devidamente com ela. Por outro lado, há aqueles que, com a atitude de orgulho, vedam o fluxo divino da graça e, desse modo, se excluem daquilo que o Eterno disponibiliza a todos.

7. As Escrituras falam sobre permanecer na graça (Atos 13.43), manter-se firme (1Pedro 5.12), não anulá-la (Gálatas 2.21), não cair dela (Gálatas 5.4), não recebê-la em vão (2Coríntios 6.1), aproximar-se dela (Hebreus 4.16), não separar-se dela (Hebreus 12.15), retê-la (Hebreus 12.28),

fortificar-se nela (2Timóteo 2.1) e, ainda, crescer na graça (2Pedro 3.18). Tudo isso aponta para a responsabilidade humana de interação com a graça de Deus. Não se trata de uma ação divina unilateral.

8. O Espírito Santo não produz uma ação irresistível no homem, pois a Bíblia fala daqueles que "sempre *resistem* ao Espírito Santo" (Atos 7.51). As Escrituras também se referem ao Espírito Santo como o *Espírito da graça* (Hebreus 10.29); portanto, se é possível resistir ao próprio Espírito da graça, também é possível resistir à graça que ele expressa.

9. O Espírito Santo não fará nada sozinho. Em nosso lugar, tampouco, poderemos lidar com as fraquezas sozinhos, sem a ajuda dele. Isso é cooperação; é sinergismo — não monergismo.

PERGUNTAS PARA REFLEXÃO

1. Qual a importância, em termos práticos, de compreender a responsabilidade humana de interagir com a graça?

2. A Escritura afirma que "sem fé é impossível agradar a Deus" (Hebreus 11.6). Se só pudesse crer aquele a quem Deus assim determinasse que cresse (o que significaria admitir também que aquele que não pode crer teria sido divinamente vetado da possibilidade de crer), como a questão de *agradar a Deus* poderia ser discutida?

3. O mesmo evangelho que registrou as palavras: "Ninguém pode vir a mim se o Pai, que me enviou, não o atrair" (João 6.44), primeiramente assinalou: "Vocês não querem vir a mim para terem vida" (João 5.40). Qual é a solução? Abrir uma disputa entre as afirmações ou entender que elas se somam, revelando aspectos distintos — e complementares — de uma mesma verdade?

4. A Bíblia assevera que "Deus se opõe aos orgulhosos, mas concede graça aos humildes" (Tiago 4.6). Se o fluxo da graça de Deus independe da participação do homem, qual é a razão de se fazer essa notória distinção entre o soberbo e o humilde?

5. O que é a ordem de *reter* a graça, senão a demonstração de que é possível comprometê-la? Ou por que seríamos ordenados a reter aquilo que não se pode perder?

6. O que significa a ordenança bíblica de não apagar o Espírito (1 Tessalonicenses 5.19)?

7. Por que Paulo começa e termina suas epístolas desejando graça aos santos? Seria apenas para demonstrar que se trata de mera decisão divina, unilateral, ou para lembrar que precisamos dela e, assim, produzir algum tipo de resposta em nós?

CAPÍTULO 14

LIBERDADE RESPONSÁVEL

Agrada mais a Deus, a imolação que fazemos da nossa
vontade, sujeitando-a à obediência, do que todos
os outros sacrifícios que possamos lhe oferecer.

Agostinho de Hipona

Quando Lissa, a minha filha, era adolescente, chamei-a para uma conversa bem paternal. Na ocasião, eu disse que, como eu havia feito com seu irmão mais velho, agora faria também com ela; expliquei que, por causa do evidente amadurecimento dela, não havia mais necessidade de tratá-la como criança e também lhe assegurei que, daquele dia em diante, eu retiraria várias proibições e restrições próprias de seu tempo de infância. Essa conversa se repetiu quando chegou o tempo de a Lissa estudar fora do país. Na ocasião, fiz a mesma coisa: removi determinadas restrições e dei a ela uma liberdade ainda maior de decisão. Nas duas ocasiões, com alguns anos de intervalo, a minha caçula repetiu a mesma frase: "Não sei o que faço com tanta liberdade". Eu e a minha esposa rimos e, ao mesmo tempo, apreciamos a atitude dela. Qual foi a razão, como pais, da nossa satisfação com a postura dela? A constatação de que, ao descobrir que nós oferecíamos uma dimensão maior de liberdade, a nossa filha demonstrava que possuía responsabilidade — não se tratava de medo nem de hesitação — para usufruir a liberdade que lhe era concedida.

O nosso Pai celestial também nos concedeu, em Cristo Jesus, liberdade. Contudo, ele espera igualmente que exerçamos liberdade com responsabilidade. Isto se evidencia pelo fato de que as Escrituras revelam, por um lado, que Cristo veio nos trazer liberdade e que, por outro lado, devemos exercer essa liberdade de forma responsável.

Temos constatado que o verdadeiro conceito bíblico de liberdade tem sido, por parte de muitas pessoas, incompreendido. Cremos que há praticamente dois extremos em que tais cristãos demonstram essa falta de compreensão.

O primeiro extremo pode ser visto naqueles que não desfrutam a liberdade que Deus disponibilizou aos homens por *ignorância*. Desconhecem a obra de Cristo, que, em seu primeiro sermão público, chamou para si o cumprimento da profecia de Isaías: "Ele me enviou para proclamar liberdade aos presos e recuperação da vista aos cegos, para libertar os oprimidos" (Lucas 4.18). As expressões "proclamar liberdade" e "libertar" revelam claramente a natureza e o propósito da missão do Messias. Aliás, em referência a ele e à sua obra, Isaías também profetizou parte da razão de sua vinda: "para abrir os olhos dos cegos, para libertar da prisão os cativos e para livrar do calabouço os que habitam na escuridão" (Isaías 42.7). Contudo, vale destacar que, se Jesus afirmou que o conhecimento da verdade liberta (João 8.32), conclui-se, portanto, em contrapartida, que a ignorância da verdade escraviza e mantém cativo.

O segundo extremo não envolve diretamente a ignorância da liberdade que nos é oferecida. Até porque normalmente é praticado por pessoas que já experimentaram essa libertação divina. Eu diria que o caráter de ignorância desse erro é indireto, pois está mais relacionado a ignorar os *limites* ou à *manutenção* dessa liberdade. Os que incorrem nesse outro extremo acabam comprometendo a liberdade recebida. Sim, distorcer a liberdade bíblica tem feito muitos voltarem à prisão; Paulo declarou aos gálatas: "Foi para a liberdade que Cristo nos libertou. Portanto, permaneçam firmes e não se deixem submeter novamente a um jugo de escravidão" (Gálatas 5.1).

Liberdade responsável

Se não agirmos corretamente com a liberdade que recebemos, corremos o risco de anulá-la e, assim, retornar à escravidão anterior. Os gálatas cometeram esse erro *voltando à Lei* e, dessa forma, caíram da graça (Gálatas 5.4). No entanto, Pedro destaca que muitos retrocederam pela *volta ao pecado* de onde haviam sido libertos e, assim, tornaram seu último estado pior do que o primeiro:

> Se, **tendo escapado das contaminações do mundo** por meio do **conhecimento de nosso Senhor e Salvador Jesus Cristo**, encontram-se **novamente nelas enredados e por elas dominados**, estão em pior estado do que no princípio. Teria sido melhor que não tivessem conhecido o caminho da justiça do que, depois de o terem conhecido, **voltarem as costas para o santo mandamento** que lhes foi transmitido. Confirma-se neles que é verdadeiro o provérbio: "O cão volta ao seu vômito" e ainda: "A porca lavada volta a revolver-se na lama" (2Pedro 2.20-22).

O primeiro extremo — a ignorância — impede alguém de desfrutar, pela própria falta de conhecimento, a liberdade que Deus quer manifestar na vida dos homens. O segundo extremo é ainda pior que o primeiro porque faz que as pessoas, depois de provarem a liberdade em Jesus, abortem a libertação recebida, voltando, dessa forma, à escravidão da qual escaparam.

É necessário distinguirmos dois fatos que devem ser compreendidos, tanto de modo isolado como também complementares. Uma coisa é a libertação como ato e intervenção de Deus; outra é o que fazemos com essa liberdade, ou seja, a responsabilidade humana. Aqui faremos referência à combinação desses dois elementos como *liberdade responsável*. Assim, expressamos a liberdade que Deus ofereceu e a responsabilidade humana de fazer uso correto da liberdade que nos foi dada.

A LEI DA LIBERDADE

É importante destacar que a libertação, como ato divino, vem por meio da Palavra de Deus. É a pregação das Escrituras que ilumina os olhos do cego espiritual (João 9.39), que ativa a fé no coração (Romanos 10.17) e que nos conduz à vida eterna (João 5.24,39). Contudo, é igualmente relevante ressaltar que o exercício da liberdade responsável — que também pode ser classificado como *manutenção* da liberdade —, ou seja, a comissão que recai sobre os homens, também se dá por meio da Palavra de Deus. Portanto, podemos dizer que as Escrituras são tanto o meio de *obtenção* como de *preservação* da liberdade oferecida aos homens. Cremos ser esta a razão pela qual Tiago, inspirado pelo Espírito Santo, classifica a Palavra de Deus como "lei perfeita" e "lei que traz liberdade":

> Mas o homem que observa atentamente **a lei perfeita, que traz a liberdade**, e persevera na prática dessa lei, não esquecendo o que ouviu, mas praticando-o, será feliz naquilo que fizer (Tiago 1.25).

A Palavra de Deus é denominada como "lei que traz a liberdade" — também chamada de a "lei do Reino" (Tiago 2.8). Por quê? Porque tanto trouxe liberdade para a nossa vida como também é o meio pelo qual, ao andarmos nela, preservamos essa liberdade. Quando Tiago fala da lei da liberdade, enfatiza a *prática* da Palavra.

Entendemos que não fomos libertos do dever de cumprir a Lei divina, mas, sim, do pecado — para poder praticar essa Lei. Agora, pela graça, podemos viver de acordo com a Lei de Deus. Em contrapartida, não se pode negar que seremos julgados pela mesma lei que nos provê e mantém a liberdade recebida: "Falem e ajam como quem vai ser julgado pela lei da liberdade" (Tiago 2.12). Essa Lei não nos aprisionou; pelo contrário, libertou-nos do pecado. Entretanto, escolhemos nos tornar servos dela. Para vivermos plena e satisfatoriamente tal liberdade, é necessário entender corretamente o ensino bíblico sobre o assunto.

Queremos exemplificar isso. Recordo-me de uma ocasião em que eu ensinava Israel, o meu filho primogênito, sobre a liberdade que ele teria, a partir de então, de fazer escolhas e tomar decisões quanto à sua própria vida. Alertei o garoto que cada escolha feita o levaria a um destino diferente, mas, naquele caso, não necessariamente errado. Quando questionado sobre a escolha que ele faria, eu me surpreendi com a pergunta:

Liberdade responsável

— Pai, o que você quer que eu queira?

Tentei, mais uma vez, explicar que eu estava dando liberdade a ele para fazer suas próprias escolhas, e ele garantiu que havia entendido o que eu propunha. Entretanto, complementou seu raciocínio:

— O fato de você me dar liberdade de escolha, justamente porque me ama e quer ver o meu crescimento, não significa que eu não deva me preocupar em manter o meu amor, respeito e admiração por você como pai e como alguém mais experiente. Também não significa me tornar autossuficiente; quero escolher aquilo que você aprova, aquilo que lhe agrada.

Naquele momento, percebi que, semelhantemente, o Espírito Santo fazia arder no meu coração a convicção de que o fato de Deus nos ter concedido liberdade de escolha não significa uma emancipação da dependência a ele. A rebeldia e a autossuficiência afastaram o homem do Criador desde o início. No entanto, a sujeição a Deus e a dependência dele devem ser vividas intensamente por todos os cristãos. Devemos, portanto, distinguir certo nível de autonomia de independência. Isso é liberdade responsável. Infelizmente, porém, alguns têm se deixado levar pelo engano de uma graça distorcida e, dessa forma, optam por uma liberdade irresponsável. Charles Swindoll, referência na literatura cristã contemporânea, comenta esse tipo de comportamento:

> Torcer as Escrituras para que se acomodem aos nossos desejos não tem nada a ver com a graça. Tal racionalização é liberdade descuidada, liberdade sem limites, que nada mais é do que desobediência com outra roupa. Alguns podem vê-la como uma graça maravilhosa; chamo isso de graça abusiva. Aqueles que agem assim não apenas vivem confusos e se ferem, mas confundem e ferem outros. É disso que a segunda metade do capítulo 6 de Romanos trata: ser tão determinado a voar livre a ponto de abusar da própria liberdade que lhe foi concedida. É sábio pensar na graça como um privilégio a ser desfrutado e protegido, não como uma licença para agradar a nós mesmos.[1]

---

[1] Swindoll, **O despertar da graça**, p. 151.

QUEM NOS ESCRAVIZAVA?

Para entender a libertação que nos foi dada, em primeiro lugar precisamos entender quem nos escravizava. Tal compreensão é essencial para cultivarmos a liberdade alcançada. Portanto, o ponto de partida do entendimento correto da liberdade é a recorrente afirmação bíblica de que éramos *escravos do pecado*. Vimos que o problema central da humanidade começou com Adão, o cabeça da humanidade, quando ele foi vencido pelo pecado. O apóstolo Pedro afirmou: "o homem é escravo daquilo que o domina" (2Pedro 2.19). Logo, essa escravidão começou já na primeira geração dos homens e, como explicado, foi transmitida a toda a humanidade (Romanos 5.12). O Senhor Jesus falou acerca dessa escravidão do pecado aos judeus que creram nele:

> Disse Jesus aos judeus que haviam crido nele: "Se vocês permanecerem firmes na minha palavra, verdadeiramente serão meus discípulos. E conhecerão a verdade, e a verdade **os libertará**". Eles lhe responderam: "Somos descendentes de Abraão e **nunca fomos escravos** de ninguém. Como você pode dizer que **seremos livres**?" Jesus respondeu: "Digo a vocês a verdade: **Todo aquele que vive pecando é escravo do pecado**. O escravo não tem lugar permanente na família, mas o filho pertence a ela para sempre. Portanto, **se o Filho os libertar, vocês de fato serão livres** (João 8.31-36).

Vale realçar que a raiz do distúrbio pecaminoso era a *natureza* humana. Não se deve confundir o problema do pecado da humanidade como se se tratasse meramente de *ações* erradas. Os atos pecaminosos *originam-se* na natureza pecaminosa. Cristo afirmou: "Pois do interior do coração dos homens vêm os maus pensamentos, as imoralidades sexuais, os roubos, os homicídios, os adultérios, as cobiças, as maldades, o engano, a devassidão, a inveja, a calúnia, a arrogância e a insensatez. Todos esses males vêm de dentro e tornam o homem impuro" (Marcos 7.21-23).

Tanto o Antigo Testamento como o Novo Testamento especificam que o comportamento humano pecaminoso deriva-se da natureza pecaminosa.

O Altíssimo, por meio do profeta Jeremias, declarou: "Será que o etíope pode mudar a sua pele? Ou o leopardo as suas pintas? Assim também vocês são incapazes de fazer o bem, vocês, que estão acostumados a praticar o mal" (Jeremias 13.23). Os dois exemplos apresentados apontam para a imutabilidade da natureza, quer do homem quer dos animais. O ponto em questão é que, assim como era impossível ao povo etíope, de pele mais escura como a maioria dos povos africanos, mudar a cor da própria tez — semelhantemente, como era impossível ao leopardo remover as suas manchas —, também era igualmente impossível que o comportamento pecaminoso humano fosse alterado pelo poder ou pela capacidade humanos. Entretanto, uma mensagem profética foi oferecida: se, em algum momento, a mudança de natureza se tornasse possível, então a mudança de comportamento seria igualmente concebível. Tal realidade se cumpriria nos dias da nova aliança firmada por Cristo.

A questão da natureza pecaminosa também é destacada no Novo Testamento. Paulo escreveu aos crentes efésios:

> Ele vos deu vida, estando vós mortos nos vossos delitos e pecados, nos quais andastes outrora, segundo o curso deste mundo, segundo o príncipe da potestade do ar, do espírito que agora atua nos **filhos da desobediência**; entre os quais também todos nós andamos outrora, segundo as inclinações da nossa carne, fazendo a vontade da carne e dos pensamentos; **e éramos**, **por natureza**, filhos da ira, **como também os demais** (Efésios 2.1-3, ARA).

Os que ainda não nasceram de novo são chamados "filhos da desobediência", pois esta é a natureza adâmica, o legado de pecaminosidade transmitido pelo primeiro homem. Como a desobediência sempre tem consequências, pode-se afirmar inevitavelmente que a humanidade recebeu a classificação de "filhos da ira". Tanto uma quanto outra condição está vinculada à expressão "éramos, por natureza".

A questão da natureza pecaminosa, como ponto central e original de um comportamento não alinhado com os princípios do Criador, também pode ser vista em alguns exemplos em que as Sagradas Escrituras distinguem "pecado", no singular, de "pecados", no plural. Um exemplo é a proclamação de João Batista, acerca de Jesus, afirmando: "Vejam! É o Cordeiro de Deus, que tira o pecado do mundo!" (João 1.29). A população atual do globo terrestre gira em torno de 8 bilhões de pessoas. Mas o que dizer de todos os que já povoaram a face da terra ao longo dos anos? Se, além desse número incalculável de pessoas, levarmos em conta a quantidade de pecados praticada pelos seres humanos individualmente, a "multidão" de pecados é imensurável. Portanto, como que, diante de tal assombroso volume de pecados na humanidade, a Escritura fala de Jesus como aquele que tira "o pecado" do mundo? Isso me parecia, nas leituras bíblicas de quando eu ainda era garoto, um "erro de cálculo", até começar a perceber que a Bíblia distingue pecado, no singular — que retrata a natureza pecaminosa —, de pecados, no plural — que apontam para as práticas pecaminosas.

Outro exemplo pode ser constatado quando Paulo, ao mencionar Adão, disse: "da mesma forma como *o pecado entrou* no mundo por um homem" (Romanos 5.12). Aqui ele se referia ao pecado original que afetou a natureza humana. No entanto, ao escrever aos crentes efésios e referir-se a Cristo, o apóstolo afirmou: "Nele temos a redenção por meio de seu sangue, o perdão dos pecados, de acordo com as riquezas da graça de Deus" (Efésios 1.7); isso mostra que Jesus Cristo *também* veio tratar com as nossas ações pecaminosas, *não apenas* com a natureza adâmica. Ambos os aspectos são importantes e complementares.

Não queremos dizer com isso que, sempre que o termo "pecado" aparece no singular, trata-se de uma referência à natureza pecaminosa; no entanto, isso acontece com certa recorrência nas Escrituras. Paulo, escrevendo aos cristãos de Roma, fez várias declarações sobre o pecado apontando para a natureza pecaminosa: "Portanto, não permitam que o pecado continue dominando o corpo mortal de vocês, fazendo que obedeçam aos seus desejos" (Romanos 6.12) e "Pois o pecado não os dominará" (Romanos 6.14). Vimos que foi justamente por causa da natureza pecaminosa do homem que a Lei de Deus não podia ser obedecida; a Escritura afirma:

> Porque, aquilo que **a Lei fora incapaz de fazer** por **estar enfraquecida pela carne,** Deus o fez, enviando seu próprio Filho, à semelhança do homem pecador, como oferta pelo **pecado**. E assim condenou o pecado

na carne, a fim de que as justas exigências da Lei fossem plenamente satisfeitas em nós, que não vivemos segundo a carne, mas segundo o Espírito (Romanos 8.3,4).

Éramos escravos de uma natureza contrária à Lei divina. E era impossível ao homem, nessa condição, devotar plena obediência aos preceitos divinos. Por isso, a Bíblia esclarece que "mediante a Lei [...] nos tornamos plenamente conscientes do pecado" (Romanos 3.20) e que "A Lei foi introduzida para que a transgressão fosse ressaltada" (Romanos 5.20). Paulo, na epístola aos Romanos, atestou: "Pois, quando éramos controlados pela carne, as paixões pecaminosas despertadas pela Lei atuavam em nosso corpo" (7.5) e também afirmou: "Eu não saberia o que é pecado, a não ser por meio da Lei" (7.7). Na carta aos Gálatas, o apóstolo pontuou que "Assim, a Lei foi o nosso tutor até Cristo" (3.24).

Tais declarações nos ajudam a entender que, embora o ser humano não pudesse manifestar obediência à Lei de Deus por causa da natureza pecaminosa, o Criador decidiu usar essa inabilidade para provar a incapacidade humana de viver a sujeição plena ao Senhor e, dessa forma, comprovar quanto precisávamos de Jesus e de sua obra sacrificial. Deus seja louvado, Cristo veio nos libertar dessa escravidão:

> Houve tempo em que nós também éramos insensatos e **desobedientes**, vivíamos enganados e **escravizados por toda espécie de paixões e prazeres**. Vivíamos na maldade e na inveja, sendo detestáveis e odiando uns aos outros. Mas, quando, da parte de Deus, nosso Salvador, se manifestaram a bondade e o amor pelos homens, não por causa de atos de justiça por nós praticados, mas devido à sua misericórdia, **ele nos salvou pelo lavar regenerador e renovador do Espírito Santo**, que ele derramou sobre nós generosamente, por meio de Jesus Cristo, nosso Salvador. Ele o fez a fim de que, justificados por sua graça, nos tornemos seus herdeiros, tendo a esperança da vida eterna (Tito 3.3-7).

Mais uma vez, a Palavra de Deus indica que éramos escravos do pecado — o que fica subentendido na expressão "por toda espécie de paixões e prazeres". Se, por um lado, a definição bíblica comprova que "Todo aquele que pratica o pecado transgride a Lei" (1João 3.4), a Bíblia também sustenta, por outro lado, que o oposto da escravidão do pecado é a obediência a Deus: "Mas, graças a Deus, porque, embora vocês tenham sido escravos do pecado, passaram a *obedecer* de coração à forma de ensino que lhes foi transmitida" (Romanos 6.17). Portanto, a obra de Cristo não se limita a meramente perdoar-nos os pecados já praticados; ela vai muito além! A essência daquilo que Jesus realizou por nós é tratar com a natureza pecaminosa que antes nos escravizava. Este é o cerne da libertação provida por Deus.

COMO FUNCIONA A LIBERDADE QUE RECEBEMOS?

Por isso, nunca podemos confundir o fato de sermos livres *por* Cristo com sermos livres *de* Cristo. A pregação banal da graça tem levado muitos a acreditarem que a única função do favor divino é cobrir os pecados. Tal discurso sugere que a graça divina tem poder de nos libertar da *condenação* dos pecados cometidos, mas nega que ela tenha o poder de nos libertar do *poder* do pecado, das garras escravizadoras da natureza pecaminosa. Essa mensagem, conscientemente ou não, preserva o homem na mesma incapacidade de obediência da escravidão na qual vivia, quando era um ímpio qualquer.

Se a interpretação da revelação da graça de Deus, em Cristo (João 1.17), se limita apenas ao perdão dos pecados praticados, qual seria a diferença entre lei e graça? Na antiga aliança, já havia perdão de pecados; se a nova aliança veio apenas dar continuidade ao que já se experimentava anteriormente, qual é a razão de ser estabelecida? Por que se diria: "Agora, porém, o ministério que Jesus recebeu é *superior* ao deles, assim como também a aliança da qual ele é mediador é *superior* à antiga, sendo baseada em promessas superiores" (Hebreus 8.6)? Qual é a razão de classificar a nova aliança como superior? A resposta vem na revelação de ela ter sido baseada "em promessas *superiores*". A explicação é ampliada no versículo seguinte: "Pois, se aquela primeira aliança fosse perfeita, não seria necessário procurar lugar para outra" (Hebreus 8.7). Qual era o defeito da antiga aliança? Se nela já havia perdão para o homem pecador — como é o exemplo de Davi

(2Samuel 12.13) —, do que mais precisávamos? Justamente da libertação do cativeiro da natureza pecaminosa!

A graça bíblica, verdadeira, nos vincula a Cristo por meio da obediência e sujeição que antes não nos eram possíveis. A verdade é que ainda somos escravos. Obviamente, não estamos mais debaixo do antigo amo. A diferença é que agora trocamos de senhorio. Paulo falou desse paradoxo: "Pois aquele que, sendo escravo, foi chamado pelo Senhor, é liberto e pertence ao Senhor; semelhantemente, aquele que era livre quando foi chamado é escravo de Cristo" (1Coríntios 7.22). Isso mostra que o *escravo* (naturalmente falando) é *livre* (espiritualmente falando) e que, por outro lado, o *livre* (naturalmente falando) é *escravo* (espiritualmente falando). Ou seja, os escravos naturais foram libertos de sua prisão espiritual, ao passo que os naturalmente livres foram feitos escravos de Cristo. A Palavra de Deus esclarece que a fé que salva é aquela que nos leva a confessar Jesus como *Senhor* (Romanos 10.9,10). A palavra grega traduzida por "senhor" é *kurios* (κυριος), cujo significado é "aquele a quem uma pessoa ou coisa pertence, sobre o qual ele tem o poder de decisão; mestre, senhor; o que possui e dispõe de algo; proprietário".[2] Esta era a expressão utilizada por um escravo para referir-se a seu dono e define a natureza da nossa relação com Cristo.

A diferença é que, antes da conversão, não tínhamos condições, por nós mesmos, de escapar das garras do pecado; todos éramos escravos — ainda que o nível de resposta (ou falta dela) de cada um ao senso moral fosse distinto. Anteriormente, o nosso antigo amo nos mantinha cativos a seu domínio; por isso, esquivar-se de tal escravidão não estava ao alcance da nossa capacidade. Contudo, faz-se imperioso reconhecer que, após a conversão, a *escolha* de a quem nos sujeitamos passou a ser *nossa* responsabilidade:

> Pois o pecado não os dominará, porque vocês não estão debaixo da Lei, mas debaixo da graça. E então? Vamos pecar porque não estamos debaixo da Lei, mas debaixo da graça? De maneira nenhuma! Não sabem que, **quando vocês se oferecem a alguém para lhe obedecer como escravos, tornam-se escravos** daquele a quem obedecem: **escravos do**

---

[2] STRONG, **New Strong's Exhaustive Concordance of the Bible**.

pecado que leva à morte, ou **da obediência que leva à justiça**? Mas, graças a Deus, porque, embora vocês tenham sido **escravos do pecado**, passaram a obedecer de coração à forma de ensino que lhes foi transmitida. Vocês foram libertados do pecado e tornaram-se escravos da justiça. Falo isso em termos humanos, por causa das suas limitações humanas. Assim como vocês ofereceram os membros do seu corpo em escravidão à impureza e à maldade que leva à maldade, ofereçam-nos agora em escravidão à justiça que leva à santidade (Romanos 6.14-19).

Percebe-se que, ao longo do texto de Romanos 6 (não só dos versículos mencionados), o apóstolo emprega a palavra "escravos". Algumas traduções empregam "servos" e "escravos" no mesmo trecho. No entanto, a diversificação dessas palavras — que são sinônimas — é mera opção de estilo de texto dos tradutores. A verdade é que nos escritos originais, de onde se traduziu o texto bíblico, a mesma palavra grega é empregada o tempo todo; trata-se da palavra *doulos* (δουλος), cujo significado é "escravo, servo, atendente, homem de condição servil". Em sentido metafórico, aponta para "alguém que se rende à vontade de outro; aquele cujo serviço é aceito por Cristo para estender e avançar a sua causa entre os homens; dedicado ao próximo, mesmo em detrimento dos próprios interesses".[3] Portanto, o ser humano, mesmo após a conversão, ainda viverá debaixo da escravidão. A diferença entre o que se dava antes e depois da conversão é que *a possibilidade de escolher* a quem servimos só é viabilizada após o novo nascimento.

Conforme já constatamos em outro capítulo, a nova natureza nos empodera para vencer a velha, mas não a elimina. A confusão de alguns, ao deduzirem que, após a conversão, tudo já esteja pronto e realizado — sem que se requeira do homem interação alguma com a obra divina — tem origem em uma análise parcial das declarações bíblicas. Desde o início deste livro, temos insistido que a soma das declarações bíblicas é que determina a verdade. Diante disso, analisaremos dois textos que falam do mesmo assunto. Em um deles, tudo parece já estar resolvido; em outro, porém, vemos aquilo que devemos fazer (em comparação ao que já foi feito em Cristo).

---

[3] Strong, **New Strong's Exhaustive Concordance of the Bible**.

A ideia de que tudo já está feito em relação à escravidão do pecado (com a dedução lógica de que não há mais nada a ser feito) baseia-se em afirmações como esta: "Pois sabemos que o nosso velho homem foi crucificado com ele, para que o corpo do pecado seja destruído, e não mais sejamos escravos do pecado" (Romanos 6.6). Percebemos, nesse versículo, uma das conjugações verbais no pretérito, o que indica que a ação já foi realizada: "o nosso velho homem foi crucificado com ele". Entretanto, o mesmo escritor, movido pelo mesmo Espírito Santo que o inspirou na epístola aos Romanos, declara aos santos de Éfeso:

> Quanto à antiga maneira de viver, vocês foram ensinados **a despir-se do velho homem**, que se corrompe por desejos enganosos, a serem renovados no modo de pensar e a revestir-se do novo homem, criado para ser semelhante a Deus em justiça e em santidade provenientes da verdade (Efésios 4.22-24).

Sabemos que a Palavra de Deus não se contradiz. Logo, diante de *aparentes* contradições, encontramos, na verdade, desafios de interpretação. Se, por um lado, há versículos que falam de uma obra já feita, por outro, há versículos que tratam do mesmo assunto, embora indiquem que ainda devemos fazer algo a respeito. Isso não quer dizer que devemos escolher um lado, atribuindo-lhe o estado de "certo", e rejeitar o outro, atribuindo-lhe a classificação de "errado". Se assim fosse, a Bíblia seria um livro contraditório, e teríamos escolhas variadas a serem feitas diante de tais circunstâncias. Isso relativiza tanto a inspiração da Sagrada Escritura quanto sua aplicação. Portanto, conclui-se que, diante de aparentes contradições, temos aspectos que, embora distintos, também são complementares.

O texto que fala de algo já realizado aponta para o que Cristo fez por nós e é uma realidade no mundo espiritual. Trata-se de uma *provisão*. O que temos a fazer em relação ao que Cristo fez não é uma espécie de complemento ou aperfeiçoamento; trata-se, sim, de *apropriação*. Veja o que Paulo, no contexto de despir-se do velho homem, disse aos colossenses:

> Não mintam uns aos outros, visto que vocês já se despiram do velho homem com suas práticas e se revestiram do novo, o qual está sendo

renovado em conhecimento, à imagem do seu Criador (Colossenses 3.9,10).

Aqui o apóstolo volta a falar do velho homem já despido, assim como falou do velho homem crucificado (Romanos 6.6). A realidade do que Cristo já fez em nosso favor não pode, em absoluto, ser negada. Contudo, é preciso admitir que tal provisão não tem efeito automático na nossa vida. O que foi provido deve ser apropriado; esta é a razão pela qual Paulo declarou a Timóteo: "Tome posse da vida eterna, para a qual você foi chamado e fez a boa confissão na presença de muitas testemunhas" (1Timóteo 6.12). Ele não se dirigia a um descrente que ainda necessitava de conversão. O apóstolo falava a alguém que já havia feito confissão pública de sua fé. Isso indica que a apropriação do que Jesus fez por nós é um ato contínuo e progressivo.

Em razão disso, afirmo que a apropriação da provisão divina é ato contínuo, motivo este da afirmação de Paulo: "Porque no evangelho é revelada a justiça de Deus, uma justiça que do princípio ao fim é pela fé, como está escrito: 'O justo viverá pela fé' " (Romanos 1.17). O apóstolo interpreta a frase "o justo viverá pela fé" indicando tratar-se de algo mais do que um único ato inicial de fé. Paulo indica tanto continuidade quanto progressão ao usar a expressão "do princípio ao fim é pela fé". Essa fé, que também é expressa por meio de obras, como afirmou Tiago (Tiago 2.14-18), envolve um posicionamento de mudança comportamental que é fruto da escolha de sujeitar-se a Deus, não ao pecado. Falaremos mais acerca desse tema no capítulo sobre a santificação.

A FALSA LIBERDADE

A Bíblia condena o discurso de liberdade como desculpa para pecar. Paulo exortou os crentes da Galácia: "Irmãos, vocês foram chamados para a liberdade. Mas não usem a liberdade para dar ocasião à vontade da carne" (Gálatas 5.13). Pedro também fez admoestações acerca da mesma questão: "como livres que sois, não usando, todavia, a liberdade por pretexto da malícia" (1Pedro 2.16, ARA).

Atualmente, muitos cristãos têm confundido ser livre *por* Cristo com ser livre *de* Cristo. A transformação divina no homem vem sendo, em alguns

Liberdade responsável

círculos, em nome da graça, substituída por uma espécie de conformação com a escravidão do pecado. O trágico é que chamam isso de liberdade. Levam alguns cristãos desavisados a crerem que podem se imaginar livres mesmo que, na prática, ainda sejam escravos do pecado. Essa falsa liberdade é oferecida como desculpa para dar ocasião à vontade da carne e como pretexto da malícia. A verdade é que fomos libertos do pecado para obedecer à Lei divina; por isso, questionamos como foi possível confundir essa verdade a tal ponto de alguns deduzirem justamente o inverso, ou seja, que fomos libertos da Lei para poder pecar?

Isso sem mencionar aqueles que sustentam, para os outros, uma promessa enganosa de liberdade quando eles mesmos, contraditoriamente ao que proclamam, são escravos de práticas pecaminosas que tentam justificar, sob o pretexto de uma doutrina da graça e da liberdade descontextualizada da Palavra de Deus. Pedro falou acerca desse tipo de gente: "Porque, falando com arrogância palavras sem conteúdo, *enganam* com desejos libertinos de natureza carnal *aqueles que de fato estavam se afastando dos que vivem no erro*. Prometem-lhes a liberdade, quando eles mesmos são escravos da corrupção, pois aquele que é vencido fica escravo do vencedor" (2Pedro 2.18,19, NAA). As palavras "enganam" e "aqueles que de fato estavam se afastando dos que vivem no erro" evidenciam a natureza e o propósito malignos desse tipo de mensagem.

Além disso, podemos afirmar que as Escrituras igualmente condenam o discurso de liberdade como desculpa para induzir outros ao pecado. Observemos a instrução de Paulo aos santos de Corinto:

> Portanto, em relação ao alimento sacrificado aos ídolos, sabemos que o ídolo não significa nada no mundo e que só existe um Deus. Pois, mesmo que haja os chamados deuses, quer no céu, quer na terra (como de fato há muitos "deuses" e muitos "senhores"), para nós, porém, há um único Deus, o Pai, de quem vêm todas as coisas e para quem vivemos; e um só Senhor, Jesus Cristo, por meio de quem vieram todas as coisas e por meio de quem vivemos. Contudo, **nem todos têm esse conhecimento.** Alguns, ainda habituados com os ídolos, comem esse alimento como se fosse um sacrifício idólatra; **como a consciência deles é fraca, fica contaminada.** A comida, porém, não nos torna aceitáveis diante de Deus; não seremos

piores se não comermos, nem melhores se comermos. Contudo, **tenham cuidado para que o exercício da liberdade de vocês não se torne uma pedra de tropeço para os fracos**. Pois, se alguém que tem a consciência fraca vir você que tem esse conhecimento comer num templo de ídolos, não será induzido a comer do que foi sacrificado a ídolos? Assim, **esse irmão fraco, por quem Cristo morreu, é destruído por causa do conhecimento que você tem**. Quando **você peca contra seus irmãos dessa maneira, ferindo a consciência fraca deles, peca contra Cristo**. Portanto, se aquilo que eu como leva o meu irmão a pecar, nunca mais comerei carne, para não fazer meu irmão tropeçar (1Coríntios 8.4-13).

A abordagem do apóstolo é bem acurada. Ele atesta que, a despeito de haver ídolos chamados de "deuses", eles não são, de fato, deuses e, portanto, o ídolo nada é. Com tal raciocínio, Paulo deixa claro não ver problema algum em se comer de tudo — até mesmo a comida sacrificada a ídolos (como veremos na próxima transcrição bíblica), desde que a advertência a seguir seja observada: "Contudo, tenham cuidado para que o exercício da liberdade de vocês não se torne uma pedra de tropeço para os fracos" (1Coríntios 8.9). A Bíblia não diz, com isso, que a liberdade de uns acarreta problemas para outros. O foco está em exercer uma liberdade responsável, que não se transforme em desculpa para levar outros ao pecado.

O evangelho é algo que se vive não apenas de modo isolado, mas em contexto social. Justamente por isso, o apóstolo destaca que estava disposto a renunciar à liberdade que tinha, como indivíduo, de comer todas as coisas, para uma restrição imposta pela "lei do amor", evitando, assim, comer o que escandaliza um irmão por quem Cristo morreu. Em contraste ao ensino bíblico, vemos cristãos que querem advogar uma "liberdade da graça" para poderem fazer o que, em suas palavras, "a religião condena". Dessa forma, explicitamente contrária à orientação da Palavra de Deus, tais pessoas atropelam quem quer que seja que aparente ser inimigo da liberdade que eles pretendem desfrutar. O ponto principal aqui não é apenas deixar de fazer o que é errado, mas também evitar fazer o que é direito nosso para que um cristão, ainda fraco na fé por causa de sua ignorância das verdades bíblicas, não venha a tropeçar. O apóstolo elucida isso, na mesma epístola, ao falar do que é lícito, embora não seja conveniente:

Liberdade responsável

"Tudo é permitido", mas nem tudo convém. "Tudo é permitido", mas nem tudo edifica. **Ninguém deve buscar o seu próprio bem, mas sim o dos outros.** Comam de tudo o que se vende no mercado, sem fazer perguntas por causa da consciência, pois "do Senhor é a terra e tudo o que nela existe". Se algum descrente o convidar para uma refeição e você quiser ir, coma de tudo o que for apresentado, sem nada perguntar por causa da consciência. Mas, se alguém disser: "Isto foi oferecido em sacrifício", não coma, tanto por causa da pessoa que o comentou, como da consciência, isto é, da consciência do outro, não da sua própria. Pois por que minha liberdade deve ser julgada pela consciência dos outros? Se participo da refeição com ação de graças, por que sou condenado por algo pelo qual dou graças a Deus? Assim, quer vocês comam, quer bebam, quer façam qualquer outra coisa, façam tudo para a glória de Deus. Não se tornem motivo de tropeço, nem para judeus, nem para gregos, nem para a igreja de Deus. Também eu procuro agradar a todos, de todas as formas. Porque não estou procurando o meu próprio bem, mas o bem de muitos, para que sejam salvos (1Coríntios 10.23-33).

A "lei do amor" se resume nas palavras: "Ninguém deve buscar o seu próprio bem, mas sim o dos outros". A mesma instrução foi dada aos crentes filipenses: "Cada um cuide, não somente dos seus interesses, mas também dos interesses dos outros" (Filipenses 2.4). Isso apresenta, sem dúvida alguma, conexão entre a liberdade que temos e o uso responsável desta. Quando a alegada liberdade de alguém se torna desculpa para não se incomodar com o fato de que outros podem se escandalizar com aquilo, acaba por se revelar uma conduta irresponsável, egoísta, carnal e, portanto, pecaminosa.

Fico aborrecido com cristãos que, ao advogar seu direito à ingestão de bebidas alcoólicas em restaurantes e festas, se defendem que, caso alguém se escandalize, o problema não é deles. Mais do que discutir se há ou não liberdade para determinadas práticas, precisamos aprender a abrir mão até mesmo daquilo que se presume ser um direito, a fim de não escandalizar ninguém. Isso é liberdade responsável. Por exemplo, alguns cristãos não conseguem entender que, mesmo que não pequem ao adquirir determinados bens ou posses, podem acabar pecando pela forma em que ostentam o que foi adquirido de forma lícita.

Que possamos crescer, amadurecer e, à luz da orientação bíblica, viver a liberdade responsável.

SINOPSE DO CAPÍTULO EM TÓPICOS

1. O Pai celestial nos concedeu, em Cristo Jesus, liberdade. Contudo, ele espera que exerçamos tal liberdade com responsabilidade.

2. O conceito bíblico de liberdade tem sido incompreendido por muitas pessoas. Há dois extremos em que tais cristãos demonstram essa falta de compreensão. O primeiro extremo pode ser visto naqueles que não desfrutam a liberdade que Deus disponibilizou aos homens por *ignorância*. O segundo extremo está relacionado a ignorar os *limites* ou a *manutenção* dessa liberdade.

3. O primeiro extremo — a ignorância — impede alguém de desfrutar, pela própria falta de conhecimento, a liberdade que Deus quer manifestar na vida dos homens. O segundo extremo é ainda pior que o primeiro porque faz que as pessoas, depois de provarem a liberdade em Jesus, abortem a libertação recebida, voltando, dessa forma, à escravidão da qual haviam escapado.

4. Uma coisa é a libertação como ato e intervenção de Deus; outra é o que fazemos com essa liberdade, ou seja, a responsabilidade humana. Denominamos a combinação desses dois elementos *liberdade responsável*. Esse conceito une a liberdade que Deus ofereceu e a responsabilidade humana de fazer uso correto da liberdade que nos foi dada.

5. Assim como a libertação, como ato divino, vem por meio da Palavra de Deus, assim também o exercício da liberdade responsável — que é a manutenção dessa liberdade — se dá por meio da Palavra de Deus, denominada *Lei da Liberdade*.

6. Não fomos libertos do dever de cumprir a lei divina, mas, sim, do poder do pecado — para poder praticar essa lei. Pela graça, podemos viver de acordo com a lei de Deus.

7. Em contrapartida, não se pode negar que seremos julgados pela mesma lei que nos provê e mantém a liberdade recebida: "Falem e ajam como quem vai ser julgado pela lei da liberdade" (Tiago 2.12). Essa lei não

Liberdade responsável

nos aprisionou; pelo contrário, libertou-nos do pecado. Entretanto, escolhemos nos tornar servos dela.

8. Para entender a libertação que nos foi dada, em primeiro lugar precisamos entender quem nos escravizava. Portanto, o ponto de partida do entendimento correto da liberdade é a recorrente afirmação bíblica de que éramos *escravos do pecado*.

9. A raiz do distúrbio pecaminoso era a *natureza* humana. Não se deve confundir o problema do pecado da humanidade como se fossem meramente *ações* erradas. Os atos pecaminosos *originam-se* na natureza pecaminosa.

10. A obra de Cristo não se limita a meramente perdoar-nos os pecados já cometidos; ela vai muito além! A essência daquilo que Jesus realizou por nós é tratar com a natureza pecaminosa que antes nos escravizava e empoderar-nos a viver a obediência às suas leis. Por isso, nunca podemos confundir o fato de sermos livres *por* Cristo com sermos livres *de* Cristo.

11. Os textos que falam de algo já realizado apontam para o que Cristo fez por nós, ou seja, aquilo que é uma realidade no mundo espiritual. Trata-se de uma *provisão*. O que temos a fazer em relação ao que Cristo fez não é uma espécie de complemento ou aperfeiçoamento; trata-se, sim, de *apropriação*.

12. A realidade do que Cristo já fez em nosso favor não pode, em absoluto, ser negada. Contudo, é preciso admitir que tal provisão não tem efeito automático na nossa vida. O que foi provido deve ser apropriado. E a apropriação daquilo que Jesus fez por nós é um ato contínuo e progressivo.

13. O evangelho é algo que se vive não apenas de modo isolado, mas em contexto social. Por isso, somos instruídos a nos dispor a renunciar à liberdade que temos, como indivíduos, de comer todas as coisas, para uma restrição imposta pela "lei do amor", evitando, assim, comer aquilo que escandaliza um irmão por quem Cristo morreu.

14. A "lei do amor" se resume nas palavras: "Ninguém deve buscar o seu próprio bem, mas sim o dos outros". Isso apresenta a conexão entre a liberdade que temos e o uso responsável desta. Quando a alegada liberdade de alguém se torna desculpa para não se incomodar com o fato de que outros podem se escandalizar com aquilo, acaba por se revelar uma conduta irresponsável, egoísta, carnal e, portanto, pecaminosa.

PERGUNTAS PARA REFLEXÃO

1. O que é, em suas palavras, o exercício da liberdade responsável?

2. Como podemos viver esse padrão divino de liberdade?

3. Qual a diferença entre autonomia e independência?

4. Você concorda que o entendimento correto da liberdade a ser vivida está atrelado ao tipo de escravidão da qual fomos livres?

5. Quando se fala da obra de Cristo e da responsabilidade humana, qual a distinção entre *provisão* e *apropriação*?

6. Por que é importante compreender que o evangelho é algo que se vive não apenas de modo isolado, mas em contexto social?

7. O que é a lei do amor?

CAPÍTULO 15

SANTIFICAÇÃO PROGRESSIVA

Tornar a graça de Deus em encorajamento para o pecado é caminho seguro para o inferno mais profundo!

John Wesley

A obra redentora, realizada em Cristo, cumpriu a Lei e nos disponibilizou a graça que pode ser acessada pelo pecador mediante a fé em Jesus, a qual, por sua vez, é precedida pelo *arrependimento*. Isso conduz aquele que crê ao resultado da *justificação* e, como consequência, ao que se segue a ela: uma vida de obediência. Entretanto, para que essa sujeição a Deus e a suas leis fosse possível, recebemos a *força capacitadora* divina que nos habilita para tal. A mesma graça que nos livrou da condenação do pecado também nos livra do poder do pecado. Entretanto, é necessário *interagir* com a graça de Deus para desfrutar o que ela nos viabilizou. Desse modo, com essa progressão, abrimos caminho para tratar do assunto que focaremos agora: a *santificação*. Justificação e santificação são coisas distintas, embora ressaltemos que, no momento da justificação, ocorre também um aspecto da santificação — não o processo todo. Aprofundando a distinção dos dois assuntos, lançamos mão de mais um comentário de John Wesley:

> É evidente, do que já se observou, que a justificação não é o tornar-se atualmente justo e reto. Isto é *santificação*, que é, realmente, até certo

ponto, o fruto imediato da justificação, mas [...] é um dom distinto de Deus e de natureza totalmente diferente. Uma implica o que Deus *faz por nós* através do seu Filho, a outra o que ele *opera em nós* pelo seu Espírito. De modo que, embora se encontrem alguns raros exemplos em que o termo justificado ou justificação é usado com sentido tão amplo que inclua também a santificação, elas são, no uso geral, suficientemente distintas uma da outra tanto em S. Paulo como nos outros escritores inspirados.[1]

Pode-se dizer que a justificação mudou a nossa *condição*; de pecadores, merecedores de condenação, fomos transportados à condição de justos. Contudo, isso não exclui a necessidade de santificação. Essas duas obras são, ao mesmo tempo, distintas e complementares. Uma não anula a outra; elas se unem para cumprir um propósito maior que, sozinhas, não poderiam executar. Mesmo depois de justificados, ainda precisamos de crescimento e desenvolvimento espiritual. A justificação mudou o nosso passado e nos deu um novo presente; a santificação, além de preservar a justificação no presente, também nos leva ao aperfeiçoamento e, no futuro, se consumará com uma mudança completa do nosso *estado*.

Quando Cristo declarou à mulher apanhada em adultério: "Nem eu tampouco te condeno; vai e não peques mais" (João 8.11, ARA), revelou-nos a importância desses dois aspectos da obra salvadora. Na primeira frase — "Nem eu tampouco te condeno" —, Jesus refletiu a obra da justificação. Na segunda frase — "não peques mais" —, destacou a santificação. Ambas são expressões da graça divina. Por isso, antes de tratar da santificação e de sua relação com a graça de Deus, lembremo-nos de que a graça é uma *força capacitadora*. Com isso, ampliamos esse entendimento e aplicação para várias esferas da vida cristã.

Ao falar sobre seu "espinho na carne" e a oração que fez a Deus, pedindo que o Senhor o livrasse daquilo, o apóstolo registrou a resposta divina que recebeu: "Minha graça é suficiente a você, pois o meu poder se aperfeiçoa na fraqueza" (2Coríntios 12.9). Considerando que, além da frase "o meu poder se aperfeiçoa na fraqueza", Paulo mencionou, no versículo seguinte:

---

[1] BURTNER; CHILES, **Coletânea da teologia de João Wesley**, p. 154.

"quando sou fraco, é que sou forte", entendemos que, nesse contexto, a graça aparece como capacitação; oferece força para o fraco.

Contudo, não podemos limitar a graça divina a somente nos capacitar para o aperfeiçoamento das fraquezas ou para o exercício de dons e ministério. A graça precisa ser entendida como força capacitadora para viver a santificação que nos é proposta. Vejamos esta asseveração de Paulo a Tito:

> Porque **a graça de Deus** se manifestou **salvadora** a todos os homens. Ela **nos ensina** a renunciar à impiedade e às paixões mundanas e a **viver** de maneira sensata, justa e piedosa nesta era presente, enquanto **aguardamos** a bendita esperança: a gloriosa manifestação de nosso grande Deus e Salvador, Jesus Cristo. Ele se entregou por nós a fim de nos remir de toda a maldade e purificar para si mesmo um povo particularmente seu, dedicado à prática de boas obras (Tito 2.11-14).

Há vários e importantes fatos que merecem ser destacados aqui. A palavra "manifestou", no original grego, é *epiphaino* (επιφαινω), e seu significado é "mostrar, trazer à luz, aparecer, tornar-se visível, tornar claramente conhecido, revelar-se". Isso indica não só que a plena revelação da graça se deu em Cristo, mas também que chegou oferecendo a salvação divina a todos os homens. Portanto, sua primeira obra é a salvação do homem pecador. Contudo, como já vimos, a graça não serve apenas para o começo da caminhada cristã; é para toda a jornada.

Relacionado ao segundo aspecto, o da continuidade, o apóstolo destaca que a graça educa e ensina aquele que foi salvo pela fé em Jesus. A palavra traduzida do original por "nos ensina" é *paideuo* (παιδευω), e seu significado abrange: "treinar crianças, ser instruído ou ensinado, levar alguém a aprender". Também era usada para retratar correção e disciplina; fala também "daqueles que moldam o caráter de outros pela repreensão e admoestação, de um pai que pune seu filho, de um juiz que ordena que alguém seja açoitado". Portanto, conclui-se que a graça é pedagoga, instrutora. E qual é seu principal papel? Paulo disse que ela nos ensina "a renunciar à impiedade e às paixões mundanas e a viver de maneira sensata, justa e piedosa nesta era presente". *Depois* de limpar o pecador, a graça nos ensina a que nos *distanciemos do pecado*; as expressões "renunciar à impiedade e às paixões mundanas" confirmam isso. A graça não nos ensina apenas a nos desprender daquilo que é negativo; ela também nos capacita a manifestar aquilo que é positivo: viver neste mundo de forma sensata, justa e piedosa.

Acerca do tema, John Bevere, atesta:

> Descobri o poder da graça de Jesus Cristo. Percebo que a maioria dos cristãos veem a graça como salvação, perdão dos pecados e um presente imerecido. Porém, ela termina aí para a maioria. Comecei a perceber que a graça de Deus são todos esses atributos incríveis, mas também nos capacita a mudar, a fazer o que a verdade nos chama a fazer.
>
> Será que podemos possivelmente acreditar que o presente imerecido de Jesus nos liberta da eterna sentença do pecado, mas não é poderoso o bastante para nos libertar da escravidão do pecado? Você nunca poderá me convencer do contrário.[2]

Estou convicto de que a graça não apenas é imprescindível para a santificação progressiva dos que nasceram de novo, como também a ferramenta divina essencial nesse processo. Contudo, antes de que nos aprofundemos nisso, e com o intento de esclarecer o processo de santificação em suas distintas fases, começaremos por distinguir as etapas da vida cristã. O conteúdo deste capítulo foi extraído e adaptado do meu livro *O impacto da santidade: compromisso profundo, resultados extraordinários*.[3]

ETAPAS DA VIDA CRISTÃ

Todo corredor sabe que uma corrida é composta de três etapas distintas: largada, desenvolvimento e linha de chegada. Pode-se dizer que a corrida da *santificação* segue a mesma lógica, assim como a própria *vida cristã*.

---

[2] Bevere, John, **Kriptonita**, p. 288.
[3] Subirá, Luciano. **O impacto da santidade:** compromisso profundo, resultados extraordinários. Curitiba: Orvalho.Com, 2018.

Para entender uma, é imprescindível compreender a outra, porque são inseparáveis — cada nível de santificação corresponde a uma etapa da vida cristã. Observemos o que Cristo disse a respeito:

> "Entrem pela porta estreita, pois larga é a **porta** e amplo o **caminho** que leva à **perdição**, e são muitos os que entram por ela. Como é estreita **a porta**, e apertado o **caminho** que leva à **vida**! São poucos os que a encontram" (Mateus 7.13,14).

Nos dois exemplos citados, Jesus ensina sobre uma jornada que envolve três estágios: 1) entra-se por uma *porta*, 2) percorre-se um *caminho* e 3) alcança-se o *alvo*. O que muda e, como consequência, determina um destino diferente — vida ou perdição — é a largura da porta e do caminho, além da quantidade de pessoas que escolhem cada um deles. No entanto, as etapas coincidem, seja qual for o cenário.

O que encontramos na declaração de Jesus, descrita no Evangelho de Mateus e claramente sustentada por outros textos bíblicos, é a distinção de três momentos importantes da caminhada cristã. Há começo, meio e fim. Se não reconhecermos essa delimitação de fases, a nossa doutrina se tornará incoerente e confusa.

Porta

Na conversa com Nicodemos, o Senhor Jesus deixa claro que há uma entrada para o Reino de Deus. Ele se referia ao novo nascimento, onde tudo começa: "Respondeu Jesus: Digo a verdade: Ninguém pode **entrar** no Reino de Deus se não nascer da água e do Espírito. O que nasce da carne é carne, mas o que nasce do Espírito é espírito. Não se surpreenda pelo fato de eu ter dito: É necessário que vocês **nasçam de novo**" (João 3.5-7).

No mesmo Evangelho de João, mais adiante, Cristo se denomina como a própria "porta" de entrada: "Então Jesus afirmou de novo: 'Digo a verdade: **Eu sou a porta das ovelhas**. Todos os que vieram antes de mim eram ladrões e assaltantes, mas as ovelhas não os ouviram. Eu sou a porta; quem entra por mim será salvo. Entrará e sairá, e encontrará pastagem' " (João 10.7-9).

Ninguém entra no Reino de Deus sem passar pela porta — e ela é Cristo. A experiência de conversão a ele é a única entrada.

Caminho

O caminho é a vida cristã. Engloba a jornada que tem início no momento em que alguém entrou pela porta e se estende até a chegada ao alvo. As experiências da porta e do alvo são instantâneas. Já o caminho é um processo, uma verdadeira jornada que só pode ser trilhada depois de se passar pela porta.

Aliás, as profecias que apontavam para a nova aliança não falavam apenas de salvação, mas especificamente de um caminho. "E ali haverá uma grande estrada, um caminho que será chamado Caminho de Santidade." (Isaías 35.8.) Mateus também fez menção a outra profecia de Isaías: "Este é aquele que foi anunciado pelo profeta Isaías: 'Voz do que clama no deserto: "Preparem o *caminho* para o Senhor, façam veredas retas para ele"'" (Mateus 3.3).

Também somos informados, pela própria Escritura Sagrada, de que a fé cristã era assim denominada no início (Atos 9.1,2; 19.9; 24.14,15). Somente quando reconhecemos a analogia do caminho é que ficam mais claros alguns textos que tratam acerca da maneira pela qual devemos andar (Efésios 4.1,17; 1João 2.6; 2João 6).

O *caminho* indica não somente uma jornada genérica, mas também a ação envolvida para que seja possível sair do lugar: o *andar*, a caminhada. Ou seja, fala de movimento, de avanço contínuo, da progressão da vida cristã.

Alvo

Paulo enfatizou que avançava na vida cristã com um alvo: "Irmãos, não penso que eu mesmo já o tenha alcançado, mas uma coisa faço: esquecendo-me das coisas que ficaram para trás e *avançando* para as que estão adiante, prossigo *para o alvo, a fim de ganhar o prêmio do chamado celestial de Deus em Cristo Jesus*" (Filipenses 3.13,14). O apóstolo menciona a meta a ser alcançada, o destino que nos aguarda.

Santificação progressiva

Também cita um prêmio para quem chega lá: uma coroa, reservada para aqueles que completarem o *caminho* (também conhecido por "carreira" ou "corrida"). Essa maravilhosa esperança está descrita na segunda carta de Paulo a Timóteo: "Combati o bom combate, terminei a **corrida**, guardei a fé" (2Timóteo 4.7).

Sabemos que há um alvo. Já entendemos que quem o alcança recebe um prêmio. No entanto, falta determinar o que é o alvo. Afinal, qual é o propósito final da nossa fé? O apóstolo Pedro responde: "Obtendo o **fim** da vossa fé: a salvação da vossa alma" (1Pedro 1.9, ARA). Paulo prosseguia com os olhos no alvo, no prêmio — era desse modo que andava enquanto aguardava o grande dia. Já o autor da epístola aos Hebreus descreve, com uma terminologia diferente, essa maneira de correr a corrida:

> Portanto, também nós, uma vez que estamos rodeados por tão grande nuvem de testemunhas, livremo-nos de tudo o que nos atrapalha e do pecado que nos envolve e corramos com perseverança a **corrida** que nos é proposta, tendo **os olhos fitos em Jesus, autor e consumador** da nossa fé. Ele, pela alegria que lhe fora proposta, suportou a cruz, desprezando a vergonha, e assentou-se à direita do trono de Deus (Hebreus 12.1,2).

Um prêmio, uma coroa, uma alegria que faz valer a pena ter perseverado e nos desembaraçado de todo pecado — isso e muito mais do que imaginamos é o que nos reserva o grande dia, o ato final da salvação da nossa alma.

Portanto, podemos afirmar que a vida cristã tem começo (porta), meio (caminho) e fim (alvo). A importância de reconhecer bem essas três etapas antes de falar dos níveis de santificação está no fato de que o processo santificador acontece, de modo distinto e também complementar, em cada uma delas.

TRÊS NÍVEIS DE SANTIFICAÇÃO

Assim como vimos as diferenças entre cada etapa da vida cristã, as fases do processo de santificação também devem ser distinguidas. Inicialmente, construiremos uma visão panorâmica do assunto, para ver o quadro geral; depois, trataremos de cada nível em separado.

A santificação dá-se em três níveis:

1. **Inicial** (a experiência da *porta*);
2. **Progressiva** (a experiência do *caminho*);
3. **Final** (a experiência do *alvo*).

Deixemos que as próprias Escrituras Sagradas nos apresentem a distinção:

> Agora, porém, libertados do pecado, transformados em servos de Deus, tendes o vosso fruto para a santificação e, por fim, a vida eterna (Romanos 6.22, ARA).

Nesse versículo, Paulo primeiramente fala da nossa libertação e transformação; a conjugação dos verbos aparece no aspecto perfeito: "libertados", "transformados". Obviamente que a ênfase é em algo que já aconteceu. Isso retrata a santificação *inicial*. Depois, o apóstolo fala do fruto dessa experiência, que nos conduzirá em um processo *para a* santificação. Trata-se da santificação *progressiva*. Finalmente, o apóstolo aponta para o futuro, ao dizer "e, por fim, a vida eterna". Embora já estejamos usufruindo da vida eterna aqui, sua provisão plena é algo que ainda aguardamos. Trata-se da santificação *final*.

Como não se pode construir uma doutrina em cima de um único versículo, vejamos outros que respaldam o mesmo entendimento. A primeira epístola aos Coríntios apresenta uma evidente distinção entre os dois primeiros níveis:

> Paulo, chamado para ser apóstolo de Cristo Jesus [...] à igreja de Deus que está em Corinto, aos **santificados** em Cristo Jesus e chamados para **serem santos**, com todos os que, em toda parte, invocam o nome de nosso Senhor Jesus Cristo, Senhor deles e nosso: A vocês, graça e paz da parte de Deus, nosso Pai, e do Senhor Jesus Cristo (1.1-3).

Na saudação inicial, o apóstolo direciona a carta à igreja de Deus que está em Corinto e enfatiza "aos santificados em Cristo Jesus". Aqui encontramos um fator específico da obra da santificação: um acontecimento passado. Não fala do que está acontecendo, e sim do que já aconteceu. Trata-se da santificação *inicial*.

Contudo, no mesmo versículo, ele se refere aos irmãos de Corinto como tendo sido "chamados para serem santos", ou seja, uma convocação a "ser", a adquirir características de santidade — uma experiência a ser vivida, experimentada. Paulo aqui nos transmite a ideia tanto de manter e preservar a santificação inicial como de aperfeiçoá-la. Esta é a santificação *progressiva*.

No entanto, ainda não chegamos ao fim do processo. Além da santificação progressiva, há um nível distinto que nos aguarda após a vida terrena. Diz respeito à nossa condição futura, quando a plenitude da vida eterna for manifestada. Voltaremos a esse tópico adiante; por ora, no entanto, o definiremos como santificação *final*.

Biblicamente, é inegável que a salvação tem três etapas distintas — que podemos aplicar na vida do crente como passado, presente e futuro. Observe, nos versículos a seguir, o tempo verbal destacado:

1. **Passado**: "Mas cremos que *fomos salvos* pela graça do Senhor Jesus, como também aqueles o foram" (Atos 15.11, ARA).
2. **Presente**: "Certamente, a palavra da cruz é loucura para os que se perdem, mas para nós, que *somos salvos*, poder de Deus" (1Coríntios 1.18, ARA).
3. **Futuro**: "Se quando éramos inimigos de Deus fomos reconciliados com ele mediante a morte de seu Filho, quanto mais agora, tendo sido reconciliados, *seremos salvos* por sua vida" (Romanos 5.10).

Alguns descrevem da seguinte forma: "*Fomos* salvos, *estamos sendo* salvos e *seremos* plenamente salvos". Entretanto, a maioria posiciona a santificação apenas no tempo presente, como menciona a clássica definição teológica: "Na *conversão,* somos livres da *condenação* do pecado; na **santificação,** somos livres do *poder* do pecado; na *glorificação,* seremos livres da *presença* do pecado".

Concordo com a última perspectiva no que diz respeito à libertação progressiva do pecado, um pouco mais a cada etapa. Contudo, com base nas provas bíblicas que indiscutivelmente tratam a santificação em três tempos — passado, presente e futuro —, sugiro uma nomenclatura abrangente: "Na **santificação inicial**, somos livres da *condenação* do pecado; na **santificação progressiva**, somos livres do *poder* do pecado; na **santificação final**, seremos livres da *presença* do pecado".

Neil T. Anderson e Robert L. Saucy defendem, em seu livro *Santificação*, o mesmo entendimento:

> As Escrituras falam claramente da santificação do crente como já tendo sido concretizada, como estando sendo concretizada e como finalmente concretizada no futuro. Em geral, nos referimos a esses tempos verbais como os três tempos da santificação. É importante que entendamos todos os três a fim de podermos enxergar como Deus nos santificou, continua a nos santificar, e nos garante uma perfeita santidade final.[4]

A compreensão das etapas da vida cristã, bem como dos níveis de santificação, é de suma importância. Sem essa clareza, não distinguimos o que Deus, em Cristo Jesus, já fez por nós, daquilo que ainda precisa ser feito — no presente e no futuro. Além disso, não identificamos qual é a responsabilidade divina e qual é a humana, não conseguimos diferenciar. Sem contar que podemos confundir a aplicação dos versículos e esbarrar em aparentes contradições bíblicas.

Feitas as devidas distinções, trazemos um pouco mais de luz sobre os níveis de santificação, estabelecendo uma visão panorâmica. A seguir, aprofundaremos o entendimento, dedicando um capítulo a cada nível da obra santificadora.

---

[4] ANDERSON, Neil T.; SAUCY, Robert L. **Santificação**: como viver retamente em um mundo corrompido. São Paulo: Vida, 2000. p. 38.

SANTIFICAÇÃO INICIAL

Muitos textos bíblicos ratificam que, ao nos rendermos ao senhorio de Jesus e nascermos de novo, fomos santificados. Observemos alguns:

> "[...] para abrir-lhes os olhos e convertê-los das trevas para a luz, e do poder de Satanás para Deus, a fim de que recebam o perdão dos pecados e herança entre os que são **santificados pela fé** em mim" (Atos 26.18).

Quando aparece a Saulo, Jesus o comissiona a pregar o evangelho aos gentios e explica o objetivo: "a fim de que recebam o perdão dos pecados e herança entre os que são **santificados pela fé** em mim". O Senhor está dizendo que, no momento em que os gentios cressem, teriam os pecados perdoados e seriam santificados. Ou seja, há um ato inicial de santificação que se dá pela fé em Cristo. É algo que se crê, que se recebe por fé.

O mesmo apóstolo Paulo, tendo entendido a mensagem, fala aos irmãos de Corinto:

> Vocês não sabem que os perversos não herdarão o Reino de Deus? Não se deixem enganar: nem imorais, nem idólatras, nem adúlteros, nem homossexuais passivos ou ativos, nem ladrões, nem avarentos, nem alcoólatras, nem caluniadores, nem trapaceiros herdarão o Reino de Deus. Assim foram alguns de vocês. Mas vocês foram lavados, **foram santificados**, foram justificados no nome do Senhor Jesus Cristo e no Espírito de nosso Deus (1Coríntios 6.9-11).

Novamente, vemos a santificação apresentada como um fato já ocorrido, no passado. Paulo afirma o que o Senhor *fez*, a despeito do passado de pecado daqueles irmãos: "mas vocês foram lavados, foram santificados". Entretanto, essa purificação somente se tornou possível com a expiação de Jesus Cristo em nosso favor.

O escritor da epístola aos Hebreus faz um paralelo entre o sacrifício que era feito no Dia da Expiação, na antiga aliança, e o sacrifício de Jesus por nós. Ele aponta que o sangue de Cristo tinha o propósito de nos *santificar*:

O sumo sacerdote leva sangue de animais até o Lugar Santíssimo como oferta pelo pecado, mas os corpos dos animais são queimados fora do acampamento. Assim, Jesus também sofreu fora das portas da cidade, **para santificar o povo** por meio do seu próprio sangue (Hebreus 13.11,12).

Esta é a santificação inicial, proveniente da obra de Cristo Jesus na cruz. Na ocasião de sua morte e ressurreição, todo o nosso passado de pecado foi definitivamente removido, e a sujeira espiritual foi lavada (Tito 3.5). Tornamo-nos uma nova criação, as coisas velhas passaram, e uma realidade nova surgiu (2Coríntios 5.17).

Quando essa santificação inicial, conquistada por Jesus na cruz, se torna realidade na minha e na sua vida? No exato momento do novo nascimento, da fé genuína em Cristo e em sua obra expiatória — somos santificados de uma vez, como que instantaneamente.

Isso significa que tudo está concluído?

De forma alguma.

A santificação inicial não finaliza. Pelo contrário, continua com o nível seguinte: a santificação progressiva.

SANTIFICAÇÃO PROGRESSIVA

Além da santificação inicial, a Bíblia destaca uma obra de continuidade daquilo que já experimentamos no novo nascimento.

> Pelo cumprimento dessa vontade **fomos santificados**, por meio do sacrifício do corpo de Jesus Cristo, oferecido uma vez por todas. Dia após dia, todo sacerdote apresenta-se e exerce os seus deveres religiosos; repetidamente oferece os mesmos sacrifícios, que nunca podem remover os pecados. Mas, quando esse sacerdote acabou de oferecer, para sempre, um único sacrifício pelos pecados, assentou-se à direita de Deus. Daí em diante, ele está esperando até que os seus inimigos sejam como estrado dos seus pés; porque, por meio de um único sacrifício, ele aperfeiçoou para sempre os **que estão sendo santificados.** (Hebreus 10.10-14)

É importante observar que, no versículo 10, o escritor da carta declara que *fomos* santificados (no pretérito), ao passo que, no versículo 14, fala sobre os que *estão sendo* santificados (no gerúndio), o que indica continuidade. Constatamos, portanto, uma clara distinção entre santificação inicial e santificação progressiva.

Isso deve ser visto pela perspectiva devida: os diferentes níveis de santificação não concorrem entre si nem se anulam. Na verdade, eles se complementam. O fato de ter acontecido uma santificação inicial não dispensa o que vem depois. Por outro lado, a necessidade de continuar o que se começou não diminui a qualidade da santificação inicial; apenas leva-a a outro nível. Podemos dizer o mesmo quanto à santificação final. Estamos falando de etapas distintas, embora complementares.

Com efeito, após a santificação inicial, ainda há a necessidade de algo mais. O apóstolo Paulo se referiu a isso como o aperfeiçoamento da santidade:

> Amados, visto que temos essas promessas, purifiquemo-nos de tudo o que contamina o corpo e o espírito, **aperfeiçoando a santidade** no temor de Deus (2Coríntios 7.1).

A palavra traduzida por "aperfeiçoando", no original grego, é *epiteleo*. De acordo com Strong, significa "completar, realizar, aperfeiçoar, executar, concluir".[5] As palavras "completar" e "concluir", bem como "aperfeiçoar", apontam para algo mais, além da santificação inicial. Em *Graça*, Max Lucado afirma que Deus "trabalha no ramo de mudança de corações" e conclui seu pensamento com uma lógica importante (e bíblica) que quero destacar aqui: "Não seria correto pensar que essa mudança ocorra da noite para o dia. Mas também não seria correto achar que a mudança nunca ocorra".[6]

Há uma santificação inicial que, embora proporcione certo nível de transformação, ainda está longe de ser a mudança completa que Deus planejou para nós. Entretanto, o fato de a transformação não ocorrer de forma instantânea não significa, em absoluto, que não seja possível; há outra dimensão de santificação, complementar à primeira, que se dá de

---

[5] STRONG, **New Strong's Exhaustive Concordance of the Bible**.
[6] LUCADO, **Graça**, p. 17.

forma progressiva e aperfeiçoa o que recebemos por ocasião da conversão. Observemos outro texto que foca a mesma verdade:

> Segui a paz com todos **e a santificação**, sem a qual ninguém verá o Senhor, atentando, diligentemente, por que ninguém seja faltoso, **separando-se da graça de Deus**; nem haja alguma raiz de amargura que, brotando, vos perturbe, e, por meio dela, muitos sejam contaminados (Hebreus 12.14,15, ARA).

Quando se fala sobre não ser faltoso e não se separar da graça de Deus, fica evidente que o escritor se dirige a pessoas que já tiveram uma experiência com Cristo, que já experimentaram a ação da graça divina e devem agora progredir na santificação (além do fato de que a própria carta é endereçada a cristãos). Tal santificação a ser seguida *é a santificação dos que já foram santificados*. Ou seja, é a continuação ou o aperfeiçoamento daquilo que já foi iniciado.

Uma das formas de diferenciar os primeiros dois níveis de santificação é reconhecer que a santificação inicial é resultado de termos nos encontrado com Cristo, ao passo que a santificação progressiva é a preparação para a vinda dele. Observemos duas afirmações de Paulo aos irmãos da igreja em Tessalônica, que respaldam esse entendimento:

> Que ele fortaleça o coração de vocês para serem irrepreensíveis em santidade diante de nosso Deus e Pai, **na vinda** de nosso Senhor Jesus com todos os seus santos (1Tessalonicenses 3.13).

> Que o próprio Deus da paz os santifique inteiramente. Que todo o espírito, a alma e o corpo de vocês sejam preservados irrepreensíveis **na vinda** de nosso Senhor Jesus Cristo (1Tessalonicenses 5.23).

Outra forma de distinguir a santificação inicial da santificação progressiva é, além de identificar o tempo em que ocorrem (uma na conversão; outra na caminhada cristã), observar como cada uma delas é experimentada. Vejamos a declaração divina por meio do profeta Isaías:

Santificação progressiva

"Venham, vamos refletir juntos", diz o Senhor. "Embora os seus pecados sejam vermelhos como escarlate, eles se **tornarão brancos como a neve**; embora sejam rubros como púrpura, **como a lã se tornarão**" (Isaías 1.18).

A ideia primeira desse versículo é mostrar o poder perdoador de Deus. Ele usa a ilustração de que um tecido de cores fortes, resultantes de tintura, poderia ser completamente limpo e tornar-se alvo. O paralelo traçado é de que não há mancha de pecado que Deus não possa remover e limpar das nossas vestes espirituais. O texto fala não só de perdão, mas de santificação.

Vale ressaltar, contudo, que o Senhor não aponta apenas dois corantes distintos, mas também dá dois exemplos de coisas brancas: primeiramente a *neve*; depois, a *lã*. Por que dois tipos de branco? Não creio que seja por acaso, uma vez que a própria Palavra de Deus sinaliza acerca de si mesma: "Pois *tudo o que foi escrito no passado foi escrito para nos ensinar*" (Romanos 15.4).

Quando eu ainda era garoto, aprendi com meu pai, Juarez Subirá, que há um simbolismo nesse texto: tanto a neve como a lã são figuras da obra divina de santificação e apresentam particularidades na essência. A *neve*, que vem de cima, do céu para a terra, representa a *santificação inicial* que nos é imputada pela fé em Cristo Jesus por ocasião do novo nascimento. Já a *lã*, que nasce de dentro e aparece do lado de fora da ovelha, representa a *santificação progressiva*, o resultado da natureza divina sendo manifesta no nosso íntimo e que vai transbordando, a ponto de tornar-se visível aos outros. Uma literalmente cai do céu e nos atinge; a outra sai de nós mesmos, progressivamente, de dentro para fora.

Estabelecidas as distinções entre os dois primeiros tipos de santificação, passemos ao terceiro e último nível: a *santificação final*.

SANTIFICAÇÃO FINAL

Em resumo, podemos dizer cronologicamente que a *santificação inicial* é o resultado de termos nos encontrado com Cristo. A *santificação progressiva* é a preparação para a vinda de Jesus. Já a *santificação final* será alcançada na própria vinda de Cristo.

A Palavra de Deus revela um aspecto da redenção que somente se completará no tempo do fim:

> A ardente expectativa da criação aguarda a **revelação dos filhos de Deus**. Pois a criação está sujeita à vaidade, não voluntariamente, mas por causa daquele que a sujeitou, na esperança de que a própria criação será **redimida do cativeiro da corrupção**, para a **liberdade da glória dos filhos de Deus** (Romanos 8.19-21, ARA).

O apóstolo chama de "revelação dos filhos de Deus" e "liberdade da glória dos filhos de Deus" o que sucederá no fim, quando Jesus vier buscar os fiéis. Nesse tempo, a própria criação será "redimida do cativeiro da corrupção".

Isso quer dizer que usufruímos hoje apenas de parte da salvação. O nosso espírito já foi regenerado, e a nossa alma se encontra em um processo de restauração pela Palavra de Deus; no entanto, o nosso corpo, como demonstraremos, somente será definitiva e completamente transformado na vinda de Jesus.

À conclusão do processo de restauração da alma e à definitiva transformação do corpo, chamamos *glorificação* ou *santificação final*. É correto afirmar que *aguardamos* a redenção do nosso corpo, algo que ainda não se consumou. Observemos o que a Bíblia diz:

> Sabemos que toda a natureza criada geme até agora, como em dores de parto. E não só isso, mas nós mesmos, que temos os primeiros frutos do Espírito, gememos interiormente, **esperando ansiosamente** nossa adoção como filhos, **a redenção do nosso corpo** (Romanos 8.22,23).

O gemido da criação (e também o nosso) é pela redenção completa. No caso da humanidade, o anseio é pela redenção do corpo — experiência que a Palavra de Deus esclarece ainda não ter sido concluída.

Notemos que a inclinação dos desejos da carne não desapareceu após a experiência do novo nascimento. A nossa responsabilidade, como cristãos, é refrear essa propensão; exercer domínio próprio. As Escrituras nos mostram a incumbência da abnegação desde o início da humanidade. Quando Caim planejava pecar, foi advertido pelo Senhor:

> "Se você fizer o bem, não será aceito? Mas, se não o fizer, saiba que o pecado o ameaça à porta; ele deseja conquistá-lo, **mas você deve dominá-lo**" (Gênesis 4.7).

Atente para as frases "o pecado o ameaça à porta" e "ele deseja conquistá-lo". É evidente que temos uma batalha a ser travada contra o pecado e a possibilidade de que ele entre por meio de desejos não refreados. Justamente por isso, Deus advertiu a Caim: "mas você deve dominá-lo". A forma de manter o pecado do lado de fora da porta ainda é o domínio próprio. A maneira de lidar com o corpo é mantê-lo constantemente sob "rédea curta". Então, surge o questionamento: até quando travaremos tal batalha? Até a glorificação do corpo, ou seja, até a santificação final.

O apóstolo Paulo explicou aos irmãos de Corinto que carne e sangue não podem herdar o Reino de Deus; tampouco a corrupção (do homem) pode herdar a incorrupção (celestial). Deu destaque ao fato de que, precisamente por isso, o nosso corpo precisará experimentar uma transformação na vinda de Cristo, na consumação da obra da redenção:

> Isto afirmo, irmãos, que **a carne e o sangue não podem herdar o reino de Deus, nem a corrupção herdar a incorrupção**. Eis que vos digo um mistério: nem todos dormiremos, mas transformados seremos todos, num momento, num abrir e fechar de olhos, ao ressoar da última trombeta. A trombeta soará, os mortos ressuscitarão incorruptíveis, e **nós seremos transformados**. Porque **é necessário que este corpo corruptível se revista da incorruptibilidade, e que o corpo mortal se revista da imortalidade**. E, quando este corpo corruptível se revestir de incorruptibilidade, e o que é mortal se revestir de imortalidade, então, se cumprirá a palavra que está escrita: Tragada foi a morte pela vitória (1Coríntios 15.50-54, ARA).

Todos os santos, que possuíam, até então, um corpo corrupto, serão *glorificados* para entrar no ambiente incorrupto, que é o céu. A diferença é que os *mortos* serão ressuscitados, e os *vivos* serão transformados. Vejamos como essa experiência está descrita na carta de Paulo aos tessalonicenses:

> Dizemos a vocês, pela palavra do Senhor, que nós, os que estivermos vivos, os que ficarmos até a vinda do Senhor, certamente não precederemos os que dormem. Pois, dada a ordem, com a voz do arcanjo e o ressoar da trombeta de Deus, o próprio Senhor descerá dos céus, e **os mortos em Cristo ressuscitarão primeiro.** Depois nós, os que estivermos vivos, **seremos arrebatados com eles** nas nuvens, para o encontro com o Senhor nos ares. E assim estaremos com o Senhor para sempre (1Tessalonicenses 4.15-17).

É notório, nesses textos, que a transformação final do nosso corpo se dará na vinda do Senhor Jesus Cristo — portanto, no tempo futuro. Paulo acrescentou o fator modo, na carta aos irmãos filipenses, explicando que essa transformação será exatamente a mesma que Cristo Jesus experimentou em seu próprio corpo após a ressurreição:

> A nossa cidadania, porém, está nos céus, de onde esperamos ansiosamente o Salvador, o Senhor Jesus Cristo. Pelo poder que o capacita a colocar todas as coisas debaixo do seu domínio, ele transformará os nossos corpos humilhados, **tornando-os semelhantes ao seu corpo glorioso** (Filipenses 3.20,21).

Jesus transformará o nosso corpo de humilhação para ser igual a seu corpo glorioso, ou seja, assim será a *glorificação*, do mesmo modo que foi com Cristo. Apesar de transformado, observemos que, após a ressurreição, o corpo de Jesus ainda conservava a aparência humana comum, tanto que pôde ser reconhecido pelos discípulos. Ele ainda tinha as marcas dos cravos e deixou que o tocassem (Lucas 24.39,40). Podia comer os alimentos como fazia antes (Lucas 24.41-43). No entanto, seu corpo estava além, muito além, das limitações anteriores. Ele apareceu e desapareceu diante dos discípulos (Lucas 24.31,36). Foi ascendido ao céu, anulando a lei da gravidade (Atos 1.9).

Contudo, declarou: "Vejam as minhas mãos e os meus pés. Sou eu mesmo! Toquem-me e vejam; um espírito não tem carne nem ossos, como vocês estão vendo que eu tenho" (Lucas 24.39). Seu corpo foi glorificado, e ele transformará o nosso corpo para ser exatamente como o dele. Então, a promessa divina será cumprida:

> "Ele enxugará dos seus olhos toda lágrima. Não haverá mais morte, nem tristeza, nem choro, nem dor, pois a antiga ordem já passou". Aquele que estava assentado no trono disse: "**Estou fazendo novas todas as coisas**!" E acrescentou: "Escreva isto, pois estas palavras são verdadeiras e dignas de confiança" (Apocalipse 21.4,5).

Lembre-se: não significa que Deus só começará a fazer algo novo quando estivermos na eternidade celestial. A vinda dele sela a conclusão do processo de fazer novas todas as coisas, do processo de santificação — que teve início na *conversão*, deve ser aperfeiçoado ao longo da *caminhada cristã*, mas será concluído na *glorificação*.

GRAÇA NA SANTIFICAÇÃO

Em cada etapa da santificação, a interação do homem com Deus é diferente. Em cada desdobramento desse processo, faz-se necessária a graça de Deus. Na santificação inicial, são necessários arrependimento e fé, e estes, por sua vez, são obra da graça. Na santificação progressiva, o homem precisa despojar-se do velho homem e exercer domínio próprio. Não pode, como vimos, fazer isso sem a graça divina. Na santificação final, na vinda de Cristo, para a qual o cristão se prepara, teremos a consumação plena da obra da graça.

Uma frase, atribuída por muitos a Jonathan Edwards (cuja autoria não pude confirmar) sustenta que "a graça não é outra coisa senão o começo da glória, e a glória não é outra coisa senão a graça aperfeiçoada". Creio ser justamente por isso que Pedro afirmou: "Portanto, estejam com a mente preparada, prontos para agir; estejam alertas e ponham toda a esperança na graça que será dada a vocês quando Jesus Cristo for revelado" (1Pedro 1.13).

Aliás, vale ressaltar que o apóstolo, antes de falar da santificação requerida de todos os salvos, destacou a importância de, para isso, dependermos da graça:

> Por isso, cingindo o vosso entendimento, sede sóbrios e **esperai inteiramente na graça** que vos está sendo trazida na revelação de Jesus Cristo. Como filhos da obediência, **não vos amoldeis às paixões que tínheis** anteriormente na vossa ignorância; pelo contrário, segundo é santo aquele que vos chamou, **tornai-vos santos também vós mesmos em todo o vosso procedimento**, porque escrito está: Sede santos, porque eu sou santo (1Pedro 1.13-16, ARA).

A frase "esperai inteiramente na graça" é muito reveladora. Não podemos viver a santificação sem a graça divina! Se, por um lado, a graça divina não age sozinha e requer interação humana, por outro, não podemos aceitar o engano de que possamos fazer algo sem a graça de Deus. Queremos destacar duas palavras da frase mencionada. A primeira é "esperai", e a segunda é "inteiramente". A palavra grega traduzida por "esperai" é *elpizo* (ελπιζω), que quer dizer: "esperar; num sentido religioso, esperar pela salvação com alegria e completa confiança; esperançosamente, confiar em".[7] Carrega consigo a ideia de confiança e de dependência. Já a palavra traduzida por "inteiramente" é *teleios* (τελειως), cujo significado é "perfeitamente, completamente".[8] Isso sugere que se confie totalmente na graça para buscar a santificação. A Nova Versão Internacional traduziu essa frase por: "ponham toda a esperança na graça que será dada a vocês quando Jesus Cristo for revelado".

Encerro com as esclarecedoras palavras de Dallas Willard:

> Para viver dentro da graça consumidora, basta ter uma vida santa. O verdadeiro santo consome graça como um 747 queima combustível na decolagem. Torne-se o tipo de pessoa que pratica rotineiramente aquilo

---

[7] Strong, New Strong's Exhaustive Concordance of the Bible.
[8] Ibidem.

Santificação progressiva

que Jesus fez e disse. Você consumirá muito mais graça levando uma vida santa do que pecando, pois todo ato santo que você realizar terá de ser sustentado pela graça de Deus. E esse sustento é o favor totalmente imerecido de Deus em ação. É a vida de regeneração e ressurreição — e justificação, que é absolutamente vital, pois nossos pecados precisam ser perdoados. Mas a justificação não é algo separável da regeneração. E a regeneração se desenvolve de modo natural em santificação e glorificação.[9]

---

[9] WILLARD, **A grande omissão**, p. 32.

SINOPSE DO CAPÍTULO EM TÓPICOS

1. A justificação mudou a nossa *condição*: de pecadores, merecedores de condenação, fomos transportados à condição de justos. Contudo, isso não exclui a necessidade de santificação. Essas duas obras são, ao mesmo tempo, distintas e complementares. Uma não anula a outra; elas se unem para cumprir um propósito maior que, sozinhas, não poderiam executar. Mesmo depois de justificados, ainda precisamos de crescimento e desenvolvimento espiritual.

2. A justificação mudou o nosso passado e nos deu um novo presente. A santificação, além de preservar a justificação no presente, também nos leva ao aperfeiçoamento e, no futuro, se consumará com uma mudança completa do nosso *estado*.

3. Jesus distinguiu três etapas na caminhada cristã. Há começo, meio e fim: 1) entra-se por uma *porta*, 2) percorre-se um *caminho* e 3) alcança-se o *alvo*.

4. Semelhantemente, as fases do processo de santificação também devem ser distinguidas. A santificação dá-se em três níveis: 1) *Inicial* (a experiência da *porta*); 2) *Progressiva* (a experiência do *caminho*); 3) *Final* (a experiência do *alvo*).

5. O processo santificador acontece, de modo distinto e também complementar, em cada uma dessas fases.

6. Na santificação *inicial,* somos livres da *condenação* do pecado; na santificação *progressiva,* somos livres do *poder* do pecado; na santificação *final,* seremos livres da *presença* do pecado. Ou seja, na primeira etapa obtemos o perdão de pecados já cometidos; na segunda, recebemos também o poder de dizer *não* ao pecado; na terceira, o pecado será definitiva e completamente erradicado de nossa vida.

7. A santificação *inicial* é o resultado de termos nos encontrado com Cristo. A santificação *progressiva* é a preparação para a vinda de Jesus. Já a santificação *final* será alcançada na própria vinda de Cristo.

8. O processo de santificação tem início na *conversão*, deve ser aperfeiçoado ao longo da *caminhada cristã*, mas será concluído na *glorificação*.

Santificação progressiva

PERGUNTAS PARA REFLEXÃO

1. Qual a importância de reconhecer a progressividade do processo de santificação?

2. O que a afirmação bíblica "esperai inteiramente na graça", dita no contexto da santificação, significa para você?

3. Quando a santificação inicial se torna realidade em nossa vida?

4. Como você definiria a santificação progressiva?

5. Por que o corpo humano necessita de glorificação futura?

CAPÍTULO 16

ESFORÇO E DEDICAÇÃO

A graça é o oposto do mérito, não do esforço.

Dallas Willard

A revelação neotestamentária da salvação pela graça, mediante a fé, mensagem clara que jamais deveria ter sido abandonada, acabou se perdendo ao longo dos séculos da história da igreja. Indulgências sendo vendidas eram apenas um dos aspectos dos grandes desvios doutrinários que se estabeleceram como tradição e prática. Pela bondade divina, essa verdade foi restaurada na Reforma Protestante, especialmente por meio de Martinho Lutero. Desde então, seguimos rejeitando e repugnando toda insinuação de que a salvação possa ser alcançada por mérito decorrente de obras.

Entretanto, é inegável que a mensagem cristã parece ter alternado de um extremo a outro. Parece haver, na igreja contemporânea, uma espécie de fobia às obras, e, por falta de entendimento bíblico correto, estamos novamente nos distanciando da verdade de Deus.

Aos olhos de alguns, se enfatizarmos esforço, obras ou mesmo a importância das disciplinas espirituais, estaremos em choque com a graça divina. Esse equívoco, ou seja, anular as obras em nome da graça, é tão maléfico quanto acreditar no contrário: que as obras anulam a graça. Dallas Willard, tratando dessa questão, comentou:

Hoje em dia, não somos apenas salvos pela graça; também somos paralisados por ela. Vivemos num tempo de profunda confusão. Temos dificuldade em entender que a graça não é o oposto de esforço, mas sim o oposto de mérito. Mérito e esforço não são a mesma coisa. Merecer é uma atitude e, sem dúvida, a graça é oposta a ela. No entanto, não é oposta ao esforço. Ao vermos uma pessoa ardendo com o fogo da graça, é bem possível que testemunhemos alguns dos esforços mais espantosos que podemos imaginar (1Coríntios 15:10). [...] A graça é uma fonte de motivação e energia tremenda quando a entendemos e a recebemos corretamente.[1]

Não compreendo a mentalidade daqueles que deduzem que a graça divina elimina a dedicação humana. É fato inquestionável que os resultados da vida cristã e ministerial tanto poderiam como deveriam ser potencializados pelo favor divino. Já abordamos a manifestação da graça como força capacitadora e destacamos que ela não se limita à conversão; antes, se estende a toda a caminhada cristã. Lembremos que o próprio Cristo asseverou: "Sem mim vocês não podem fazer coisa alguma" (João 15.5). Russell Shedd, referência teológica no Brasil, depois de afirmar que o cristão poderia concluir que, ao ser nova criação, isso implicaria transformações automáticas produzidas pelo Espírito, assegurou: "Será grande a decepção dos remidos que esperam uma santificação infundida sem esforço e sem cooperação obediente".[2]

O propósito deste capítulo é enfatizar a importância da graça em nossas realizações, não negá-la. Contudo, antes de aprofundar este aspecto, é necessário esclarecer que, na interação entre a deidade e a humanidade, a ajuda divina não elimina a diligência humana.

ESFORÇO E DILIGÊNCIA

Paulo admitiu que se esforçava por ter uma consciência pura: "Por isso, também me *esforço* por ter sempre consciência pura diante de Deus e dos homens" (Atos 24.16, ARA). Ele também testificava o uso de esforço na pregação do evangelho:

---

[1] WILLARD, **A grande omissão**, p. 75.
[2] SHEDD, **Lei, graça e santificação**, p. 98.

Esforço e dedicação

Para isso é que eu também me afadigo, **esforçando-me o mais possível**, segundo a sua eficácia que opera eficientemente em mim (Colossenses 1.29, ARA).

A frase "esforçando-me o mais possível" fala sobre dar tudo de si, retrata empenho e dedicação. O apóstolo ainda ensinava aos cristãos que se empenhassem por determinados resultados na vida cristã:

Façam todo o esforço para conservar a unidade do Espírito pelo vínculo da paz (Efésios 4.3).

Insistimos em declarar que o esforço não envolve mérito algum da nossa parte. Certa ocasião, alguém me disse, alegando que eu me dedicava demais: "Eu não entendo o nível da sua dedicação a Deus e ao evangelho. Parece-me que você está tentando merecer aquilo que se recebe por favor imerecido". Rebati na hora: "Você está equivocado! Estou ciente de que tudo, na fé cristã, baseia-se na graça divina e que esta, por sua vez, é favor imerecido". A pessoa insistiu: "Então, por que você se esforça tanto?". Consternado, disparei: "Porque Deus merece! A nossa prontidão não tem nada a ver com tentar merecer algo, e sim com reconhecer que o Senhor é digno da nossa melhor resposta".

Por exemplo, sabemos que ninguém é digno, por si mesmo, da salvação. Trata-se dos méritos de Cristo, não dos nossos. Entretanto, a mesma Escritura aponta que devemos viver de modo *digno* do evangelho de Cristo (Filipenses 1.27). Não significa que seremos dignos de participar do evangelho por causa do nosso modo de viver, e sim que o evangelho, que recebemos pelos méritos de Cristo, seja digno da nossa melhor resposta. Assim como fez com os cristãos de Filipos, Paulo também orientou os crentes de Éfeso a andar de *modo digno* da vocação que receberam (Efésios 4.1) e pontuou aos cristãos de Tessalônica: "exortando, consolando e admoestando vocês a viverem de uma *maneira digna* de Deus, que os chama para o seu Reino e a sua glória" (1Tessalonicenses 2.12, NAA). O fato de não sermos dignos, por nós mesmos, de receber o evangelho não significa que, depois de tê-lo recebido, não daremos uma resposta de dignidade no modo de viver a vida cristã.

Não há como, pela ótica bíblica, considerar a jornada cristã sem que haja, da nossa parte, dedicação tanto ao crescimento espiritual como também ao serviço. Observemos a declaração de Pedro:

> Por isso mesmo, **empenhem-se para acrescentar** à sua fé a virtude; à virtude o conhecimento (2Pedro 1.5).

Gosto da expressão "reunindo toda a vossa diligência" (ARA) no sentido de se empenhar. Indica que, mais do que apenas a mera convocação à dedicação, recebemos um chamado ao *empenho total*. Contudo, depois de abordar a necessidade de usar *toda* a diligência, todo o empenho possível, o apóstolo ressalta — poucos versículos depois — que essa ação deve ser crescente, ou seja, depois de usar tudo o que temos, ainda se faz necessário aplicar diligência cada vez maior:

> Portanto, irmãos, **empenhem-se ainda mais** para consolidar o chamado e a eleição de vocês, pois, se agirem dessa forma, jamais tropeçarão (2Pedro 1.10).

Outra versão bíblica optou pelo emprego da expressão "diligência cada vez maior" (ARA). Vale ressaltar que a diligência humana deve ser classificada como *interação* com a obra divina. A frase "para *consolidar* o chamado e a eleição de vocês" atesta essa realidade. Não se trata de produzir o chamado e a eleição, mas de consolidá-lo ou confirmá-lo. Ou seja, aquilo que procede de Deus, em sua graça, deve ser ratificado pelos que creem, por meio da entrega e da rendição. O livro de Hebreus também apresenta uma relação entre a prontidão, ou diligência, e a capacidade de desfrutar as promessas recebidas pela fé:

> Queremos que cada um de vocês mostre **essa mesma prontidão até o fim, para que tenham a plena certeza da esperança,** de modo que

Esforço e dedicação

vocês não se tornem negligentes, mas imitem aqueles que, **por meio da fé** e da paciência, **recebem a herança** prometida (Hebreus 6.11,12).

A dedicação na vida cristã não deve ser vista como concorrente da graça. Trata-se de uma expressão, dentro da visão da interação entre a ação da deidade e a da humanidade, do caráter interativo da graça. Isso foi definido e revelado, nas Escrituras, pelo próprio Deus.

Quando adentramos o terreno *ministerial* e levamos em conta as questões ligadas ao serviço, a dedicação e o empenho também têm um lugar de importância. Paulo demonstra, na epístola escrita aos crentes de Roma, que o fato de os *dons* serem segundo a graça divina não anula a responsabilidade humana da dedicação:

> Tendo, porém, **diferentes dons segundo a graça** que nos foi dada: se profecia, seja segundo a **proporção da fé**; se ministério, **dediquemo-nos** ao ministério; ou o que ensina **esmere-se** no fazê-lo; ou o que exorta faça-o **com dedicação**; o que contribui, **com liberalidade**; o que preside, **com diligência**; quem exerce misericórdia, **com alegria** (Romanos 12.6-8, ARA).

Os dons são, sem dúvida alguma, segundo a graça. São manifestações da capacitação divina, que não deixam o dom confinado à capacitação humana. Isso não quer dizer que eliminem a necessidade de empenho. As palavras destacadas no texto revelam isto: *dedicar-se* ao ministério; *esmerar-se* no ensino; exortar *com dedicação*; contribuir *com liberalidade*; presidir *com diligência* e exercer misericórdia *com alegria*.

Mais adiante, na mesma epístola, o apóstolo destacou haver uma harmonia entre o que Cristo fez por seu intermédio e seu esforço de poder fluir com os recursos divinos.

> Porque não ousarei discorrer sobre coisa alguma, senão sobre aquelas que **Cristo fez por meu intermédio**, para conduzir os gentios à obediência, por palavra e por obras, por força de sinais e prodígios, pelo poder do

Espírito Santo; de maneira que, desde Jerusalém e circunvizinhanças até ao Ilírico, tenho divulgado o evangelho de Cristo, **esforçando-me, deste modo, por pregar o evangelho**, não onde Cristo já fora anunciado, para não edificar sobre fundamento alheio. (Romanos 15.18-20, ARA)

Ele se esforçava para pregar e, enquanto pregava, experimentava o que somente o Senhor poderia fazer por seu intermédio. Os resultados de seu ministério são indubitavelmente atribuídos à graça de Deus sem, contudo, que o apóstolo se esquive de sua responsabilidade e coparticipação na obra divina.

Pois sou o menor dos apóstolos e nem sequer mereço ser chamado apóstolo, porque persegui a igreja de Deus. Mas, **pela graça de Deus, sou o que sou**, e sua graça para comigo não foi inútil; **antes, trabalhei mais do que todos eles**; contudo, **não eu, mas a graça de Deus comigo**. (1Coríntios 15.9,10)

Primeiramente, o apóstolo reconheceu que tinha um passado que não o tornava digno para compor o seleto time apostólico. Contudo, em seguida, acrescentou o entendimento — que todos também deveríamos partilhar — que demonstrava ser o grande diferencial em sua vida e ministério: "pela graça de Deus, sou o que sou". Paulo sabia que sua identidade e realizações não estavam atrelados ao que ele foi e fez antes do novo nascimento. Também compreendia que, ao produzir grandes resultados no Reino de Deus, não podia atribuir suas conquistas apenas à sua própria capacidade. Ele afirma, com ousadia, ter trabalhado mais que os demais apóstolos. Entretanto, reconhece que não havia feito aquilo sozinho. Isso fica evidente na expressão "não eu, mas a graça de Deus comigo".

Esse glorioso privilégio que nos foi concedido de interagir em um processo de cooperação do homem com Deus é, sem dúvida, inigualável. Paulo asseverou, na primeira carta aos Coríntios que "nós somos cooperadores de Deus" (1Coríntios 3.9); posteriormente, na sua segunda epístola aos santos de Corinto, voltou a enfatizar que somos "cooperadores de Deus" (2Coríntios 6.1). As Escrituras, quando retratam o exercício do ministério, além de nos classificar como cooperadores (quem opera juntamente com) de Deus, também apresentam, em contrapartida, o conceito inverso: Deus em cooperação com o homem.

> Então, os discípulos saíram e pregaram por toda parte; e **o Senhor cooperava com eles, confirmando-lhes a palavra com os sinais** que a acompanhavam. (Marcos 16.20)

Assim como na declaração de Paulo aos romanos, de que ele se esforçava para pregar e via Cristo operar por seu intermédio (Romanos 15.18-20), constatamos o mesmo fato nesse registro do Evangelho de Marcos. Esta é a interação entre Deus e o homem, o que, por um lado, sustenta a responsabilidade do empenho humano sem que, por outro lado, deixe de reconhecer a tão importante manifestação do favor divino.

Jamais seríamos bem-sucedidos nos resultados ministeriais se estivéssemos confinados meramente ao esforço humano, sem a cooperação da graça. Em contrapartida, ressaltamos que Deus, sem a interação do homem, também não realizaria sua obra na terra. Se enfatizarmos apenas um dos aspectos, não alcançaremos a verdade nem teremos a visão completa, revelada na Palavra de Deus. Pedro também revelou que se esforçava para garantir determinados resultados em seu ministério:

> **Eu me empenharei** para que, também depois da minha partida, vocês sejam sempre capazes de lembrar-se destas coisas (2Pedro 1.15).

Há uma sinergia extraordinária quando se reúne o esforço e a diligência humanas sem que se deixe de contar com a graça divina.

AMADO E AGRADÁVEL

A concepção distorcida a respeito de um cristão apresentar ou não dedicação em sua vida cristã derivada da incompreensão da graça divina é, no mínimo, absurda. Entretanto, este é um equívoco que tem sido propagado por pessoas que acreditam que a graça, em vez de ser ausência de mérito, seria ausência de esforço.

Já deparamos com pessoas que atacam a diligência atribuindo a tal virtude falta de revelação do amor incondicional de Deus. Afirmam que o Eterno nos ama pelo que somos, não pelo que fazemos, e que nada do que fizermos de bom fará que o Altíssimo nos ame mais; por outro lado, nada que fizermos de ruim fará que ele nos ame menos. Até aí concordamos plenamente. O que não entendemos é por que essa verdade tem sido usada para depreciar a importância da dedicação do cristão. Por esse motivo, não podemos evitar concluir que se trata de uma dedução que revela a falta da macrovisão bíblica.

Já dissemos que uma doutrina bíblica não anula outra; pelo contrário, são complementares. Os que sustentam a verdade do amor incondicional divino em detrimento da diligência humana evidenciam que não são capazes de ver o quadro completo, levando em conta a doutrina bíblica de *agradar a Deus*. A nossa resposta digna ao evangelho deve nos levar a agradar a Deus. Paulo exortou os colossenses a viverem "de modo digno do Senhor, *para o seu inteiro agrado*" (Colossenses 1.10, ARA).

O amor incondicional divino revela o valor que os homens têm para Deus; em contrapartida, a disposição de agradar a Deus aponta para o valor que ele tem para nós. Lançamos mão, para explicar isso, de uma adaptação de um trecho do meu livro *Até que nada mais importe*:

> Há uma diferença entre ser amado por Deus e ter uma maneira de viver a vida cristã que seja agradável a ele. O primeiro determina o nosso valor e diz respeito tanto com o que Deus é como com o que nós somos. O segundo, tem a ver com o nosso comportamento e nada a ver com o que Deus é ou com o que nós somos.
>
> Deixe-me ilustrar isso a partir de um episódio que vivi anos atrás, quando o meu filho, Israel, tinha apenas 11 anos de idade. O menino chegou do colégio dando indícios de nervosismo e, pela época da nossa conversa (era o fim do primeiro bimestre escolar), deduzi que a razão do medo estampado no rosto dele apontava para o fato de ele ter de entregar o boletim que, por sua vez, teria uma provável nota baixa. Fiquei com dó

Esforço e dedicação

do aparente desespero dele e, tentando facilitar a notícia que ele tinha para me dar, adiantei o assunto:

— Em qual matéria você ficou com nota vermelha?

Ele foi logo se justificando:

— Foi em matemática, pai. É que, quando eu voltei da nossa viagem, houve uma prova surpresa antes que eu conseguisse repor a matéria perdida.

Permita-me definir o contexto do ocorrido. Era a primeira vez que isso acontecia com ele. Kelly, a minha esposa, além de excelente mãe, é pedagoga e trabalhou muitos anos como orientadora pedagógica; por causa disso, os nossos filhos tinham que "andar na linha" quando o assunto era a formação escolar. Além disso, eu me senti um pouco culpado, porque tinha levado o meu filho comigo a uma viagem (logo nos primeiros dias do retorno às aulas), e a matéria perdida que ocasionou a dificuldade de ele manter a média era justamente a que se referia àqueles dias da viagem. Portanto, por se tratar de um "réu primário", e eu ter certa parcela de culpa, tentei aliviar o peso que ele sentia na entrega do boletim escolar. Continuei a conversa, dizendo o seguinte:

— Filho, você está preocupado demais com o que eu possa pensar de você. Acho que você está nervoso porque deve estar confundindo o seu *valor* com a sua *performance*. Mas trata-se de duas coisas bem distintas.

Então, emendei:

— Guarde o seguinte para sempre no seu coração: Nada do que você fizer de *bom* fará que eu ame você *mais* do que eu já amo. E nada do que você fizer de *errado* fará que eu o ame *menos*. Quanto eu amo você não tem nada a ver com o que você faz; tem a ver com quem você é. Você é o meu filho, e isso basta!

De repente, uma carinha meio malandra surgiu em meio à expressão de alívio que se formou no rosto do menino... Quase dava para ouvir o que ele estava pensando:

— Então, liberou geral? Você me amará igualmente, não importa o que eu faça?

Era quase como se ele estivesse me perguntando: "E não há motivo algum para que eu me preocupe com a minha *performance* nos estudos?".

Foi quando decidi entrar logo em ação e disparei:

— Ser amado não tem nada a ver com a sua *performance*, apenas com o que você é. Mas, se você quer me agradar, aí já é outra conversa!

Graças a Deus, meu filho entendeu essa verdade. Isso, por um lado, tirou dele o peso da missão inútil de se tentar fazer merecedor do meu amor paterno. Por outro, conscientizou-o da responsabilidade de se dedicar mais para me agradar.

Alguns anos depois desse ocorrido, li o livro *Extraordinário: o que você está destinado a viver*, de John Bevere, e encontrei uma história semelhante a respeito de como ele explicou aos filhos a diferença entre ser amado e ser agradável. Depois de estabelecer o mesmo paralelo que apliquei na minha história com Israel, ele afirmou: "Sei que isso pode ser uma espécie de choque para você, mas o mesmo acontece em nosso relacionamento com Deus. Não podemos fazer nada para fazer com que Deus nos ame mais do que ele já nos ama; também não podemos fazer nada que faça com que ele nos ame menos. Mas quanto prazer ele sente por nossa causa? Isso é outra história". Depois, acrescentou: "Nos últimos anos, ouvimos falar muito sobre o amor incondicional de Deus — uma discussão muito útil e necessária. Entretanto, muitas pessoas concluíram em seu subconsciente que, uma vez que Deus as ama, ele também está satisfeito com elas. Isso simplesmente não é verdade".[3]

Percebemos dois tipos de comportamento equivocados na igreja e sabemos que eles nascem de uma compreensão errônea; por isso, não há como tratar o efeito sem tratar a causa. Há muitos cristãos esforçando-se por "merecer" o amor do Pai celestial. No entanto, o amor divino não está relacionado com a nossa *performance*! Ao contar a parábola do filho pródigo, Jesus não disse que o pai estava desmotivado para amar ou perdoar o filho quando este regressou a casa. Não! Além disso, o amor daquele pai

---

[3] SUBIRÁ, Luciano. **Até que nada mais importe**. Curitiba: Hagnos, 2018. p. 51-53.

Esforço e dedicação

não tinha relação alguma com a *performance* do filho. Muitos estão vivendo em semelhante extremo. Acreditam que deveriam "merecer" esse amor e nunca conseguem viver à altura do que idealizaram.

No entanto, há outro grupo de cristãos que sabem que a *performance* não determina o valor ou a aceitação e, por isso mesmo, não se importam com o tema. O problema é que essas pessoas não entendem que devemos dar o melhor de nós para agradar a Deus, o que em nada diz respeito a sermos amados por ele.

É evidente que todos são igualmente amados por Deus. Ele deseja a salvação de todos (1Timóteo 2.4) e não faz acepção de pessoas (Atos 10.34; Romanos 2.11). Entretanto, nem todos agradam a Deus com seu modo de se comportar. Esse tópico é, sem dúvida, uma doutrina bíblica que não pode ser ignorada. Cristo, referindo-se ao Pai celestial, declarou: "faço o que lhe agrada" (João 8.29). Paulo também fez afirmações concernentes ao tema: "Por isso, temos o propósito de lhe agradar, quer estejamos no corpo, quer o deixemos" (2Coríntios 5.9). Notemos que o esforço do apóstolo não era para alcançar algum tipo de mérito; seu empenho tinha o único objetivo de agradar ao Eterno. As epístolas apresentam recorrentes ênfases sobre agradar a Deus. A repetição do tema eleva sua classificação de informação para algo enfático:

> Quanto ao mais, irmãos, já os instruímos **acerca de como viver a fim de agradar a Deus** e, de fato, assim vocês estão procedendo. Agora pedimos e exortamos a vocês no Senhor Jesus que **cresçam nisso cada vez mais**. Pois conhecem os mandamentos que demos a vocês pela autoridade do Senhor Jesus (1Tessalonicenses 4.1,2).

O apóstolo Paulo deixa claro que há uma maneira segundo a qual o cristão deve viver e que agrada a Deus. Também aponta que os irmãos de Tessalônica estavam cumprindo esse propósito. No entanto, o escritor deixa clara a importância de progressividade nesse comportamento quando os exorta a que prossigam: "cresçam nisso cada vez mais". Ele afirmou aos crentes romanos que "quem é dominado pela carne não pode agradar a Deus" (Romanos 8.8).

O escritor de Hebreus afirma a respeito de Enoque: "antes de ser arrebatado recebeu testemunho de que tinha agradado a Deus" (Hebreus 11.5). Insta-nos também a que "sirvamos a Deus de modo agradável" (Hebreus 12.28, ARA). Além disso, aponta que "sem fé é impossível agradar a Deus" (Hebreus 11.6). Não se trata de um assunto sem importância. A ênfase confirma isto.

Como afirmamos, o conceito de agradar a Deus não está relacionado com a busca humana por amor, aceitação ou valor. Pelo contrário, trata-se de uma declaração do valor que o nosso Criador e Redentor tem para conosco. O empenho, quando aplicado nesse contexto, é um reconhecimento do valor que o Altíssimo e seu Reino tem para nós; não se trata, como alegam alguns, da tentativa de alcançar valor ou mérito diante de Deus. Avancemos para a compreensão das obras na vida cristã.

Esforço e dedicação

SINOPSE DO CAPÍTULO EM TÓPICOS

1. Na interação entre deidade e humanidade, a ajuda divina não elimina a diligência humana.

2. Ninguém é digno, por si mesmo, da salvação. Trata-se dos méritos de Cristo, não dos nossos. Entretanto, a Escritura assevera que devemos viver de modo *digno* do evangelho de Cristo. Não significa que seremos dignos de participar do evangelho por causa do nosso modo de viver, e sim que o evangelho é digno da nossa melhor resposta.

3. A dedicação na vida cristã não deve ser vista como concorrente da graça, mas como expressão do caráter interativo da graça.

4. Também constatamos, nas questões ministeriais, a interação entre Deus e o homem. Ela, por um lado, sustenta a responsabilidade do empenho humano sem que, por outro lado, deixe de reconhecer a tão importante manifestação do favor divino.

5. O amor incondicional de Deus revela o valor que os homens têm para ele. Em contrapartida, a disposição de agradar a Deus aponta para o valor que ele tem para nós.

6. Todos são igualmente amados por Deus. Ele deseja a salvação de todos e não faz acepção de pessoas. Entretanto, nem todos agradam a Deus com seu modo de se comportar. Estes dois assuntos não podem ser confundidos.

7. O conceito de agradar a Deus não está relacionado com a busca humana por amor, aceitação ou valor. Pelo contrário, trata-se de uma declaração do valor que o Criador e Redentor tem para conosco.

PERGUNTAS PARA REFLEXÃO

1. Como a distinção entre ser amado por Deus e agradável a ele impacta a nossa vida cristã?

2. Vimos que "a graça é o oposto do mérito, não do esforço". Qual é a distinção entre uma coisa e outra?

3. Como a ordem de viver de modo digno do evangelho pode ser praticada sem que venhamos a nos iludir com a ideia de mérito próprio?

4. Como você avalia seu nível de dedicação em sua caminhada cristã?

CAPÍTULO 17

BOAS OBRAS

A graça é dada não porque fizemos boas obras,
mas para que possamos ser capazes de realizá-las.

Agostinho de Hipona

Outra confusão, propagada em nome da graça, é a diminuição ou mesmo a anulação das obras na nossa prática cotidiana da fé. Aprendi, desde que era garoto, que, embora não sejamos salvos *pelas* obras, fomos salvos *para* elas. Ou seja, na perspectiva bíblica, as boas obras não são o meio da salvação, mas, com certeza, a sua consequência. Observemos a clássica afirmação de Paulo aos efésios:

> Pois vocês são salvos pela graça, por meio da fé, e isto não vem de vocês, é dom de Deus; não por obras, para que ninguém se glorie. Porque somos **criação** de Deus realizada em Cristo Jesus **para fazermos boas obras**, as quais Deus **preparou antes para nós as praticarmos** (Efésios 2.8-10).

Boa parte dos discursos cristãos sobre as obras parece concentrar-se na informação dos versículos 8 e 9, que falam a respeito de a salvação não se dar por meio das obras. Embora correto, o discurso é incompleto, caso seja interrompido nesse ponto. Se fôssemos salvos pelas obras, estaríamos falando de mérito, não da graça. Entretanto, isso não faz das obras algo nulo ou desnecessário, pois elas são apresentadas como *efeito*, embora não sejam a *causa* da salvação. Jesus morreu não apenas para nos remir da iniquidade, como também para nos levar à prática das boas obras:

> [...] enquanto aguardamos a bendita esperança: a gloriosa manifestação de nosso grande Deus e Salvador, Jesus Cristo. Ele se entregou por nós a fim de **nos remir de toda a maldade** e **purificar** para si mesmo **um povo** particularmente seu, **dedicado à prática de boas obras** (Tito 2.13,14).

Insistimos em afirmar essa verdade que vem desvanecendo na prática cristã de muitos: as obras são consequência da salvação, não a causa. Aprendi isso bem cedo, e tal princípio nunca foi apresentado como contrário à graça. Aliás, o entendimento remonta ao início da era cristã e está fundamentado nas Escrituras. Pode até ter sido distorcido na época em que a salvação estava atrelada às obras, mas, desde a Reforma Protestante, a verdade foi resgatada. John Wesley, pregando o sermão 128, *Graça livre*, em Bristol três séculos atrás, afirmou que a graça divina é "livre em todos a quem é dada"; na sequência, concluiu ser necessário distinguir o fruto da raiz.

> Não depende de nenhum poder ou mérito no homem; não; não em qualquer medida, nem no todo, nem em parte. Não depende de forma alguma das boas obras ou da justiça do recebedor, nem de qualquer coisa que ele tenha feito, ou de qualquer coisa que ele é. Não depende de seus esforços. Não depende de sua boa disposição, ou bons desejos, ou bons propósitos e intenções, pois todas essas coisas fluem da livre graça de Deus; elas são apenas as correntes, não a fonte. Elas são os frutos da livre graça, não a raiz. Elas não são a causa, mas os efeitos dela.[1]

Paulo afirmou que fomos salvos pela graça e pela misericórdia de Deus. Contudo, acrescentou a importância das obras quando, na sequência, orientou Tito a que afirmasse, com confiança, que os crentes fossem cuidadosos na prática de boas obras:

---

[1] WESLEY, John. **Graça livre** (sermão 128). Projecto Wesley.

Mas, quando, da parte de Deus, nosso Salvador, se manifestaram a bondade e o amor pelos homens, **não por causa de atos de justiça por nós praticados, mas devido à sua misericórdia, ele nos salvou** pelo lavar regenerador e renovador do Espírito Santo, que ele derramou sobre nós generosamente, por meio de Jesus Cristo, nosso Salvador. Ele o fez a fim de que, **justificados por sua graça**, nos tornemos seus herdeiros, tendo a esperança da vida eterna. Fiel é esta palavra, e quero que você afirme categoricamente essas coisas, **para que os que creem em Deus se empenhem na prática de boas obras**. Tais coisas são excelentes e úteis aos homens (Tito 3.4-8).

Portanto, espera-se de um bom cristão a prática das boas obras. Quando a Bíblia fala de Dorcas, uma discípula de Jope, enfatiza que ela "se dedicava a praticar boas obras e dar esmolas" (Atos 9.36). Paulo instrui: "Da mesma forma, quero que as mulheres se vistam modestamente, com decência e discrição, não se adornando com tranças e com ouro, nem com pérolas ou com roupas caras, mas com boas obras, como convém a mulheres que declaram adorar a Deus" (1Timóteo 2.9,10). Depois, ao tratar da questão das viúvas que seriam socorridas pela igreja, o apóstolo apresenta a necessidade de qualificações específicas; entre elas, a de que a viúva deveria "[ser] bem conhecida por suas boas obras" (1Timóteo 5.10). No final da mesma epístola, uma terceira menção às obras é feita na exortação de alguns irmãos: "que pratiquem o bem, sejam ricos em boas obras, generosos e prontos a repartir. Dessa forma, eles acumularão um tesouro para si mesmos, um firme fundamento para a era que há de vir, e assim alcançarão a verdadeira vida" (1Timóteo 6.18,19).

AS OBRAS E AS ETAPAS DA VIDA CRISTÃ

Anteriormente, vimos as etapas da vida cristã. Com base nas palavras de Jesus (Mateus 7.13,14), apresentamos três etapas distintas: porta, caminho e alvo. Falamos da *porta* como a nossa entrada no Reino (João 3.5), do *caminho* como a vida cristã e do *alvo* como o destino a ser alcançado (Filipenses 3.14), que é o fim e o propósito de tudo (1Pedro 1.9). Queremos considerar, de forma resumida, a relação das obras com cada uma dessas fases, assim como o fizemos ao estudar as etapas da santificação.

Porta

Sabemos que as obras não podem nos salvar, uma vez que a salvação é pela graça (Efésios 2.8,9). Paulo esclarece que não há compatibilidade entre graça e obras na salvação:

> E, **se é pela graça, já não é mais pelas obras**; se fosse, a graça já não seria graça (Romanos 11.6).

Contudo, vale ressaltar que, quando Paulo exalta a graça em relação às obras (no sentido de excluir o mérito humano), o apóstolo refere-se à salvação, ou seja, de se entrar pela porta. Nessa fase, as obras não têm valor algum. Somente depois de se passar pela porta é que elas serão necessárias e vistas como consequência da entrada no Reino de Deus.

Caminho

A nova aliança é marcada tanto pelo entendimento da graça como também pela fé — que é o acesso à graça (Romanos 5.2). Quando nos referimos à fé, devemos reconhecer que a fé tem uma confissão (Romanos 10.9,10), uma visão (Hebreus 11.27), bem como obras (Tiago 2.14-26). Se não tem confissão, não é fé. Se não tem visão, não é fé. Se não tem obras, por que seria fé? Atentemos para o registro dessa marca da fé na carta de Tiago:

> De que adianta, meus irmãos, alguém dizer que tem fé, **se não tem obras**? Acaso **a fé pode salvá-lo**? Se um irmão ou irmã estiver necessitando de roupas e do alimento de cada dia e um de vocês lhe disser: "Vá em paz, aqueça-se e alimente-se até satisfazer-se", sem porém lhe dar nada, de que adianta isso? Assim também **a fé, por si só, se não for acompanhada de obras, está morta** (Tiago 2.14-17).

Quando Tiago destaca as obras como extensão — não substituição — da fé, está ressaltando o caminho a ser trilhado depois de se passar pela porta, ou seja, a fase em questão é a vida cristã. Aqui as obras são vistas como *efeito*, não como *requisito*, da entrada no Reino divino. As expressões "salvar" e "justificar" podem nos confundir, remetendo-nos à equivocada conclusão de que se trata de passar pela porta em vez de trilhar o caminho. Contudo, a negativa a tal conclusão pode ser encontrada nos escritos de Paulo, tanto aos crentes de Éfeso (Efésios 2.8-10) como aos de Roma: "Se de fato Abraão foi justificado pelas obras, ele tem do que se gloriar, mas não diante de Deus. Que diz a Escritura? 'Abraão creu em Deus, e isso lhe foi creditado como justiça'" (Romanos 4.2,3).

Como se entende, então, que Tiago fala de uma etapa diferente? A partir do fato de que as afirmações bíblicas não se contradizem; antes, são complementares. Concordo com a definição de Hernandes Dias Lopes sobre os aspectos complementares — não contradizentes — da fé expressa pelo patriarca:

> Como, então, Abraão foi justificado pelas obras, uma vez que já tinha sido justificado pela fé (Gênesis 15.6; Romanos 4.2,3)? Pela fé, ele foi justificado diante de Deus, e sua justiça foi *declarada*. Pelas obras, ele foi justificado diante dos homens, e sua justiça foi *demonstrada*. A fé do patriarca Abraão foi demonstrada por suas obras.[2]

Na primeira experiência, ser justificado diante de Deus, as nossas obras não pesam, apenas a fé. Na segunda etapa, um desdobramento da primeira, a fé que, diferentemente de Deus, os homens não podem ver é visualizada pelas obras. É efeito, não causa da salvação. Por mais simples que pareça, essa falta de distinção de etapas tem levado muitos cristãos a não entenderem a doutrina das obras, tampouco a sua prática. As obras são, na vida dos salvos, como afirmou John Wesley, os *frutos* da graça, não a *raiz*; elas não são a *causa*, e sim os *efeitos* da graça.

Se não considerarmos tal distinção, deveremos aceitar uma suposta discordância e contradição entre Paulo e Tiago. Um afirmou que ninguém seria justificado por obras (Gálatas 2.16), ao passo que outro asseverou que uma pessoa é justificada por obras (Tiago 2.24). No entanto, o fato é que

---

[2] LOPES, Hernandes Dias. **Comentário expositivo do Novo Testamento.** São Paulo: Hagnos, 2019. v. 3, p. 283.

Paulo falava da raiz; já Tiago falava do fruto. O primeiro fazia referência à *porta*; o segundo, ao *caminho*. É evidente, portanto, que não há contradição entre Paulo e Tiago ou qualquer outra parte da Palavra de Deus. John Wesley, em suas "Notas explicativas do Novo Testamento", comenta:

> Desde Tiago 1.22, o apóstolo enfatiza a prática cristã. Agora ele menciona aqueles que negligenciam a prática, sob a pretensão da fé. Paulo ensinou que "o homem é justificado pela fé, independentemente das obras da lei". Alguns já começavam a distorcer esse ensino, para sua própria destruição. Por isso, Tiago repete (v. 21,23,25), de propósito, as mesmas frases, testemunhos e exemplos que Paulo usou (Romanos 4.3; Hebreus 11.17,31). Ele não nega a doutrina de Paulo, mas nega o erro daqueles que a abusaram. Não há, então, nenhuma contradição entre os apóstolos. Ambos declararam a verdade de Deus, mas de maneiras diferentes, conforme o caso de diferentes tipos de pessoas. Em outra ocasião, Tiago mesmo advogou a causa da fé (Atos 15.12-31). Paulo, por sua vez, também advoga pelas obras, particularmente nas suas últimas epístolas.[3]

Alvo

Quando se fala da última etapa, o alvo, o foco não está no que faremos depois de chegar lá, mas, sim, no que a prática das obras *durante* o caminho proporciona ao crente que *alcançou* o alvo. Por exemplo, observemos o que João registrou sobre as obras no último livro da Bíblia:

> Então ouvi uma voz do céu, dizendo:
> — Escreva: "Bem-aventurados os mortos que, desde agora, morrem no Senhor."
> — Sim — diz o Espírito —, para que descansem das suas fadigas, pois **as suas obras os acompanham** (Apocalipse 14.13, NAA).

O apóstolo fala sobre o fato de nossas obras nos acompanharem *após* a morte. Ou seja, ele trata das recompensas, daquilo que se usufrui depois

---

[3] **Bíblia de estudo John Wesley**. São Paulo: Sociedade Bíblica do Brasil, 2020. p. 1560.

de se ter alcançado o alvo. Entretanto, é evidente que ele trata de obras que foram praticadas ao longo do caminho e que geraram galardão, ou recompensa, para o período posterior ao alvo. Trataremos melhor desse assunto no capítulo seguinte.

O QUE SÃO AS BOAS OBRAS?

Considerando que as obras são o transbordar da salvação já alcançada, não uma tentativa de obtê-la por mérito, como podemos *definir* as boas obras?

Proclamação

A primeira e principal boa obra é anunciar a mensagem de Deus aos homens. Jesus, que foi poderoso em palavras e obras (Lucas 24.19), foi enviado para "pregar boas-novas", "proclamar liberdade aos presos" e "proclamar o ano da graça do Senhor" (Lucas 4.18,19). Concordam com isso as palavras de Pedro:

> Vocês, porém, são geração eleita, sacerdócio real, nação santa, povo exclusivo de Deus, **para anunciar as grandezas** daquele que os chamou das trevas para a sua maravilhosa luz. Antes vocês nem sequer eram povo, mas agora são povo de Deus; não haviam recebido misericórdia, mas agora a receberam (1Pedro 2.9,10).

A salvação nos é dada para ser compartilhada. Ninguém pode oferecer a outro o que não tem, mas tem a obrigação de compartilhar o que recebeu. Paulo falava da pregação como sua tarefa principal:

> Quando chegaram, ele lhes disse: "Vocês sabem como vivi todo o tempo em que estive com vocês, desde o primeiro dia em que cheguei à província da Ásia. Servi ao Senhor com toda a humildade e com lágrimas, sendo severamente provado pelas conspirações dos judeus. **Vocês sabem que não deixei de pregar a vocês nada que fosse proveitoso, mas ensinei tudo publicamente e de casa em casa. Testifiquei, tanto a judeus como a gregos, que eles precisam converter-se a Deus com**

arrependimento e fé em nosso Senhor Jesus. [...] Agora sei que nenhum de vocês, entre os quais passei **pregando o Reino**, verá novamente a minha face. Portanto, eu declaro hoje que estou inocente do sangue de todos. Pois **não deixei de proclamar a vocês toda a vontade de** Deus" (Atos 20.18-21,25-27).

Entristece-nos saber que há grupos cristãos que se propõem à assistência social e à ajuda aos necessitados sem, contudo, pregar o evangelho aos que auxiliam. O que fazemos a tais pessoas é de grande valor, mas não suprime a necessidade da proclamação do evangelho. Embora inegavelmente importante, a pregação, por si só, não define a prática das boas obras. Há outros aspectos a serem considerados na prática das boas obras, os quais queremos alistar.

Manter o bom testemunho

O Senhor Jesus nos responsabilizou a resplandecer, em vez de esconder, a nossa luz perante os homens. Ensinou-nos expressamente que fazemos isso por meio das obras que praticamos:

"Vocês são a luz do mundo. Não se pode esconder uma cidade construída sobre um monte. E, também, ninguém acende uma candeia e a coloca debaixo de uma vasilha. Ao contrário, coloca-a no lugar apropriado, e assim ilumina a todos os que estão na casa. Assim brilhe a luz de vocês diante dos homens, **para que vejam as suas boas obras** e glorifiquem ao Pai de vocês, que está nos céus" (Mateus 5.14-16).

Temos a responsabilidade de proclamar a mensagem divina da salvação em Cristo. Isso é fato. No entanto, se o nosso estilo de vida não condiz com a mensagem que pregamos, então esta perde força. Justamente por isso, Pedro exortou-nos de modo semelhante ao nosso Senhor:

Vivam entre os pagãos de maneira exemplar para que, mesmo que eles os acusem de praticar o mal, **observem as boas obras que vocês praticam** e glorifiquem a Deus no dia da intervenção dele (1Pedro 2.12).

O apóstolo, na mesma epístola, também atestou: "Do mesmo modo, mulheres, sujeite-se cada uma a seu marido, a fim de que, se ele não obedece à palavra, seja ganho *sem palavras*, pelo procedimento de sua mulher, *observando a conduta honesta e respeitosa* de vocês" (1Pedro 3.1,2). Obviamente, o testemunho não substitui a proclamação da Palavra de Deus, mas a corrobora. A falta de um bom testemunho, em contrapartida, anula a pregação verbal. Logo, não se trata de escolher entre um e outro, mas de ambos. Paulo também ensinou a esse respeito: "Ensine os escravos a se submeterem em tudo a seus senhores, a procurarem agradá-los, a não serem respondões e a não roubá-los, mas a mostrarem que são inteiramente dignos de confiança, para que assim *tornem atraente*, em tudo, *o ensino de Deus*, nosso Salvador" (Tito 2.9,10). O bom testemunho não substitui, mas embeleza a doutrina proclamada.

O serviço aos irmãos

Acrescente-se à pregação e ao bom testemunho, na lista das boas obras, o serviço aos santos. O apóstolo Paulo orientou Tito, seu discípulo, acerca da excelência no ensino:

> Em tudo seja você mesmo um exemplo para eles, **fazendo boas obras**. Em seu **ensino**, mostre integridade e seriedade; use linguagem sadia, contra a qual nada se possa dizer, para que aqueles que se opõem a você fiquem envergonhados por não poderem falar mal de nós (Tito 2.7,8).

Pedro também escreveu sobre isso: "Cada um exerça o dom que recebeu para servir os outros, *administrando fielmente a graça de Deus em suas múltiplas formas*" (1Pedro 4.10). O apóstolo atestou que os dons são expressão da graça divina e deixou claro se tratar desse tipo de serviço quando, na sequência, afirmou: "Se alguém fala, faça-o como quem transmite a palavra de Deus. Se alguém serve, faça-o com a força que Deus provê, de forma que em todas as coisas Deus seja glorificado mediante Jesus Cristo, a quem sejam a glória e o poder para todo o sempre. Amém" (1Pedro 4.11).

Tal serviço envolve o uso dos dons tanto ministeriais como espirituais; no entanto, não se caracteriza apenas pelo aspecto espiritual. O livro de

Atos registra de que modo os doze apóstolos do Senhor se organizaram para atender às várias necessidades com as quais depararam: "Reuniram todos os discípulos e disseram: 'Não é certo negligenciarmos o ministério da palavra de Deus, a fim de servir às mesas. Irmãos, escolham entre vocês sete homens de bom testemunho, cheios do Espírito e de sabedoria. Passaremos a eles essa tarefa e nos dedicaremos à oração e ao ministério da palavra' " (Atos 6.2-4). Obviamente, os discípulos priorizavam a proclamação da Palavra sem deixar, contudo, de reconhecer o espaço e a importância de outros aspectos do serviço cristão e da prática das boas obras, como, por exemplo, atender os necessitados.

Atender os necessitados

Paulo também manifestava a compreensão de que o serviço cristão era mais do que o exercício de dons de ordem espiritual. O apóstolo dos gentios afirmou aos crentes romanos: "Agora, porém, estou de partida para Jerusalém, *a serviço dos santos*. Pois a Macedônia e a Acaia tiveram a alegria de *contribuir para os pobres* que estão entre os santos de Jerusalém" (Romanos 15.25,26).

Paulo também afirmou aos presbíteros da igreja de Éfeso:

> Em tudo tenho mostrado a vocês que, trabalhando assim, é preciso **socorrer os necessitados** e lembrar das palavras do próprio Senhor Jesus: "Mais bem-aventurado é dar do que receber" (Atos 20.35, NAA).

Vimos que Tiago, ao falar das obras que acompanham a fé, inclui especificamente o caráter da ajuda aos necessitados: "Se um irmão ou irmã estiver necessitando de roupas e do alimento de cada dia e um de vocês lhe disser: 'Vá em paz, aqueça-se e alimente-se até satisfazer-se', sem porém lhe dar nada, de que adianta isso?" (Tiago 2.15,16).

Enquanto alguns tentam usar a graça exclusivamente com o conceito de favor imerecido para justificar uma vida sem boas obras, constatamos, com inegável clareza, que a definição bíblica segue o caminho contrário:

> Agora, irmãos, queremos que vocês tomem conhecimento **da graça que Deus concedeu às igrejas da Macedônia**. No meio da mais severa tribulação, a grande alegria e a extrema pobreza deles transbordaram em rica generosidade. Pois dou testemunho de que eles deram tudo quanto podiam e até além do que podiam. Por iniciativa própria eles nos suplicaram insistentemente **o privilégio de participar da assistência aos santos** (2Coríntios 8.1-4).

Os macedônios manifestaram graça divina ao se disporem, mesmo com falta de recursos, a participar da coleta que apoiaria os santos da Judeia. Por isso, foi-lhes dito: "Deus é poderoso para *fazer que toda a graça lhes seja acrescentada*, para que em todas as coisas, em todo o tempo, tendo tudo o que é necessário, *vocês transbordem em toda boa obra*. Como está escrito: 'Distribuiu, deu os seus bens aos necessitados; a sua justiça dura para sempre'" (2Coríntios 9.8,9). Na Almeida Revista e Atualizada, lemos: "[...] a fim de que, tendo sempre, em tudo, ampla suficiência, *superabundeis em toda boa obra*". Gosto dessa definição de Paulo; a abundância da graça significa superabundância de boas obras.

Paulo testemunhou que, quando subiu a Jerusalém, para apresentar aos apóstolos o evangelho que ele pregava aos gentios (Gálatas 2.1,2), e teve da parte de Tiago, Cefas e João o reconhecimento da graça que lhe foi dada, recebeu a seguinte advertência: "Somente recomendaram que nos lembrássemos dos pobres, o que também me esforcei por fazer" (Gálatas 2.10, NAA). Ou seja, o evangelho não deveria ser pregado sem oferecer ajuda material aos necessitados.

SINOPSE DO CAPÍTULO EM TÓPICOS

1. Embora não sejamos salvos *pelas* obras, fomos salvos *para* elas. Assim, as boas obras não são o meio da salvação, mas, com certeza, são a sua consequência.

2. Jesus morreu não apenas para nos remir da iniquidade, como também para nos levar à prática das boas obras.

3. As obras são efeito da salvação, não a causa. É necessário distinguir o fruto da raiz.

4. Há três etapas distintas na vida cristã: porta, caminho e alvo. A *porta* é a entrada no Reino, o *caminho* é a vida cristã e o *alvo* é o destino a ser alcançado. Na *porta*, as obras não têm valor algum. Somente depois da entrada, ao trilhar o *caminho*, é que elas serão necessárias e vistas como consequência da entrada no Reino de Deus. E após a chegada ao *alvo* receberemos a recompensa dessas obras.

5. A primeira e principal boa obra é *anunciar* a mensagem de Deus aos homens. Uma extensão é o *bom testemunho*, onde nosso estilo de vida complementa a mensagem proclamada. Acrescente-se à pregação e ao bom testemunho, na lista das boas obras, o *serviço* aos santos. E, finalmente, o *socorro aos necessitados*.

PERGUNTAS PARA REFLEXÃO

1. Qual é a diferença entre ser salvo *pelas* obras ou *para* elas?

2. Qual é o dano de uma pregação sem testemunho?

3. Um bom testemunho, porém, sem pregação produz algum efeito?

4. O serviço aos santos é opcional?

CAPÍTULO 18

GALARDÃO

*Não é tolo aquele que dá aquilo que não pode
reter, a fim de ganhar aquilo que não pode perder.*

James Elliot

A graça não se limita a tão somente nos conduzir à salvação. Ela se estende a todos os aspectos da vida cristã, e, como vimos, até mesmo ao nosso serviço. Paulo reconheceu, muitas vezes, que seu ministério era manifestação da graça divina: "Conforme a graça de Deus que me foi concedida, eu, como sábio construtor, lancei o alicerce, e outro está construindo sobre ele" (1Coríntios 3.10). O favor divino se manifesta como força capacitadora e, embora não nos obrigue a trabalhar, viabiliza, dessa maneira, não somente o cumprimento do propósito divino — o que inclui a edificação daqueles aos quais servimos —, como também nos permite viver seu inevitável resultado: a recompensa eterna pelos serviços efêmeros.

Sim, ninguém se engane! Há um galardão divino prometido como recompensa para o trabalho do cristão. Se, por um lado, a salvação não depende de obras, o galardão, por sua vez, baseia-se no trabalho de cada um. Como pretendemos demonstrar, ainda que o homem execute um ministério cujos resultados são amplificados pela graça, ele será recompensado por Deus por se dispor a interagir com ele.

Quando Paulo, escrevendo aos romanos, fala da justificação pela fé — a experiência de salvação —, o apóstolo exclui a participação de obras humanas no processo:

> Portanto, que diremos do nosso antepassado Abraão? Se de fato Abraão foi justificado pelas obras, ele tem do que se gloriar, mas não diante de Deus. Que diz a Escritura? "Abraão creu em Deus, e isso lhe foi creditado como justiça." Ora, **o salário do homem que trabalha não é considerado como favor, mas como dívida.** Todavia, àquele que não trabalha, mas confia em Deus, que justifica o ímpio, sua fé lhe é creditada como justiça (Romanos 4.1-5).

Por outro lado, como vimos no capítulo anterior, todo nascido de novo deve, depois de ter sido salvo sem obras, se dedicar à prática das boas obras para as quais foi criado em Cristo (Efésios 2.10). É a partir do momento da conversão que se aplicará ao que crê em Jesus a declaração do versículo citado: "o salário do homem que trabalha não é considerado como favor, mas como dívida". O galardão, diferentemente da salvação, está relacionado com o mérito humano. Embora esse assunto seja um tanto quanto paradoxal, pois, até para trabalhar em favor do Reino de Deus, a graça divina manifesta-se dando poder ao serviço humano.

Quando falamos do fato de a recompensa ao serviço ter como base o mérito humano, entenda-se isso dentro da perspectiva da responsabilidade humana. Embora tenha a força capacitadora da graça para executar o ministério concedido por Deus, o cristão, sem dúvida, ainda é responsável por decidir se cumprirá ou não aquilo para o qual foi chamado. Ele também é quem detém a decisão do nível de dedicação e entrega com o qual cumprirá a missão recebida. Pelas decisões que tomar a esse respeito, será recompensado pelo Altíssimo.

Paulo, em sua primeira carta aos Coríntios, trata do assunto do ministério como interação entre a responsabilidade humana e os recursos divinos:

> Afinal de contas, quem é Apolo? Quem é Paulo? Apenas servos por meio dos quais vocês vieram a crer, **conforme o ministério que o Senhor**

atribuiu a cada um. Eu plantei, Apolo regou, mas **Deus é quem fez crescer**; de modo que nem o que planta nem o que rega são alguma coisa, mas unicamente **Deus, que efetua o crescimento** (1Coríntios 3.5-7).

Observemos que Paulo plantou, e Apolo regou. Trata-se de trabalho humano. Por outro lado, a Bíblia afirma que o crescimento se deu com recursos divinos, sobrenaturais. É fato que a graça determina os resultados espirituais que o ministério produz. Contudo, ela não anula a responsabilidade humana nem a recompensa divina que se segue à execução do serviço dos fiéis.

Ora, o que planta e o que rega são um; e **cada um receberá o seu galardão, segundo o seu próprio trabalho.** Porque de Deus somos cooperadores; lavoura de Deus, edifício de Deus sois vós. Segundo a graça de Deus que me foi dada, lancei o fundamento como prudente construtor; e outro edifica sobre ele. Porém **cada um veja como edifica.** Porque ninguém pode lançar outro fundamento, além do que foi posto, o qual é Jesus Cristo. (1Coríntios 3.8-11, ARA)

O apóstolo destaca que o galardão é personalizado: "cada um receberá o seu galardão, segundo o seu próprio trabalho". O céu não tem um regime socialista. Igualitários são tanto o valor de cada um aos olhos do Criador como a salvação disponibilizada em Cristo. Contudo, Paulo explica a diferença entre o *fundamento*, que é Jesus — que aponta para a salvação —, o qual não pode ser mudado, e o restante da *construção*, que pode ser executada de diversas maneiras, dependendo de quem edifica.

DISTINGUINDO A SALVAÇÃO DO GALARDÃO

A diferença entre salvação e galardão é claramente apresentada na sequência de raciocínio desenvolvida por Paulo, no mesmo texto, no qual ele abrange os dois temas:

Contudo, se o que alguém **edifica sobre o fundamento** é ouro, prata, pedras preciosas, madeira, feno, palha, manifesta se tornará **a**

obra de cada um; pois o Dia a demonstrará, porque está sendo revelada pelo fogo; e **qual seja a obra de cada um o próprio fogo o provará**. Se **permanecer** a obra de alguém que sobre o fundamento edificou, esse **receberá galardão**; se a obra de alguém se **queimar, sofrerá ele dano**; mas esse mesmo **será salvo**, todavia, como que através do fogo (1Coríntios 3.12-15, ARA).

Portanto, temos um fundamento imutável, que é Cristo, e o restante do edifício, que varia de acordo com a obra de cada um. O apóstolo exemplifica, de um lado, recursos de construção do edifício que, mais do que refletir excelência, estão ligados à durabilidade e à capacidade de suportar o fogo: ouro, prata e pedras preciosas. Paulo, por outro lado, também apresenta materiais de edificação que, além de não refletir excelência, não apresentam a característica de durabilidade nem a capacidade de suportar o fogo: madeira, feno e palha. Conclui atestando que, assim como o fundamento é certo e imutável, igualmente o fogo que provará a obra de cada um também é.

Conclui-se, então, que aqueles que edificaram corretamente serão recompensados. Em contrapartida, porém, os que não construíram da melhor forma não receberão galardão (significado da expressão "sofrerá ele dano"). O apóstolo atesta que tais pessoas, mesmo sem galardão, serão salvas. Portanto, diante da informação de que a pessoa salva pode ou não ter recompensa, deduz-se que salvação e galardão são realidades completamente distintas. A salvação não é recebida por obras; é uma manifestação da graça que se desfruta pela fé. Trata-se de favor imerecido. O galardão não é recebido por fé; é um direito que se conquista por obras. Trata-se de mérito.

A salvação, como dito, independe das obras. Por isso, Paulo afirmou que "àquele que *não trabalha*, mas confia em Deus, que justifica o ímpio, sua fé lhe é creditada como justiça" (Romanos 4.5). Ou seja, a salvação não depende do trabalho humano; é uma experiência de fé que, por sua vez, se baseia na obra de Cristo. Contudo, o galardão, sim, depende do homem. Se ele terá ou não galardão, não é responsabilidade divina. Mesmo recebendo a recompensa, o homem ainda determina a dimensão de seu galardão de acordo com o trabalho realizado.

Podemos comparar o princípio do galardão à lei bíblica da semeadura e colheita. Está escrito: "Não se deixem enganar: de Deus não se zomba. Pois o que o homem semear isso também colherá. Quem semeia para a sua carne da carne colherá destruição; mas quem semeia para o Espírito do Espírito colherá a vida eterna" (Gálatas 6.7,8). A lei do plantio e colheita aplica-se nas diversas dimensões: natural, relacional e espiritual. Ela determina que cada um colhe exatamente o que planta. Quem escolhe a semente também define o tipo de colheita. Mas não para aí. A Escritura também assegura: "aquele que semeia pouco também colherá pouco, e aquele que semeia com fartura também colherá fartamente" (2Coríntios 9.6). Portanto, além de escolher *o que* se colherá, o semeador também decide a *dimensão* de sua colheita. Se semear pouco, ele ceifará pouco; se semear muito, ceifará muito. Com isso esclarecido, seria ridículo atribuir a colheita do nosso próprio plantio unicamente à manifestação da graça divina.

O exercício do ministério pode e deve acontecer debaixo da graça de Deus; no entanto, a graça visa liberar recursos celestiais onde os humanos não produziriam resultado. Entretanto, a graça também não age sozinha, pois depende da cooperação humana. As recompensas são o resultado da execução do nosso trabalho na interação com Deus, não os resultados determinados pela participação dele nessa cooperação.

FUNDAMENTOS DA RECOMPENSA

Há verdades fundamentais acerca do galardão que devem ser compreendidas. Consideremos algumas delas:

Definição

O galardão é, sobretudo, *retribuição* das obras. Essa definição foi dada pelo próprio Jesus: "Pois o Filho do homem virá na glória de seu Pai, com os seus anjos, e então recompensará a cada um de acordo com o que tenha feito" (Mateus 16.27). João também registrou, no último livro da Bíblia, a mesma instrução dada por Cristo, agora ressurreto: "E eis que venho sem demora, e comigo está o galardão que tenho para retribuir a cada um segundo as suas obras" (Apocalipse 22.12, ARA). Outro fator em comum nas duas afirmações é que o momento da recompensa se dará na vinda do nosso Senhor.

A palavra grega traduzida por "galardão" é *misthos* (μισθος), e seu significado é: "valor pago pelo trabalho, salário, pagamento; recompensa: usado do fruto natural do trabalho árduo e esforçado, em ambos os sentidos, recompensas e punições; das recompensas que Deus dá, ou dará, pelas boas obras e esforços".[1] Essa palavra foi usada 29 vezes no Novo Testamento e, na maioria da vezes, foi traduzida por "galardão", "recompensa", "salário", "preço" e "prêmio", dependendo da versão bíblica (Mateus 5.12; 5.46; 20.8; Marcos 9.41; Lucas 6.23; 10.7; João 4.36; Romanos 4.4; 1Coríntios 9.17; Tiago 5.4; 2Pedro 2.15).

Não receber ou perder

Cristo ensinou que alguém pode não ter recompensa: "Guardai-vos de exercer a vossa justiça diante dos homens, com o fim de serdes vistos por eles; doutra sorte, não tereis galardão junto de vosso Pai celeste" (Mateus 6.1, ARA). Essa declaração nos leva a entender que a recompensa das obras não se limita a avaliar somente *o que* fazemos, mas também *por que* e *como* fazemos.

Outra verdade sobre o galardão ensinado por Jesus é que alguém pode perder sua recompensa, enquanto outros não: "Porquanto, aquele que vos der de beber um copo de água, em meu nome, porque sois de Cristo, em verdade vos digo que de modo algum perderá o seu galardão" (Marcos 9.41, ARA). Esse texto sugere que alguém, apesar de ter direito ao galardão, pode, por alguma razão, comprometer o que está entesourando. A palavra traduzida por "perder" é *apollumi* (αποολλυμι), que, em resumo, significa: "destruir, abolir, tornar inútil, destruir, perder". Logo, deduz-se que é diferente de apenas não receber o galardão.

Dimensão

Outro aspecto a ser considerado é a questão da dimensão. Em geral, as Escrituras falam de galardão de modo genérico, portanto com "tamanho"

---

[1] STRONG, **New Strong's Exhaustive Concordance of the Bible**.

indefinido. Contudo, há textos que apontam para a variedade dimensional e que retratam um *grande* galardão. O Senhor declarou: "Amai, porém, os vossos inimigos, fazei o bem e emprestai, sem esperar nenhuma paga; *será grande o vosso galardão*" (Lucas 6.35, ARA). A epístola aos Hebreus também empregou a mesma terminologia: "Não abandoneis, portanto, a vossa confiança; *ela tem grande galardão*" (Hebreus 10.35, ARA; "ela será ricamente recompensada", NVI).

Além disso, há outras inferências a serem feitas sobre a questão do "tamanho" do galardão. Por exemplo, quando fala dos *heróis da fé*, o livro de Hebreus menciona que "Uns foram torturados e recusaram ser libertados, para poderem alcançar uma ressurreição *superior*" (Hebreus 11.35). Depois de falar de uma lista de pessoas que receberam livramentos sobrenaturais, as Escrituras destacam alguns que renunciaram ao livramento do qual poderiam usufruir. Qual foi o motivo dessa renúncia? Almejavam uma recompensa definida no texto como "ressurreição superior". Paulo declarou que haverá distintos níveis de glória na ressurreição: "Um é o esplendor do sol, outro o da lua, e outro o das estrelas; e as estrelas diferem em esplendor umas das outras. *Assim será* com a ressurreição dos mortos. O corpo que é semeado é perecível e ressuscita imperecível" (1Coríntios 15.41,42). Portanto, o galardão de alguns pode ser superior ao de outros.

Quando se dará

Já vimos que o momento das recompensas se dará com a vinda do nosso Senhor. Mas vale dizer que a distribuição do galardão dos santos será em um tempo determinado após a morte, mais especificamente na ressurreição. A Palavra de Deus diz: "aos homens está ordenado morrerem uma só vez, vindo, depois disto, o juízo" (Hebreus 9.27, ARA); portanto, o julgamento só se dará depois desta vida.

No entanto, não significa que tal julgamento seja imediatamente após a morte. Sabemos que há um tempo determinado para isso, e Jesus o chamou de "dia do juízo" (Mateus 12.36). Cristo também relacionou as recompensas com a ressurreição: "A sua recompensa virá na ressurreição dos justos" (Lucas 14.14). E quando se dará a ressurreição? Por ocasião da vinda do nosso Senhor: "Se cremos que Jesus morreu e ressurgiu, cremos também que Deus trará, *mediante Jesus e com ele,* aqueles que nele dormiram. Dizemos a vocês, pela palavra do Senhor, que nós, os que estivermos vivos, os que ficarmos até a vinda do Senhor, certamente não precederemos os que dormem. Pois, dada a ordem, com a voz do arcanjo e o ressoar da trombeta de Deus, o próprio Senhor d*escerá dos céus, e os mortos em Cristo ressuscitarão* primeiro. Depois nós, os que estivermos vivos, seremos arrebatados com eles nas nuvens, para o encontro com o Senhor nos ares. E assim estaremos com o Senhor para sempre" (1Tessalonicenses 4.14-17).

Fidelidade

Em uma de suas parábolas, Jesus apresentou a alegoria de trabalhadores que foram contratados para o serviço como ilustração das verdades do Reino que os seus discípulos deveriam compreender:

"Pois o Reino dos céus é como um proprietário que saiu de manhã cedo para **contratar trabalhadores** para a sua vinha. **Ele combinou pagar-lhes um denário pelo dia** e mandou-os para a sua vinha. Por volta das nove horas da manhã, ele saiu e viu outros que estavam desocupados na praça, e lhes disse: 'Vão também trabalhar na vinha, e eu pagarei a vocês o que for justo'. E eles foram. Saindo outra vez, por volta do meio-dia e das três horas da tarde, fez a mesma coisa. Saindo por volta das cinco horas da tarde, encontrou ainda outros que estavam desocupados e lhes perguntou: 'Por que vocês estiveram aqui desocupados o dia todo?' 'Porque ninguém nos contratou', responderam eles. Ele lhes disse: 'Vão vocês também trabalhar na vinha'. Ao cair da tarde, o dono da vinha disse a seu administrador: '**Chame os trabalhadores e pague-lhes o salário**, começando com os últimos contratados e terminando nos primeiros'. Vieram os trabalhadores contratados por volta das cinco horas da tarde, e cada um recebeu um denário. Quando vieram os que tinham sido contratados primeiro, **esperavam receber mais**. Mas cada um deles também recebeu um denário. Quando o receberam, começaram a se queixar do proprietário da vinha, dizendo-lhe: '**Estes homens contratados por último trabalharam apenas uma hora, e o senhor os igualou a nós, que suportamos o peso do trabalho e o calor do dia**'.

Mas ele respondeu a um deles: 'Amigo, não estou sendo injusto com você. Você não concordou em trabalhar por um denário? Receba o que é seu e vá. Eu quero dar ao que foi contratado por último o mesmo que dei a você. Não tenho o direito de fazer o que quero com o meu dinheiro? Ou você está com inveja porque sou generoso?' Assim, os últimos serão primeiros, e os primeiros serão últimos" (Mateus 20.1-16).

Qual é a lição dessa ilustração? Quais verdades Cristo queria comunicar? Afinal, o simbolismo visa prover instrução sobre o Reino de Deus. Para alguns, o desfecho da alegoria pode soar injusto, ainda que o empregador tenha pagado exatamente aquilo que havia combinado com os primeiros operários e que era o padrão regular de remuneração daquele tipo de serviço. É fato que o tempo de serviço de cada trabalhador não foi o mesmo. Esta é a razão pela qual, apesar de terem combinado a jornada integral de trabalho por um denário, os que labutaram o dia inteiro esperavam receber mais do que aqueles cujos afazeres duraram poucas horas. A parábola não intenciona questionar a justiça divina. Portanto, resta-nos deduzir que o nosso Senhor queria abrir-nos os olhos para perspectivas diferentes.

Se o galardão é a recompensa do trabalho de cada um e, como vimos, é personalizado, por que trabalhadores que não produziram o mesmo resultado teriam a mesma recompensa? Diante desse dilema, há aqueles que defendem a ideia de que o galardão em questão é salvífico, que não importa quanto tempo de vida cristã cada um teve, no final a recompensa de salvação será a mesma para todos. Entretanto, pelo fato de a parábola mencionar especificamente tanto os *trabalhadores* como o *salário* pago a cada um, não podemos concluir que o assunto trate do tema da salvação — uma vez que as obras não estão associadas à salvação.

O que entendemos pessoalmente, ao somar essa porção bíblica com os demais ensinos e afirmações das Escrituras, é que o Altíssimo nos recompensará não por *quanto* fizermos, mas, sim, pela *fidelidade* em fazer o que ele nos pediu que fizéssemos. Cada um que foi fiel em cumprir tanto o chamado como a jornada de trabalho que lhe foi confiada pelo Senhor será recompensado pela fidelidade com que cumpriu o chamado, não pela comparação com o desempenho dos demais.

Aliás, quando estivermos perante o tribunal de Cristo para receber a recompensa de tudo o que fizermos (2Coríntios 5.10), de nada adiantará alguém se comparar a quem quer que seja. Se compreendemos que o Criador mantém tanto o intento de um relacionamento pessoal com seus filhos como os propósitos individuais e personalizados, entenderemos também que as comparações são, além de nocivas, completamente injustas! Em seu extraordinário livro *Liderança acima da média*, o meu amigo Danilo Figueira aborda essa questão de forma precisa:

> Num tempo como o nosso, em que tanta gente acha que o sucesso precisa ser quantificado, há muitas ciladas pelo caminho. Não é difícil ver homens e mulheres de Deus tendo toda a sua energia consumida pela competição. Olham para os resultados dos outros e se lançam na busca louca por superá-los, quando na verdade deveriam apenas entender o chamado divino para suas próprias vidas, concentrando-se nele. [...] Tudo é uma questão de propósito e se ele está sendo atingido! [...] Se Deus me talhou para certa missão, eu devo me concentrar nela e buscar os resultados que dela se pode esperar. [...] Ele nos fez com capacidades diferentes, ainda que eventualmente estejamos cumprindo funções semelhantes.[2]

O galardão, portanto, não depende de quanto realizamos ou por quanto tempo trabalhamos, mas tão somente da *fidelidade* em corresponder ao que fomos chamados para fazer. No final, não importará se um pastoreou uma igreja maior do que o outro ou se um evangelizou mais pessoas que outro. O ponto fundamental da análise será a fidelidade em atender e cumprir o que o nosso Senhor nos comissionou a executar.

Qualidade

Obviamente que, dentro da esfera da fidelidade ao chamado, aí sim a qualidade do que fazemos também conta e será avaliada. Paulo afirmou que o fundamento do edifício — que é Jesus Cristo — já está posto e adverte os construtores: "veja cada um como constrói" (1Coríntios 3.10).

---

[2] FIGUEIRA, Danilo. **Liderança acima da média**. Ribeirão Preto: Selah Produções, 2020. p. 120-121.

Galardão

A advertência do apóstolo se dá pelo fato de que a qualidade do trabalho de um pode ser diferente da de outro: "Se alguém constrói sobre esse alicerce usando ouro, prata, pedras preciosas, madeira, feno ou palha, sua obra será mostrada, porque o Dia a trará à luz; pois será revelada pelo fogo, que provará a qualidade da obra de cada um" (1Coríntios 3.12,13).

Como já vimos, se a obra for resistente ao fogo (edificada com ouro, prata e pedras preciosas), haverá galardão. Se, porém, a obra não resistir ao fogo (por ter sido construída com madeira, feno e palha), consequentemente não haverá galardão.

Diante de tal compreensão, algumas orientações bíblicas se revestem de maior significado. Como as instruções de Paulo aos romanos, por exemplo. Observemos: "o que ensina esmere-se no fazê-lo" (Romanos 12.7, ARA) e "o que exorta faça-o com dedicação" (Romanos 12.8, ARA). Tal entendimento do apóstolo era, muito provavelmente, parte daquilo que o movia a se dedicar de modo excelente à obra de Cristo.

Conhecimento

Saber ou não saber a vontade de Deus pesa distintamente no que diz respeito à retribuição divina às obras humanas. Embora a resposta ao conhecimento da vontade divina possa ser classificada como nível de fidelidade ou de qualidade naquilo que fazemos, há um elemento específico, sobre a questão do conhecimento, a ser tratado em separado. Trata-se da nossa responsabilidade de buscar conhecer a vontade de Deus. Cristo ensinou acerca dessa questão:

> "Aquele servo que **conhece a vontade de seu senhor** e não prepara o que ele deseja, nem o realiza, **receberá muitos açoites**. Mas aquele que **não a conhece** e pratica coisas merecedoras de castigo, **receberá poucos açoites**. A quem muito foi dado, muito será exigido; e a quem muito foi confiado, muito mais será pedido" (Lucas 12.47,48).

Jesus falou de dois tipos de servos. Eles tanto apresentam pontos *similares* como também *distintos* em seu comportamento. O que têm em comum?

Nenhum dos dois fez a vontade de seu senhor. Qual é a consequência? Ambos serão punidos por isso. No entanto, o que os distingue? Um conheceu a vontade do seu senhor, ao passo que o outro não. Eis a diferença que determina a distinção no julgamento: um receberá muitos açoites; o outro, poucos. O que conhecia a vontade do senhor e não a cumpriu será punido com maior rigidez por sua deliberada rebeldia; o que não conhecia a vontade do senhor também será punido porque também falhou. Contudo, receberá menos açoites, pois será julgado pela sua ignorância, não por rebeldia.

Precisamos andar na luz que temos e realizar aquilo para o qual o Senhor nos chamou e comissionou. No entanto, quem não busca conhecer o que o Altíssimo espera que ele realize também está em falta, apesar de esta não ser tão grave quanto a da deliberada rebeldia.

Capacidade

Outro elemento importante na compreensão do galardão é que aquilo que Deus pede que façamos sempre será, sem exceções, segundo a nossa capacidade. Essa verdade também exclui, por conseguinte, que alguém receba um comissionamento divino para o qual não esteja capacitado. Encontramos tal verdade no ensino da parábola dos talentos: "E também será como um homem que, ao sair de viagem, chamou seus servos e confiou-lhes os seus bens. A um deu cinco talentos, a outro dois, e a outro um; **a cada um de acordo com a sua capacidade.** Em seguida partiu de viagem" (Mateus 25.14,15).

Aqui é necessário chamar a atenção para um detalhe que não pode ser ignorado. Quando as Escrituras falam a respeito da capacidade de cada um para a execução da missão divina que nos é confiada, não se deve pressupor que a capacidade em questão seja meramente humana, natural.

CAPACITAÇÃO PARA O MINISTÉRIO

Embora o homem já nasça dotado de determinados dons e talentos, cuja origem é o próprio Criador, sabemos que há mais a ser compreendido aqui. Basta considerar a lógica bíblica em sua integralidade: o ministério que realizamos, ou seja, o serviço que executamos, é, sem dúvida, algo

Galardão

para o qual devemos ser capacitados pelo próprio Deus. A graça divina é, em essência, tanto favor imerecido como força capacitadora; esta é a razão de Paulo afirmar que trabalhou mais do que todos os apóstolos e, depois, acrescentar: "sua graça para comigo não foi inútil; antes, trabalhei mais do que todos eles; contudo, não eu, mas a graça de Deus comigo" (1Coríntios 15.10).

É inegável que a graça é recurso essencial e indispensável para se cumprir a missão divina que cada ser humano recebe. O apóstolo demonstrava que o seu serviço tinha como fundamento a graça que lhe fora dispensada: "por causa da graça que Deus me deu, de ser um ministro de Cristo Jesus para os gentios, com o dever sacerdotal de proclamar o evangelho de Deus" (Romanos 15.15,16). Atos também nos revela esse ingrediente sobrenatural no ministério de Estêvão, o primeiro mártir: "Estêvão, *homem cheio da graça e do poder de Deus, realizava grandes maravilhas e sinais no meio do povo*" (Atos 6.8). Quando Paulo e Barnabé concluíram sua viagem missionária, retornaram à base de onde foram enviados, evento este que a Escritura descreve da seguinte forma: "De Atália navegaram de volta a Antioquia, onde tinham sido recomendados à *graça de Deus* para a missão que agora haviam completado" (Atos 14.26). Depois, de saída para uma nova viagem missionária, foi registrado: "mas Paulo escolheu Silas e partiu, *encomendado pelos irmãos à graça do Senhor*" (Atos 15.40).

Portanto, conclui-se que o ministério não pode ser cumprido sem a graça divina. No entanto, para cada um de nós há uma medida de graça específica, individualmente personalizada. Paulo atestou que a diversidade de dons relaciona-se com a diversidade de graça que cada um de nós recebe: "Temos *diferentes dons*, de acordo *com a graça* que nos foi dada" (Romanos 12.6). O apóstolo, escrevendo aos gálatas, também abordou essa questão ao falar de seu encontro com as "colunas da igreja" em Jerusalém: "*Reconhecendo a graça que me fora concedida*, Tiago, Pedro e João, tidos como colunas, estenderam a mão direita a mim e a Barnabé em sinal de comunhão. Eles concordaram em que devíamos nos dirigir aos gentios e eles aos circuncisos" (Gálatas 2.9). Os discípulos reconheceram que a capacitação divina viera de forma diversa sobre cada um deles para que missões distintas pudessem ser completadas.

Entretanto, como já determinamos, até mesmo a graça que nos capacita para o ministério não é *irresistível*. Cada cristão decide se irá ou não interagir com o chamado divino e os recursos celestiais que o acompanham. Se a obra do ministério fosse executada somente pela graça, sem participação humana, por que o mesmo seria galardoado depois? Se há recompensa para o homem, isso é resultado do fato de que ele é responsável. Tal responsabilidade implica crer que existe uma graça liberada para o cumprimento de seu propósito e também que a pessoa não deixe de utilizá-la na execução do ministério. O homem que Cristo mencionou ter recebido um único talento (Mateus 25.18) e que não o multiplicou foi denominado "servo mau e negligente" (Mateus 25.26). Sua negligência não se limitou a não usar sua capacidade humana, mas também a ter desprezado a força capacitadora da graça, que se manifestaria se ele decidisse fazer o que havia sido comissionado a realizar.

Sem a graça de Deus, entregues apenas a nós mesmos, não faríamos muita coisa. Contudo, com a graça divina, cooperando com Deus, a humanidade pode alcançar resultados sobrenaturais que seriam impossíveis sem os recursos celestiais. No entanto, a graça divina, sozinha, sem a nossa decisão de interagir com ela, também não faria tudo por si mesma. Se assim fosse, não haveria razão de as recompensas divinas serem dadas como retribuição pelas obras humanas. Logo, a doutrina do galardão, da recompensa pelas obras dos fiéis, nos ensina verdades importantes:

1. Deus conta conosco e deseja nos encorajar e estimular a seu trabalho. As recompensas são expressão da justiça divina. O anúncio antecipado de um galardão para as obras é manifestação do encorajamento divino.

2. Embora, de um lado, o Senhor nos empodere para fazer o que, por nós mesmos, não poderíamos, de outro lado, ele nos responsabiliza por utilizarmos ou não seus recursos capacitadores para a execução de sua obra.

Galardão

SINOPSE DO CAPÍTULO EM TÓPICOS

1. Há um galardão divino prometido como recompensa para o trabalho do cristão. A salvação não depende de obras; já o galardão baseia-se no trabalho de cada um. Ainda que o homem execute um ministério cujos resultados são amplificados pela graça, ele será recompensado por Deus por se dispor a interagir com ele.

2. Embora tenha a força capacitadora da graça para executar o ministério concedido por Deus, o cristão ainda é responsável por decidir se cumprirá ou não aquilo para o qual foi chamado. Ele também é quem detém a decisão do nível de dedicação e entrega com a qual cumprirá a missão recebida. Pelas decisões que tomar a esse respeito, será recompensado pelo Altíssimo.

3. Há uma diferença entre salvação e galardão. A salvação não é recebida por obras; é uma manifestação da graça que se desfruta pela fé. Trata-se de favor imerecido. O galardão não é recebido por fé; é um direito que se conquista por obras. Trata-se de mérito.

4. O galardão é, sobretudo, retribuição das obras. Mas a Bíblia ensina tanto que alguém pode *não receber* galardão, apesar de salvo, como também que pode até mesmo *perdê-lo*.

5. O momento das recompensas se dará com a *vinda* do nosso Senhor, após a ressurreição dos santos.

6. O galardão não depende de quanto realizamos ou por quanto tempo trabalhamos, mas tão somente da *fidelidade* em corresponder ao que fomos chamados para fazer.

7. Dentro da esfera da fidelidade ao chamado, a *qualidade* do que fazemos também conta e será avaliada.

8. Conhecer ou não a vontade de Deus pesa no que diz respeito à retribuição divina às obras humanas. Embora a resposta ao conhecimento da vontade divina possa ser classificada como nível de fidelidade ou de qualidade naquilo que fazemos, há um elemento específico, sobre

a questão do conhecimento, a ser tratado em separado. Trata-se da nossa responsabilidade de buscar conhecer a vontade de Deus.

9. Aquilo que Deus pede que façamos sempre será, sem exceções, segundo a nossa capacidade. Essa verdade também exclui, por conseguinte, que alguém receba um comissionamento divino para o qual não esteja capacitado.

10. A graça é recurso essencial e indispensável para se cumprir a missão divina que cada ser humano recebe. Entretanto, até mesmo a graça que nos capacita para o ministério não é *irresistível*. Cada cristão decide se irá ou não interagir com o chamado divino e os recursos celestiais que o acompanham.

11. As recompensas são expressão da *justiça* divina. O anúncio antecipado de um galardão para as obras é manifestação do *encorajamento* divino.

12. Embora, de um lado, o Senhor nos empodere para fazer o que, por nós mesmos, não poderíamos, de outro lado, ele nos responsabiliza por utilizarmos ou não seus recursos capacitadores para a execução de sua obra.

Galardão

PERGUNTAS PARA REFLEXÃO

1. O que a promessa bíblica do galardão futuro revela sobre a justiça divina?

2. Qual a diferença entre salvação e galardão?

3. Se há uma capacitação da graça para o serviço cristão, o que, exatamente, será recompensado por Deus?

4. O que será avaliado para determinar o galardão de cada crente em Jesus?

5. Quando se dará o momento de entrega do galardão?

CAPÍTULO 19

DISCIPLINA E JUÍZO

O maior inimigo do cristianismo não é o anticristianismo, mas o subcristianismo.

Stanley Jones

Entre as vivas lembranças que carrego da minha infância, estão lá as inúmeras correções que recebi de meus pais. Não são as únicas memórias, tampouco as mais fortes, mas compõem, aliadas às imagens do carinho e da educação que recebi dos meus progenitores, um universo de boas recordações. Elas dividem espaço com brincadeiras, aventuras, diversões e descobertas dessa fase; sinceramente, estou grato pelo fato de que, em meio a tantas memórias, a lembrança de pais que não "economizaram" na disciplina esteja lá.

Hoje, vivendo o outro lado da história, posso garantir, como pai, que contribuí para que os meus filhos crescessem com recordações semelhantes às minhas. A disciplina dos filhos é um princípio bíblico e deve ser praticada com base em dois fundamentos. Primeiramente, devemos ter Deus como o nosso maior modelo e referência (ele corrige seus filhos). Em segundo lugar, as Escrituras nos instruem, como pais, a fazer o mesmo: corrigir os nossos filhos.

CORREÇÕES DIVINAS

Observemos a afirmação que o Espírito Santo faz acerca da disciplina aplicada pelo Pai celestial:

> Vocês se esqueceram da palavra de ânimo que ele dirige a vocês como a filhos: "Meu filho, não despreze a disciplina do Senhor nem se magoe com a sua repreensão, pois **o Senhor disciplina a quem ama, e castiga todo aquele a quem aceita como filho**" (Hebreus 12.5,6).

O texto não apenas revela que Deus corrige, como também aponta o motivo pelo qual faz isso. O motivo claramente destacado nas Escrituras é o *amor* do Senhor. Ocasionalmente, tomamos conhecimento de alguns pregadores que se esforçam em tentar negar que o Altíssimo exerça disciplina. A alegação equivocada desses oradores baseia-se no argumento de que, se Deus é amor, não poderia disciplinar seus filhos. Grande engano! O argumento bíblico é o oposto; justamente porque nos ama é que o Eterno nos corrige.

O próprio Cristo, na carta à igreja de Laodiceia, em revelação registrada no livro de Apocalipse, deixa clara a razão pela qual exortava e repreendia aqueles irmãos: "Repreendo e disciplino aqueles que eu amo" (Apocalipse 3.19). Era exatamente esse amor que o levava a corrigir os crentes laodicenses, não a falta dele.

A mesma lógica é apresentada na Bíblia quando trata dos motivos que levam os pais a corrigir ou não os filhos: "pois o Senhor disciplina a quem ama, assim como o pai faz ao filho de quem deseja o bem" (Provérbios 3.12). O argumento é recorrente em todo o texto bíblico: a disciplina é um ato de amor. Não importa se foca o Pai celestial ou os pais terrenos. A falta de amor, por outro lado, é claramente expressa na omissão da correção: "Quem se nega a castigar seu filho *não o ama*; *quem o ama* não hesita em *disciplina-lo*" (Provérbios 13.24).

Talvez seja mais fácil, para alguns, digerir o significado quando usamos as palavras "correção" e "disciplina" em vez de "juízo". Até porque, ao ouvirem a palavra "juízo", muitos têm a inclinação de misturar o trato de Deus

Disciplina e juízo

para com o ímpio e o trato divino para com os filhos. Trata-se de coisas bem distintas. Charles Spurgeon, distinguindo uma coisa da outra, afirmou: "A espada da justiça não nos ameaça mais, mas a vara da correção paternal ainda está em uso".[1] Contudo, da mesma forma que a Bíblia intercala o uso das mesmas palavras, fazemos o mesmo aqui. Observemos a advertência de Paulo aos coríntios:

> Mas, se nós tivéssemos o cuidado de examinar a nós mesmos, não receberíamos juízo. **Quando, porém, somos julgados** pelo Senhor, **estamos sendo disciplinados para que não sejamos condenados com o mundo** (1Coríntios 11.31,32).

Não há dúvidas de que o juízo divino somente se manifesta no contexto da negligência. Entretanto, esse nível de julgamento é distinto daquele que condena o mundo; é apresentado como "disciplina do Senhor" justamente para que não se torne necessária uma condenação. Queremos registrar, portanto, pelas Escrituras, a relação dos conceitos de *juízo para arrependimento* e *disciplina*. Paulo retornou a esse tema em sua segunda epístola aos crentes de Corinto:

> Mesmo que a minha carta tenha causado tristeza a vocês, não me arrependo. É verdade que a princípio me arrependi, pois percebi que a minha carta os entristeceu, ainda que por pouco tempo. Agora, porém, me alegro, não porque vocês **foram entristecidos, mas porque a tristeza os levou ao arrependimento.** Pois **vocês se entristeceram como Deus desejava** e de forma alguma foram prejudicados por nossa causa. A **tristeza segundo Deus não produz remorso, mas sim um arrependimento que leva à salvação**, e a tristeza segundo o mundo produz morte (2Coríntios 7.8-10).

Antes de falar que "sem santidade ninguém verá o Senhor", o autor da carta aos Hebreus aborda a disciplina e a correção que Deus, como

---

[1] Subirá. **O impacto da santidade**, p. 316.

Pai, aplica a seus filhos. Com clareza, o propósito da correção também é apresentado: "Deus, porém, nos disciplina para aproveitamento, a fim de sermos participantes da sua santidade" (Hebreus 12.10, ARA). Não existe santificação sem correção e disciplina!

Constatamos o mesmo padrão desde a antiga aliança. A correção e a disciplina não são exclusivas da nova aliança. Vejamos a declaração de Davi:

> Quando **castigas** o homem com **repreensões, por causa da iniquidade**, destróis nele, como traça, o que tem de precioso. (Salmos 39.11, ARA).

A palavra hebraica usada no texto original para "castigas" é *yacar* e, de acordo com Strong, significa: "castigar, disciplinar, instruir, admoestar, ensinar". Já a palavra traduzida por "repreensões" é *towkechah*, cujo significado é: "repreensão, correção, censura, punição, castigo, reprimenda".[2]

Não dá para negar o que está explícito nessa declaração. Deus ensina por meio dos preceitos de sua Palavra, mas também corrige, permitindo que o homem seja ferido naquilo que lhe é importante. Como já visto, o Novo Testamento concorda com o Antigo Testamento no que diz respeito à correção, relacionando-a com o próprio amor de Deus, o Pai que corrige os filhos que ama.

Eu e a minha esposa criamos os nossos filhos sem negligenciar a correção. Fizemos isso por amor a eles! Nenhum pai ou mãe, que realmente se importa com seus filhos, sente-se feliz ao corrigi-los. Não fazemos isso por causa de nós. Aliás, sabíamos que, se evitássemos a disciplina, haveria dano futuro para os nossos filhos. Portanto, decidimos não ser egoístas e escolhemos praticar a disciplina. Até mesmo porque a disciplina dos filhos, para um cristão, não se trata de uma opção; é uma ordenança divina.

Percebemos pelo ensino de alguns que, em nome da valorização do amor e da bondade divinos, certo desequilíbrio tem se instalado na mentalidade sobre a vida cristã. A propagação da graça de Deus, por parte de alguns grupos, tem ferido a revelação bíblica do caráter divino. C. S. Lewis,

---

[2] STRONG, **New Strong's Exhaustive Concordance of the Bible**.

Disciplina e juízo

em *O problema do sofrimento*, discorre sobre o assunto, mostrando que as definições de "bondade" que tentamos aplicar a Deus são, muitas vezes, distorções dessa virtude e remetem àquilo que gostaríamos que fosse a forma de ele nos tratar. O autor destaca que não consideramos a ideia de o Criador nos aperfeiçoar em meio ao desconforto que enfrentamos e, assim, nos limitamos a ponto de não entender a profundidade de sua bondade. Leiamos a citação a seguir como bom desfecho a esse pensamento:

> A bondade consente muito prontamente com a remoção do seu objeto motivador — todos já conhecemos pessoas cuja benevolência para com os animais constantemente as leva a matá-los para que não sofram. A benevolência, meramente como tal, não se preocupa com a possibilidade de o seu objeto tornar-se bom ou mal, contanto que ele possa escapar do sofrimento. Como salientam as Escrituras, os filhos ilegítimos é que não são disciplinados: os filhos legítimos, que devem levar adiante a tradição da família, esses recebem disciplina. É para pessoas com quem em nada nos preocupamos que demandamos a felicidade em quaisquer condições. Já com as pessoas que amamos — nossos amigos, nossos filhos —, somos exigentes e preferimos vê-los sofrer muito a vê-los felizes segundo costumes desprezíveis e torpes. Se Deus é amor, ele é, por definição, algo mais do que simples benevolência. E, a julgar por todos os registros, parece que, embora ele não raro nos tenha repreendido e condenado, jamais nos considerou com desprezo. Ele nos resgatou com seu amor intolerável, no sentido mais profundo, mais trágico e mais inexorável. [...]
>
> Um pai meio arrependido de ter posto um filho no mundo, que hesita em reprimi-lo por medo de criar nele inibições ou que até mesmo deixa de instruí-lo para não interferir em sua independência de espírito, é um símbolo enganador da Paternidade Divina. [...]
>
> Até mesmo em nossos dias, embora um homem pudesse dizê-lo, suas palavras nada significariam se afirmasse: "Amo meu filho, mas não me importo de ele ser um grande patife, contanto que se divirta".[3]

---
[3] Lewis, C. S. **O problema do sofrimento**. São Paulo: Vida, 2006. p. 49-50,54.

Semelhantemente, uma exaltação exagerada e, consequentemente distorcida, da graça tem mutilado o entendimento pleno do amor e da justiça de Deus. Um exemplo desse tipo de distorção pode ser encontrado naqueles que, "defendendo", ou melhor, *distorcendo* a bondade e o amor divinos, pregam um evangelho egocêntrico, no qual parece que Deus existe apenas para nos manter "felizes", sem direito a nos contrariar. A mesma deturpação, com aplicações ligeiramente diferentes, embora semelhante na lógica, também pode ser encontrada no ensino de "teólogos" universalistas. Movidos por essa mesma lógica, da exaltação do amor em detrimento da justiça divina, passaram a negar o juízo eterno do inferno.

Não é admissível confundir o perfeito amor divino com a caricatura que vemos sendo feita dele. Citamos novamente o pensador inglês, enfatizando que o amor divino não é conivente com as nossas falhas: "De todos os poderes, ele é o que perdoa mais, porém o que menos fecha os olhos: ele se satisfaz com pouco, mas exige tudo". Lewis ainda ressalta:

> Pedir que o amor de Deus fique satisfeito conosco como somos é pedir que Deus deixe de ser Deus. Pelo fato de ele ser o que é, seu amor deverá, na natureza das coisas, ser impedido e repelido por certas nódoas em nosso caráter atual. E, pelo fato de já nos amar, ele deverá trabalhar para nos tornar amáveis. Em nossos melhores momentos, não podemos sequer desejar que ele se reconcilie com nossas impurezas atuais.[4]

Afirmamos que, para compreendermos correta e plenamente a graça, é necessário entender, em primeiro lugar, o *caráter* do Doador da graça. Para isso, precisamos da revelação completa de Deus.

A REVELAÇÃO COMPLETA DE DEUS

Alguns cristãos insistem em tentar entender Deus considerando apenas um dos aspectos de quem ele é. Assim, sem a visão do quadro todo, acontecem os equívocos doutrinários que não somente são proclamados, como também passam a ser aceitos e objeto de crença. Contudo, é de suma

---

[4] Lewis, **O problema do sofrimento**, p. 58.

importância que se tenha uma macrovisão bíblica correta acerca do Altíssimo. A fim de esclarecer melhor o assunto, citamos uma explicação extraída do nosso livro *O impacto da santidade*:

> Certa ocasião, conversei com dois irmãos em Cristo que pareciam estar num embate teológico. Um advogava a bondade de Deus; o outro, a severidade. Um acusava o outro de basear a revelação em apenas um dos dois testamentos da Bíblia, ambos com bons argumentos e diversas passagens bíblicas no gatilho. Eles me questionaram: "Deus é bom ou é severo?"
>
> Disse que tinha duas respostas: —Deus não é um, ou outro, como se fossem características excludentes. Ele é os dois! A Bíblia fala em Romanos 11.22 acerca da *bondade* de Deus e da *severidade* de Deus. Por que vocês querem escolher uma coisa ou outra quando ele é os dois?
>
> — E qual é a segunda resposta? — indagaram. — Afinal de contas você já disse que Deus é os dois: bondoso e severo... — prosseguiu um deles.
>
> — A segunda resposta à pergunta se Deus é bom ou severo é: *depende* — afirmei.
>
> — Depende de quê?
>
> — Depende da atitude e do comportamento de cada um.
>
> Observe: "Considerai, pois, a *bondade* e a *severidade* de Deus: para com os que caíram, severidade; mas, para contigo, a bondade de Deus, se nela permaneceres; doutra sorte, também tu serás cortado" (Romanos 11.22).
>
> O texto fala de severidade para com os que caíram, mas bondade para com os que creem e permanecem na própria bondade divina. A verdade é que tentamos acreditar que Deus trata o homem baseado apenas em quem ele [Deus] é. Assim, deixamos de entender que, por outro lado, Deus também trata de acordo com o comportamento humano.
>
> Os versículos anteriores mostram que esse é exatamente o contexto da afirmação de Paulo: "Dirás, pois: Alguns ramos foram quebrados, para que eu fosse enxertado. Bem! *Pela sua incredulidade*, foram quebrados; tu, porém, *mediante a fé*, estás firme. Não te ensoberbeças, *mas teme*. Porque, se Deus não poupou os ramos naturais, também não te poupará" (Romanos 11.19-21).

A severidade se manifestou aos que caíram — e caíram pela própria incredulidade. Já a bondade se manifestou aos que creram. Estes, por sua vez, estão firmes pela própria fé, estado que não é irreversível. A advertência bíblica é que todos podem cair e, se tal acontecer, há desdobramentos de juízo. Por isso, o apóstolo diz que, mesmo para os que estão de pé, firmados na bondade de Deus, deve haver temor. O temor, assim como o amor, pode ajudar a não transicionar da bondade para a severidade divina.

Alguns tentam vender uma imagem equivocada de que o temor ao Senhor é coisa antiquada, pertencente apenas ao Velho Testamento. Não é verdade! Tanto a indicação da presença de temor nos crentes como a exortação a tê-lo sempre são enfatizadas no Novo Testamento. Observemos algumas passagens bíblicas:

1. "Em *cada* alma havia *temor*" (Atos 2.43). Em "cada alma" significa que em todos eles, coletivamente, e também em cada um deles, individualmente, havia temor.

2. "E sobreveio *grande temor* a *toda a igreja* e a todos quantos ouviram a notícia destes acontecimentos" (Atos 5.11). O resultado, depois do juízo divino sobre Ananias e Safira, foi um grande temor na igreja (não meramente no meio dos não crentes).

3. "*A igreja*, na verdade, tinha paz por toda a Judeia, Galileia e Samaria, edificando-se e caminhando n*o temor do Senhor*, e, no conforto do Espírito Santo, crescia em número" (Atos 9.31). É interessante notar não só o temor do Senhor presente na igreja, mas também o fato de que ele aparece vinculado à obra de conforto do Espírito Santo. Não são excludentes; pelo contrário, eles se mesclam.

4. "E assim, conhecendo o *temor* do Senhor..." (2Coríntios 5.11). Paulo, em plena nova aliança e época da graça, usa essa expressão. Portanto, o temor não é restrito à antiga aliança.

5. "Sujeitando-vos uns aos outros no *temor de Cristo*" (Efésios 5.21). A relação do temor com a pessoa de Cristo, numa epístola escrita à igreja neotestamentária, encerra qualquer possibilidade de discussão.

6. *"Desenvolvei a vossa salvação com temor e tremor"* (Filipenses 2.12).

E qual a razão para o temor?

A Palavra de Deus mostra que o motivo está atrelado ao entendimento de que há juízo divino: "Por isso, recebendo nós um reino inabalável, *retenhamos a graça*, pela qual sirvamos a Deus de modo agradável, com reverência e *santo temor*; porque o nosso Deus é *fogo consumidor*" (Hebreus 12.28,29, ARA).

Repare que o mesmo versículo fala tanto de "reter a graça" — revelação da nova aliança — como de "santo temor", ou seja, coexistem. Além disso, a razão apresentada para o santo temor é que Deus é fogo consumidor! O texto não diz que Deus *foi*, e sim que ele *ainda é* fogo consumidor.[5]

Além dessa transcrição, reproduzimos parte do conteúdo do capítulo intitulado "O temor do Senhor" do livro referido, uma vez que são assuntos muito relacionados.

Quando pessoalmente abordo o assunto de juízo ou correção de Deus no nosso ensino, percebo que muitos, até mesmo ministros, ficam visivelmente incomodados. Alguns, expondo a sua ignorância, já protestaram: "Se você acredita em juízo divino, ainda está na Lei, não na graça!".

Contudo, é fato que os versículos que apresentei acima contrariam isso! Se não há juízo na graça, por qual motivo morreram Ananias e Safira? Além disso, alguém deveria ter "avisado Jesus" dessa verdade para que ele não mandasse aquela dura mensagem à igreja de Tiatira nem ameaçasse a mulher cujo nome era Jezabel, a quem nosso Senhor disse que se arrependesse, ou ficaria doente de cama (Apocalipse 2.21-23). Se isso não é juízo, é o quê? Tratamos desse assunto antes, ao abordar a imutabilidade de Deus, mas repetimos que o apóstolo Pedro também falou de juízo sobre a igreja, não apenas sobre os ímpios (embora haja diferença tanto no tempo como no formato entre um e outro): "Pois chegou a hora de começar o *julgamento* pela *casa de Deus*; e, se começa primeiro conosco, qual será o fim daqueles que não obedecem ao evangelho de Deus?" (1Pedro 4.17).

Certa vez, quando falava acerca das recompensas da graça, que incluem não só bênçãos e galardão, mas também disciplina e juízo, alguém objetou: "Mas eu fui ensinado a obedecer a Deus por amor, não por medo". Respondi

---

[5] Subirá, **O impacto da santidade**, p. 308.

de pronto: "E ensinaram certo! Foi Jesus quem disse que aquele que tem os mandamentos dele e os guarda é quem, de fato, o ama. Essa é a motivação correta da obediência. Mas, se você não amar o suficiente para obedecer, então é melhor ter medo!".

O nosso amor não é infalível, e Cristo deixou isso claro na carta dirigida à igreja de Éfeso (Apocalipse 2.4). O juízo não será anulado para quem deixou de amar e obedecer. Uma coisa não exclui a outra. Devemos amar a Deus e temer a Deus. Devemos obedecer por amor e também com a consciência transmitida e enfatizada por ele mesmo em sua Palavra: haverá consequência para toda desobediência.

O amor e a justiça de Deus não estão em conflito. Nunca estiveram e jamais estarão. Aliás, vale ressaltar que, até mesmo quando corrige, o Pai manifesta seu amor e sua misericórdia. Deduzimos isso do fato de que se constata, nas Escrituras, que o propósito da correção é conduzir os homens ao arrependimento. O profeta Ageu anunciou, da parte de Deus, esta mensagem a seus contemporâneos: " 'Eu destruí todo o trabalho das mãos de vocês, com mofo, ferrugem e granizo, mas vocês não se voltaram para mim', declara o SENHOR" (Ageu 2.17). O que o Eterno esperava? Que, mesmo em meio ao juízo, seu povo se voltasse para ele. Logo, não se tratava de mera vingança, e sim de uma oportunidade para o conserto espiritual. Como afirmou o salmista: "Antes de ser castigado, eu andava desviado, mas agora obedeço à tua palavra" (Salmos 119.67).

Passemos, agora, de um exemplo do Antigo Testamento para o Novo Testamento. O apóstolo Paulo anunciou juízo contra um imoral da igreja de Corinto: "Apesar de eu não estar presente fisicamente, estou com vocês em espírito. E já condenei aquele que fez isso, como se estivesse presente. Quando vocês estiverem reunidos em nome de nosso Senhor Jesus, estando eu com vocês em espírito, estando presente também o poder de nosso Senhor Jesus Cristo, entreguem esse homem a Satanás, para que o corpo seja destruído, e seu espírito seja salvo no dia do Senhor" (1Coríntios 5.3-5). Qual foi o propósito desse juízo liberado? Não apenas a punição de um pecado cometido, mas, de modo semelhante, a expectativa de que houvesse restauração espiritual, o que se percebe na frase "para que [...] seu espírito seja salvo".

A Bíblia afirma: "A misericórdia triunfa sobre o juízo!" (Tiago 2.13). Isso não significa que a misericórdia (ou o amor e a graça divinos) *anula* ou *exclui* a possibilidade de juízo. Até porque o Deus que é justo não pode negar a si mesmo. Vimos, na declaração de Cristo à mulher que ele denominou de Jezabel, que Deus sempre concede tempo para o arrependimento antes de julgar alguém. Também constatamos que, mesmo depois de dar tempo para o arrependimento, para, então, passar a julgar quem não se arrependeu, o Senhor ainda assim viabiliza a chance de restauração. Vejamos esta instrução de Jesus:

> "Se o seu irmão pecar contra você, vá e, a sós com ele, mostre-lhe o erro. Se ele o ouvir, **você ganhou seu irmão**. Mas, se ele **não o ouvir**, leve consigo mais um ou dois outros, de modo que 'qualquer acusação seja confirmada pelo depoimento de duas ou três testemunhas'. Se ele se **recusar a ouvi-los**, conte à igreja; e, se ele **se recusar a ouvir** também a igreja, trate-o como pagão ou publicano" (Mateus 18.15-17).

Infelizmente, nos dias atuais, muitos cristãos (e até mesmo pastores e líderes) decidiram eliminar, à revelia de Cristo — o Cabeça da igreja —, a prática da disciplina. "Não é o espírito de amor", alegam alguns. Errado! Como afirmamos no início do capítulo, só quem ama corrige. Além disso, o propósito do confrontar quem pecou, embora o processo possa, em caso de não haver arrependimento, terminar com a exclusão do pecador da comunhão da igreja, é a restauração. Isso é evidente na terminologia que Jesus empregou: "Se ele o ouvir, você ganhou seu irmão". Mesmo depois da obstinação em não ouvir, em cada etapa da progressão da correção, o Mestre ainda utilizou expressões como "Mas, se ele não o ouvir...", "Se ele se recusar a ouvi-los..." e "se ele se recusar a ouvir...". Todas elas indicam que o processo só endureceria em reciprocidade à dureza de um coração que se recusa a arrepender-se. Portanto, o juízo nunca elimina o amor. Pelo contrário, sempre o engloba.

Acrescente-se a isso, ainda, o fato de que, se vivemos em comunidade, o juízo sobre quem peca ainda assim é uma expressão de amor aos que não foram julgados porque há uma pedagogia no exercício do juízo. Paulo falou acerca dela: "Os que pecarem deverão ser repreendidos em público, para que os demais também temam" (1Timóteo 5.20). Ou seja, o propósito da repreensão nunca se restringe ao que pecou; a repreensão ensina os que não pecaram a temer o erro e também as suas consequências.

O mesmo princípio já havia sido revelado na antiga aliança em situações de falso testemunho: "Os juízes examinarão o caso com cuidado e, se a testemunha for falsa e tiver testemunhado falsamente contra o seu irmão, *receberá o castigo* que tinha em vista para o seu irmão. E assim exterminarão o mal do meio de vocês, *para que os que ficarem* ouçam, temam e nunca mais tornem a fazer semelhante mal no meio de vocês" (Deuteronômio 19.18-20, NAA). Observe que a expressão *"para que"* indica o propósito daquela ação. Não se tratava apenas de julgar a falsa testemunha, e sim de uma ação didática oferecida aos demais que não foram julgados: "para que os que ficarem ouçam, temam e nunca mais tornem a fazer semelhante mal no meio de vocês".

A misericórdia divina começa dando tempo para o arrependimento: "Dei-lhe tempo para que se arrependesse da sua imoralidade sexual, mas ela não quer se arrepender" (Apocalipse 2.21). Como afirmou John Blanchard, "Deus sempre avisa antes de ferir".[6] O problema é que alguns confundem *longanimidade* com *impunidade,* quando, na verdade, são coisas bem distintas. Quando a longanimidade é desprezada, começa o juízo. Mesmo quando vem o juízo, o propósito é gerar arrependimento e restauração.

Mesmo quando não há arrependimento, e consequente desprezo da oferta divina de amor e de misericórdia, o amor de Deus ainda deve ser reconhecido no efeito que o juízo terá sobre os observadores. Por isso, Jesus, depois de anunciar o juízo sobre a mulher da igreja de Tiatira, disse: "Então, todas as igrejas saberão que eu sou aquele que sonda mentes e corações, e retribuirei a cada um de vocês de acordo com as suas obras" (Apocalipse 2.23). Em outras palavras, se a pessoa não se arrepender com o juízo, que pelo menos este sirva de lição para poupar outros de pecarem!

Foi isso que aconteceu nos dias de Josué, quando Acã foi morto diante da nação. O juízo sobre ele preveniu os demais de pecarem. O mesmo se

---

[6] Subirá, **O impacto da santidade**, p. 308.

deu quando Ananias e Safira morreram: "E *grande temor* apoderou-se de *toda a igreja* e de todos os que ouviram falar desses acontecimentos" (Atos 5.11). Precisamos entender que o amor divino se expressa até mesmo na execução da disciplina ou do juízo.

Insistimos em afirmar que, se considerarmos todas as patentes verdades do amor que se manifesta entrelaçado ao juízo divino, não apenas seremos incapazes de negar o fato de que a disciplina e o juízo continuam existindo no tempo da graça, como também deveremos admitir que ambos são manifestação do favor divino aos que tropeçam. Oferece-lhes oportunidade de restauração e correção.

AMOR OU TEMOR?

"Devemos nos relacionar com Deus por amor ou por temor?" — este é um questionamento que ouço com certa frequência. O curioso, por trás da pergunta, é que normalmente as pessoas pensam em caráter eliminatório, ou seja, que se trata de um ou outro. Durante o ano de 2019, realizamos, em todos os estados do Brasil, 70 edições de uma conferência intitulada "O impacto da santidade".[7] Destacamos, nesses eventos, que a resposta correta e bíblica é admitir que ambos, amor e temor, são itens necessários no nosso relacionamento com o Pai celestial.

A valorização da santidade possui dois aspectos distintos. Um é o lado positivo, ou seja, aquilo que *ganhamos* com a santificação. O outro é o lado negativo, isto é, aquilo que *perdemos* sem ela. O primeiro aspecto está atrelado ao *amor* ao Senhor, ao passo que o último, ao *temor* do Senhor. É importante lembrar que ambos são importantes e se complementam.

Jesus retratou o amor como ingrediente indispensável para a obediência: "Aquele que tem os meus mandamentos e os guarda, esse é o que me ama" (João 14.21, ARA). Ao mesmo tempo, precisamos de temor, porque este também é um componente necessário ao aperfeiçoamento da santidade, como declara a Escritura: "aperfeiçoando a nossa santidade *no temor de Deus*" (2Coríntios 7.1, ARA).

---

[7] A conferência "O impacto da santidade", gravada e disponibilizada em videoaulas, é um de nossos cursos gratuitos que podem ser acessados em: <www.escola.orvalho.com>.

Quando questionado sobre que tipo de filho fui, costumo responder "obediente". É lógico que desobedeci (e fui disciplinado) inúmeras vezes. No entanto, como obedeci bem mais do que desobedeci, credito a mim o título de filho obediente. Qual é a força motriz por trás da obediência aos meus pais? Garanto que não era só amor, mas também temor. Aliás, o temor, alimentado pelas correções, tornou-se um grande aliado do amor. Na nossa relação com o Pai, não é diferente. Devemos obedecer por amor, mas também lembrar que, se não obedecermos por amor, então devemos temer as consequências. É evidente que o Altíssimo queria, ao ensinar sobre temor, disciplina e juízo, que entendêssemos isso.

Observemos a instrução bíblica sobre o casamento: "O casamento deve ser honrado por todos; o leito conjugal, conservado puro; pois Deus julgará os imorais e os adúlteros" (Hebreus 13.4). Diríamos que essa afirmação apela ao amor ou ao temor? É lógico que, ao abordar o julgamento divino sobre quem desonra o matrimônio, o apelo é dirigido ao temor. Notemos, porém, que a declaração de que Deus julgará os adúlteros é feita na nova aliança. Ou seja, como constatamos, ainda há juízo no tempo da graça.

Por que o Senhor queria que nós soubéssemos que há juízo para os que quebram seus princípios?

Porque, se o amor não for suficiente para nos manter em obediência, o temor colaborará com isso. Decidi ser fiel à minha esposa até a morte porque a amo. No entanto, se, em algum momento, faltar-me a necessária consciência de amor, o temor das claras consequências estará lá como uma espécie de paraquedas de emergência. Nenhum paraquedista salta do avião esperando usar o paraquedas reserva, mas, se for necessário, este estará lá e evitará a morte. Fazendo uso dessa analogia, esperamos nunca precisar do paraquedas reserva do temor ao Senhor. Contudo, sinto-me confortável em saber que ele está lá. Além do evidente benefício proveniente de temer ao Senhor, as pessoas que tentam negar a importância do temor estão em rota de colisão com a própria Palavra de Deus!

Pensamos ser esta a razão pela qual Paulo, escrevendo aos romanos, afirma "você permanece pela fé" e, na sequência, dispara: "Não se orgulhe, mas tema" (Romanos 11.20). Depois de falar da firmeza que se alcança pela fé — na época da graça —, o apóstolo também enfatiza a importância do temor.

Disciplina e juízo

Pois este, aliado ao amor, estabelece o equilíbrio necessário na mentalidade cristã. Um dos motivos pelos quais ainda se repete o comportamento de transformar em libertinagem a graça de Deus (Judas 1.4) é justamente uma doutrina que anula elementos essenciais como o temor, a disciplina e o juízo divinos. Eis a advertência feita aos crentes hebreus:

> Se continuarmos a **pecar deliberadamente** depois que recebemos o conhecimento da verdade, **já não resta sacrifício pelos pecados**, mas tão somente **uma terrível expectativa de juízo** e de fogo intenso que consumirá os inimigos de Deus. Quem rejeitava a Lei de Moisés morria sem misericórdia pelo depoimento de duas ou três testemunhas. **Quão mais severo castigo**, julgam vocês, merece aquele que pisou aos pés o Filho de Deus, profanou o sangue da aliança pelo qual ele foi santificado e insultou o Espírito da graça? Pois conhecemos aquele que disse: "A mim pertence a vingança; eu retribuirei"; e outra vez: "O Senhor julgará o seu povo". Terrível coisa é cair nas mãos do Deus vivo! (Hebreus 10.26-31).

O texto é dirigido aos crentes da nova aliança, o tempo da graça. A evidência disso é o fato de que, além de terem recebido o pleno conhecimento da verdade, há menção de que eles foram santificados com o sangue da aliança. Contudo, por pecados deliberados (e sem arrependimento), eles se puseram debaixo de uma "terrível expectativa de juízo" prestes a *consumi-los*. Depois disso, vem o contraste: se a quebra da Lei de Moisés — referência à antiga aliança — já trazia juízo de morte sobre o transgressor, "Quão mais severo castigo, julgam vocês, merece aquele que pisou aos pés o Filho de Deus, profanou o sangue da aliança pelo qual ele foi santificado e insultou o Espírito da graça?". Não adianta estar na graça e insultar o Espírito da graça com uma vida de pecados deliberados! As frases "o Senhor julgará o seu povo" e "Terrível coisa é cair nas mãos do Deus vivo" atestam isso.

Na graça, assim como na Lei, há recompensa divina para toda ação humana. Não nos referimos apenas à recompensa para as boas obras, mas também ao juízo contra as más obras. A lei da semeadura e colheita não foi anulada e não se limita à contribuição financeira; é válida também para as ações do homem. Paulo alerta, em plena nova aliança, que não se brinca com Deus:

Não se deixem enganar: **de Deus não se zomba**. Pois **o que o homem semear isso também colherá**. Quem **semeia para a sua carne** da carne **colherá destruição**; mas **quem semeia para o Espírito** do Espírito **colherá a vida eterna** (Gálatas 6.7,8).

Na carta aos Colossenses, o apóstolo sustenta a mesma de ideia:

Tudo o que fizerem, façam de todo o coração, como para o Senhor, e não para os homens, sabendo que **receberão do Senhor a recompensa** da herança. É a Cristo, o Senhor, que vocês estão servindo. Quem cometer injustiça **receberá de volta** injustiça, e não haverá exceção para ninguém. (3.23-25).

Há uma recompensa que vem do Senhor não só quando agimos de forma correta, fazendo as coisas certas (de todo o nosso coração para Deus, não para os homens), como também quando erramos. O apóstolo afirma que aquele que comete injustiça "receberá *em troco* a injustiça feita" (Colossenses 3.25, ARA). Portanto, conclui-se que não é a bondade ou a severidade de Deus que determina a colheita, mas, sim, o plantio realizado por meio das nossas escolhas e atitudes.

Alguns querem acreditar em recompensas boas da parte de Deus, mas se recusam a reconhecer as ruins. No entanto, o sistema de recompensas é o mesmo! Aquilo que se recebe como recompensa depende das ações escolhidas, não do Pai celestial. Paulo mostra que as recompensas funcionam igualmente tanto para os pecados quanto para as boas obras:

Os **pecados** de alguns são evidentes, mesmo antes de serem submetidos a julgamento, ao passo que os pecados de outros se manifestam posteriormente. **Da mesma forma**, as **boas obras** são evidentes, e as que não o são não podem permanecer ocultas (1Timóteo 5.24,25).

O apóstolo fala de pecados e também de boas obras. Entre a menção de uma coisa e outra, usa a expressão "da mesma forma", que significa "do mesmo modo, igualmente, assim como". Se não houvesse recompensa para os pecados cometidos na nova aliança, como alegam alguns, então tampouco haveria recompensa para as boas obras. É evidente que há recompensas para ambos. Contudo, constatamos, nesse texto, outra verdade importante sobre as recompensas: elas se dão em tempos distintos.

JUÍZO EM TEMPOS DISTINTOS

Vimos que há juízo *imediato* dos pecados: "Os pecados de alguns são evidentes, mesmo antes de serem submetidos a julgamento". Devemos reconhecer, porém, que nem todo juízo é imediato, pois alguns só serão manifestos posteriormente: "ao passo que os pecados de outros se manifestam posteriormente". Portanto, conclui-se que há períodos distintos de julgamento.

Aprendemos com o episódio de Ananias e Safira (Atos 5.1-5) que alguns são julgados ainda em vida. Entretanto, outros somente serão julgados posteriormente. Paulo falou sobre o assunto quando mencionou: "Isso tudo se verá no dia em que Deus julgar os segredos dos homens, mediante Jesus Cristo, conforme o declara o meu evangelho" (Romanos 2.16). Ele também afirmou: "Na presença de Deus e de Cristo Jesus, que há de julgar os vivos e os mortos por sua *manifestação*" (2Timóteo 4.1). A expressão "sua manifestação" é clara indicação da vinda de Cristo; há, portanto, um juízo reservado para essa ocasião.

Ninguém escapará do julgamento futuro. A Bíblia é taxativa: "*todos compareceremos diante do tribunal de Deus*" (Romanos 14.10). O autor da carta aos Hebreus também tratou desse assunto, ao revelar: "aos homens está ordenado morrerem uma só vez, vindo, depois disto, o juízo" (Hebreus 9.27, ARA). Portanto, haverá um tribunal a ser encarado após a morte.

Entretanto, além da distinção do juízo em vida e do juízo após a vida terrena, e considerando apenas o juízo futuro, ainda há outra separação a ser feita na categoria do juízo vindouro. A distinção se dá basicamente pela diferenciação de dois grupos: justos e ímpios, algo que se deduz de outro princípio, revelado nas Escrituras, segundo o qual Deus não julga o justo com o ímpio.

Quando Abraão se apresentou diante do Todo-poderoso, como intercessor em favor de Ló e dos habitantes de Sodoma, apresentou justamente este questionamento:

[...] "Exterminarás **o justo com o ímpio?** E se houver cinquenta justos na cidade? Ainda a destruirás e não pouparás o lugar por amor aos cinquenta justos que nele estão? **Longe de ti fazer tal coisa:** matar o **justo com o ímpio, tratando o justo e o ímpio da mesma maneira.** Longe de ti! **Não agirá com justiça o Juiz de toda a terra?**" Respondeu o SENHOR: "Se eu encontrar cinquenta justos em Sodoma, pouparei a cidade toda por amor a eles" (Gênesis 18.23-26).

A resposta divina sustenta que a argumentação do patriarca estava correta: "Se eu encontrar cinquenta justos em Sodoma, pouparei a cidade toda por amor a eles". O mesmo princípio é encontrado no Novo Testamento, no ensino de Paulo aos tessalonicenses:

> É justo da parte de Deus **retribuir com tribulação aos que lhes causam tribulação**, e dar **alívio a vocês, que estão sendo atribulados,** e a nós também. Isso acontecerá quando o Senhor Jesus for revelado lá dos céus, com os seus anjos poderosos, em meio a chamas flamejantes. **Ele punirá** os que não conhecem a Deus e os que não obedecem ao evangelho de nosso Senhor Jesus. Eles s**ofrerão a pena de destruição eterna, a separação da presença do Senhor** e da majestade do seu poder. Isso acontecerá no dia em que ele vier para ser **glorificado em seus santos e admirado em todos os que creram,** inclusive vocês que creram em nosso testemunho (2Tessalonicenses 1.6-10).

De um lado, os ímpios, aqueles que atribulam os justos, receberão como "retribuição" a tribulação; de outro lado, os justos, os que são atribulados, receberão "alívio". Enquanto os justos que creram admirarão Cristo, em sua vinda, os ímpios, por sua vez, "sofrerão a pena de destruição eterna, a separação da presença do Senhor e da majestade do seu poder". A distinção é evidente e indiscutível. Portanto, haverá julgamentos separados.

Os crentes em Jesus terão um julgamento só deles: "Pois todos nós devemos comparecer perante *o tribunal de Cristo*, para que cada um receba de acordo com as obras praticadas por meio do corpo, quer sejam boas quer sejam más" (2Coríntios 5.10). No capítulo anterior, demonstramos que, nessa ocasião, se julgará tão somente o que tivermos feito por meio do corpo, ou seja, as obras. Paulo instruiu aos coríntios acerca desse evento: "sua obra será mostrada, porque o Dia a trará à luz; pois será revelada pelo fogo, que provará a qualidade da obra de cada um" (1Coríntios 3.13). O apóstolo declarou que "se permanecer a obra de alguém que sobre o fundamento edificou, esse receberá galardão" (1Coríntios 3.14, ARA), mas também afirmou que "Se o que alguém construiu se queimar, esse sofrerá prejuízo; contudo, será salvo como alguém que escapa através do fogo" (1Coríntios 3.15). Portanto, conclui-se que esse julgamento não envolve a salvação, apenas o galardão das obras.

O capítulo 20 de Apocalipse inicia-se falando da prisão de Satanás por um período de mil anos. Na sequência, introduz um evento paralelo, que também se dá no início desse período:

> Vi também tronos, e nestes sentaram-se aqueles aos quais foi dada autoridade de julgar. Vi ainda as almas dos decapitados **por causa do testemunho de Jesus**, bem como **por causa da palavra de Deus**, tantos quantos não adoraram a besta, nem tampouco a sua imagem, e não receberam a marca na fronte e na mão; e **viveram e reinaram com Cristo durante mil anos**. Os restantes dos mortos não reviveram até que se completassem os mil anos. Esta é a **primeira ressurreição**. Bem-aventurado e **santo é aquele que tem parte** na primeira ressurreição; sobre esses a segunda morte não tem autoridade; pelo contrário, **serão sacerdotes de Deus e de Cristo e reinarão com ele os mil anos** (Apocalipse 20.4-6, ARA).

O texto não requer muita explicação; é claro em especificar que haverá duas ressurreições distintas: *antes* e *depois* do milênio. Quem tem parte na primeira? As frases "por causa do testemunho de Jesus" e "por causa da palavra de Deus" são bem específicas. Some-se a isso as expressões "bem-aventurado e santo é aquele que tem parte na primeira ressurreição" e "serão sacerdotes de Deus e de Cristo e reinarão com ele os mil anos". Tudo isso aponta para uma direção: esta é a ressurreição dos justos.

Se continuamos lendo o mesmo capítulo da revelação de Jesus a seu servo João, percebemos que os ímpios serão julgados após o milênio:

> Depois **vi um grande trono branco** e aquele que nele estava assentado. A terra e o céu fugiram da sua presença, e não se encontrou lugar para eles. Vi também os mortos, grandes e pequenos, em pé diante do trono, e livros foram abertos. Outro livro foi aberto, **o livro da vida**. Os mortos foram julgados de acordo com o que tinham feito, segundo o que estava registrado nos livros. O mar entregou os mortos que nele havia, e a morte e o Hades entregaram os mortos que neles havia; e cada um foi julgado de acordo com o que tinha feito. Então a morte e o Hades foram lançados no lago de fogo. O lago de fogo é a segunda morte. **Aqueles cujos nomes não foram encontrados no livro da vida foram lançados no lago de fogo** (Apocalipse 20.11-15).

Na primeira ressurreição, nem sequer há menção de verificação dos inscritos no livro da vida ou mesmo da perdição eterna. Por quê? Porque se trata de um julgamento de justos que define o galardão, ou seja, a recompensa das obras dos salvos. Na segunda ressurreição, os dois elementos aparecem. Sem contar que aqui quem entrega os mortos é a morte e o "Hades" (a palavra grega aqui é *hades*, referência comum ao inferno). O juízo do trono branco, como costumeiramente se refere ao julgamento pós-milênio, ainda julgará as obras, mas também julgará a salvação. A ênfase, porém, não é a de boas recompensas.

Recapitulando, é fato que *todos* os homens enfrentarão uma prestação de contas: "Assim, cada um de nós prestará contas de si mesmo a Deus" (Romanos 14.12). Ainda lemos: "Nada, em toda a criação, está oculto aos olhos de Deus. Tudo está descoberto e exposto diante dos olhos daquele a quem havemos de prestar contas" (Hebreus 4.13).

Também sabemos que todo tipo de obra será julgada: "Pois Deus trará a julgamento tudo o que foi feito, inclusive tudo o que está escondido, seja bom, seja mau" (Eclesiastes 12.14); em outras palavras, haverá julgamento para os que fazem o bem e para os que fazem o mal. Embora tanto justos como ímpios sejam julgados, o tempo de cada um será diferenciado: "Pois chegou a hora de começar o julgamento pela casa de Deus; e, se começa primeiro conosco, qual será o fim daqueles que não obedecem ao evangelho de Deus?" (1Pedro 4.17).

A graça que nos foi dispensada não nos isenta de enfrentar o julgamento vindouro, mas nos capacita para viver de forma santa e para manifestar as boas obras que posteriormente serão recompensadas. Mesmo quando não interagimos corretamente com Deus, deixando de utilizar os recursos da graça, podemos experimentar, ainda assim, a misericórdia divina. O favor imerecido não anula a disciplina do Pai celestial para com seus filhos; antes, se utiliza dela — e até mesmo de alguns níveis de juízo —, para bondosamente nos atrair de volta a ele. Como disse o apóstolo Pedro: "esta é a verdadeira graça de Deus". Tal afirmação indica que havia, por causa dos ensinos deturpados, uma "falsa graça". Hoje em dia, não é diferente. Que o Senhor nos ajude a experimentar sua "verdadeira" graça!

SINOPSE DO CAPÍTULO EM TÓPICOS

1. A Bíblia não apenas revela que Deus corrige seus filhos, como também aponta o motivo pelo qual faz isso: seu *amor* por nós.

2. O juízo divino somente se manifesta no contexto da negligência dos santos. Entretanto, esse nível de julgamento é distinto daquele que condena o mundo; é apresentado como "disciplina do Senhor" justamente para que não se torne necessária uma condenação. Há uma relação entre os conceitos de *juízo para arrependimento* e *disciplina*.

3. "Deus, porém, nos disciplina para aproveitamento, *a fim de* sermos participantes da sua santidade" (Hebreus 12.10, ARA). Não existe santificação sem correção e disciplina!

4. Para compreendermos correta e plenamente a graça, é necessário entender, em primeiro lugar, o *caráter* do Doador da graça. A Escritura aponta tanto para a bondade como para a severidade de Deus. Não se trata de uma coisa ou outra, mas de ambas.

5. Devemos amar a Deus e temer a Deus. Devemos obedecer por amor e também por temor, com a consciência transmitida e enfatizada por ele mesmo em sua Palavra: haverá consequência para toda desobediência.

6. O amor e a justiça de Deus não estão em conflito. Nunca estiveram e jamais estarão. Até mesmo quando corrige, o Pai celeste ainda manifesta seu amor e sua misericórdia. Mesmo quando o juízo é liberado, o propósito é gerar arrependimento e restauração.

7. O propósito da repreensão nunca se restringe ao que pecou; a repreensão ensina os que não pecaram a temer o erro e também as suas consequências. Mesmo quando não há arrependimento, o amor de Deus ainda deve ser reconhecido no efeito que o juízo terá sobre os observadores. Se a pessoa não se arrepender com o juízo, que pelo menos este sirva de lição para poupar outros de pecarem.

8. A misericórdia divina começa dando tempo para o arrependimento. O problema é que alguns confundem *longanimidade* com *impunidade*,

quando, na verdade, são coisas bem distintas. Quando a longanimidade é desprezada, começa o juízo.

9. Se considerarmos as patentes verdades do amor que se manifesta entrelaçado ao juízo divino, não apenas seremos incapazes de negar o fato de que a disciplina e o juízo continuam existindo no tempo da graça, como também deveremos admitir que ambos são manifestação do favor divino aos que tropeçam. Oferece-lhes oportunidade de restauração e correção.

10. A valorização da santidade possui dois aspectos distintos. Um é o lado positivo, aquilo que *ganhamos* com a santificação. O outro é o lado negativo, aquilo que *perdemos* sem ela. O primeiro aspecto está atrelado ao *amor* ao Senhor, ao passo que o último, ao *temor* do Senhor. Ambos são necessários e se complementam.

11. Na graça, assim como na Lei, há recompensa divina para toda ação humana. Não nos referimos apenas à recompensa para as boas obras, mas também ao juízo contra as más obras. A lei da semeadura e colheita não foi anulada e não se limita à contribuição financeira; é válida também para as ações do homem.

12. O juízo se dá em tempos distintos: *imediato* (nesta vida) e *não imediato* (na eternidade).

13. Além da distinção do juízo em vida e do juízo após a vida terrena, e considerando apenas o juízo futuro, ainda há outra separação a ser feita na categoria do juízo vindouro. A distinção se dá pela diferenciação de dois grupos: justos e ímpios. Deus não os julga juntos.

14. A graça que nos foi dispensada não nos isenta de enfrentar o julgamento vindouro, mas nos capacita para viver de forma santa e para manifestar as boas obras que posteriormente serão recompensadas.

PERGUNTAS PARA REFLEXÃO

1. Por que a correção, seja a divina, seja a humana, é uma expressão de amor?
2. Como o amor e o temor ao Senhor se complementam?
3. A severidade de Deus é incompatível com sua bondade?
4. Como o juízo divino pode ser uma manifestação de sua misericórdia?
5. Alguns confundem a longanimidade de Deus com impunidade. Por quê?

CAPÍTULO 20

O PERIGO DOS EXTREMOS

> Certamente, a exegese e a hermenêutica sadias são, e
> sempre serão, o único antídoto eficaz contra muitas doutrinas
> "novas", a maioria das quais não passam de heresias antigas.
> *Gordon Anderson*

Abordamos, desde o primeiro capítulo, o perigo de não se entender a graça. Afirmamos, com base na declaração de Paulo aos colossenses (Colossenses 1.3-7), que o *entendimento correto* da graça de Deus é essencial, pois o apóstolo estabelece uma relação entre a frutificação na vida cristã e o entendimento da graça. Destacamos, ainda, a importância de uma instrução bíblica correta e coerente como base dessa compreensão tão fundamental.

Advertimos que não podemos ignorar as inúmeras advertências bíblicas aos falsos mestres e profetas, ao engano e à deturpação da verdade. Tampouco podemos achar que esse perigo estivesse confinado meramente ao passado, na história, ou somente ao futuro da igreja, em dias ainda distantes. Trata-se de uma realidade que se repete e deve ser encarada a cada geração. Tais erros precisam ser vistos como tais e, sem dúvida, o contraponto da exposição clara da verdade precisa ser apresentado.

Quando se fala de doutrina bíblica, não se pode ignorar a importância da macrovisão. Não podemos abordar apenas alguns aspectos de algo que se define pela soma, não pela fração, dos seus diferentes (e complementares) aspectos. Isso nos leva à inevitável conclusão de que, ao estudarmos a graça, assim como outras doutrinas, é preciso ter o *equilíbrio* de uma visão completa.

As correções de Paulo aos gálatas envolvem, sobretudo, a questão do entendimento dos assuntos de Lei e graça. Ao discorrer sobre o assunto, o apóstolo dos gentios aponta para a necessidade de *equilíbrio* nessa área. Ele tanto condena, de um lado, o comportamento dos que, em nome da liberdade, estavam dando lugar à carne (Gálatas 5.13), como também reprova, de outro lado, o retorno à Lei de Moisés (Gálatas 3.1-5; 5.1). Entende-se, com base nas asseverações feitas pelo apóstolo, que há dois extremos que podem se originar da falta de um entendimento acurado do que é a graça. São eles:

1. o *liberalismo* (ou libertinagem);
2. o *legalismo* (ou religiosidade).

Se não encontrarmos o equilíbrio correto entre ambas as áreas, iremos nos inclinar a um extremo ou outro. Isso tem acontecido com os que se permitiram ter um entendimento equivocado do assunto. Portanto, é imperativo entender a graça de Cristo e sua aplicação prática na vida dos que creem. Tanto o legalismo como o liberalismo devem ser classificados como desequilíbrio, distorção da doutrina cristã. O nosso intento, ao longo do ensino deste livro, foi apresentar a graça, sem transitar por esses extremos. Desde o início, condenamos tanto a tentativa de se transformar em libertinagem a graça de Deus (liberalismo) como o perigo do que Paulo denominou de "outro evangelho", ou seja, a tentativa de *perverter* o evangelho que se deu entre os gálatas (legalismo).

Contudo, apenas evitar ensinar uma perspectiva errada, incompleta, não nos capacitará para a missão de diagnosticar e erradicar o mal que aflige tantos que professam a fé em Cristo. Por esse motivo, refutaremos, neste capítulo final, a fragilidade desses equívocos que, por muitos séculos, vêm sendo propagados na igreja de Cristo.

LIBERALISMO

Há um movimento, nos dias atuais, que vem sendo rotulado de "hipergraça". Particularmente, não gosto do termo. Sempre dizemos que a graça divina já é "mais do que *hiper*". Por que dar a um movimento que, em sua grande maioria, distorce o ensino bíblico da graça um nome que deveria pertencer à propagação da graça pura e bíblica? O pastor Edilson Lira, em seu artigo "Não transforme a graça em libertinagem", afirma: "Não existe *hipergraça*: a graça de Deus já é hiper por natureza! Ela é extrema e extravagante. Mas não nos dá liberdade para pecar. Na verdade, do ponto de vista comportamental, a dispensação da graça é bem mais dura que a dispensação da lei".[1] Concordo plenamente.

Observemos a advertência de Judas, denunciando, em sua epístola, tais deturpações da verdade:

> Amados, embora estivesse muito ansioso para escrever a vocês acerca da salvação que compartilhamos, senti que era necessário escrever insistindo que **batalhassem pela fé de uma vez por todas confiada aos santos**. Pois certos homens, cuja condenação já estava sentenciada há muito tempo, infiltraram-se dissimuladamente no meio de vocês. Estes são ímpios, **transformam a graça de nosso Deus em libertinagem** e negam Jesus Cristo, nosso único Soberano e Senhor (Judas 3,4).

O irmão de Tiago reconheceu a importância de advertir os irmãos do primeiro século a que lutassem pela fé. Por quê? Porque havia, já naqueles primeiros anos do cristianismo, ensinos que relativizavam a verdade do evangelho. O problema, apresentado nessa advertência, é que a graça estava sendo transformada em *libertinagem*! Falsos mestres tentaram, desde o início da fé cristã, transformar a graça divina em algo que ela não é, nunca foi e nunca será: *libertinagem*. De acordo com Strong, a palavra grega traduzida por "libertinagem" é *aselgeia* (ασελγεια), e seu significado é: "luxúria desenfreada, excesso, licenciosidade, lascívia, libertinagem, caráter ultrajante, impudência, desaforo, insolência".[2] O *Dicionário Vine* acrescenta ao significado dessa palavra as seguintes definições: "indecência, ausência de restrição, conduta abusiva e violência libertina".[3]

---

[1] Lira, Edilson de. **Não transforme a graça em libertinagem.** Disponível em: <https://pastoredilson.com/word/view/45>. Acesso em: 26 ago. 2021.
[2] Strong, **New Strong's Exhaustive Concordance of the Bible.**
[3] Vine et al., **Dicionário Vine**, p. 571, 717.

Infelizmente, a graça tem se transformado, no ensino de muitos, em "permissão para pecar". Quer por meio de afirmações diretas quer por meio de afirmações indiretas (com pressuposições e conclusões a que esse ensino remete), essa triste deturpação da graça divina tem causado estrago na vida espiritual de muitos. Concordo com as palavras de Dietrich Bonhoeffer, conhecido teólogo alemão, que questionou: "Existe afronta mais diabólica contra a graça que pecar contando com a graça que Deus nos concedeu?".[4] John Wesley, um dos grandes nomes do cristianismo no século XVIII, tratou amplamente desse assunto. Vejamos mais um comentário extraído de seus ricos sermões:

> Na verdade, o uso do termo *liberdade*, em tal acepção, como isenção da obediência ou da santidade, mostra a um só tempo que seu juízo se acha pervertido e que são culpados daquilo que imaginavam estar muito longe deles, isto é, de invalidar a lei pela fé, supondo que a fé substitui a santidade.
>
> A primeira desculpa dos que expressamente ensinam isto é que estamos debaixo do pacto da graça, e não das obras; e, assim sendo, não mais somos obrigados a cumprir as obras da lei.
>
> E quem jamais esteve debaixo do pacto das obras? Ninguém, exceto Adão, antes da queda. Adão estava plena e propriamente debaixo daquele pacto, que requeria perfeita e universal obediência como condição de ser aceito, não havendo lugar para perdão depois da última transgressão. Mas nenhum outro homem esteve debaixo desse pacto, fosse judeu ou gentio, antes de Cristo ou depois. Todos os filhos de Adão estiveram e estão debaixo do pacto da graça. O modo de sua aceitação é esta: a livre graça de Deus, através dos méritos de Cristo, concede perdão aos que creem com uma tal fé que, operando por amor, produz toda obediência e santidade.
>
> O caso não é, pois, como tu supões, isto é, que os homens fossem em *algum tempo* mais obrigados a obedecer a Deus, ou a cumprir as obras da lei, do que o são agora. Tu não podes justificar tal suposição. Mas nós teríamos sido obrigados, se tivéssemos estado debaixo do pacto das obras, a fazer tais obras antes da nossa aceitação, enquanto [...] agora, sendo

---

[4] BONHOEFFER, Dietrich. **Discipulado**. São Paulo: Mundo Cristão, 2016. p. 27.

O perigo dos extremos

todas as boas obras tão necessárias como dantes, não são antecedentes à nossa aceitação, mas consequentes a ela. Por isso, a natureza do pacto da graça não te dá fundamento, nem encorajamento nenhum, para que ponhas de lado qualquer particularidade ou medida de obediência, qualquer partícula ou medida de santidade.

"Mas não somos justificados pela fé, sem as obras da lei?" Sem dúvida que o somos, sem as obras da lei cerimonial ou da lei moral. Prouvera a Deus estivessem todos os homens convencidos disto! Inumeráveis pecados seriam evitados, e em particular seria evitado o antinomianismo porque, falando de modo geral, são os fariseus que fazem os antinomianos. Correndo para extremo tão palpavelmente contrário à Escritura, eles dão lugar a que outros corram para o lado oposto. Aqueles procurando ser justificados pelas obras, afugentam a estes, não lhes deixando nenhum lugar.

A verdade, entretanto, se acha equidistante de ambos esses extremos. Somos, indubitavelmente, justificados pela fé. Esta é a pedra angular de todo o edifício cristão. Somos justificados sem as obras da lei como condição prévia de justificação, mas essas obras são o fruto imediato daquela fé, pela qual somos justificados. Deste modo é claro que, se as boas obras não acompanham a nossa fé, assim como a santidade íntima e exterior, nossa fé é de valor nulo; estamos ainda em nossos pecados. Assim, o fato de sermos justificados pela fé, e pela fé sem obras, não autoriza o invalidar a lei pela fé, nem permite que se imagine que a fé seja uma dispensação divorciada de qualquer espécie ou grau de santidade.[5]

É impressionante quão atuais as palavras de Wesley, proferidas no século XVIII, soam hoje; ele se referiu ao excesso do legalismo que se tornou em desculpa para o liberalismo: "Correndo para extremo tão palpavelmente contrário à Escritura, eles dão lugar a que outros corram para o lado oposto". Como Leonard Ravenhill disse certa vez: "Quando existe alguma coisa na Bíblia de que as igrejas não gostam, elas chamam isso de legalismo".[6]

Como enfatizamos ao longo do livro combater esses equívocos do *liberalismo*, não nos estenderemos neste primeiro extremo — um dos erros comuns

---

[5] WESLEY, **Sermões pelo rev. João Wesley**, v. 2, sermão 35, p. 186-188.
[6] Apud COOKE, **Graça**: o DNA de Deus, p. 163.

na interpretação da graça. Resumiremos, portanto, alguns dos tropeços que os que promovem tal engano cometem na construção de seu pensamento; em seguida, daremos mais atenção ao outro extremo, o *legalismo*.

Negar ou relativizar a obediência

Um dos grandes equívocos na interpretação do que é a graça é pensar que ela veio anular completamente a ideia de obediência às leis divinas. Muitos alegam que a fé, revelada por meio do evangelho, não requer obediência. Grande engano! O apóstolo Paulo, na epístola dirigida aos romanos — que podemos classificar de verdadeiro tratado de fé, justificação e graça —, emprega a expressão "a obediência que vem pela fé" no início (Romanos 1.5) e no fim (Romanos 16.26) da sua carta.

Os que compõem o grupo do liberalismo usam a graça como desculpa para pecar e advogam que, se há algum culpado, são os legalistas que não entendem a liberdade em Cristo. Ignoram que, antes de Cristo, por causa de sua natureza pecaminosa, era impossível ao ser humano obedecer à Lei de Deus (Romanos 8.3,4). Na antiga aliança, já havia perdão para os pecados; no entanto, não havia transformação. A nova aliança trouxe, na graça, a habilitação para se obedecer aos mandamentos divinos.

A graça não veio meramente nos libertar da Lei — criando uma espécie de anarquia espiritual —, mas se revelou para nos libertar da *incapacidade* de obedecer à Lei. Portanto, o evangelho não veio substituir a obediência que o homem deve a Deus. Pelo contrário! A graça é a *força capacitadora* que nos foi dada não apenas para perdoar os pecados cometidos, como também para nos ajudar a evitar cometê-los. A graça nos *empodera* para viver a obediência aos mandamentos do Deus eterno. Gostei da forma em que Tony Cooke resumiu o assunto:

> A graça de Deus não é uma desculpa ou uma justificativa para continuar com um comportamento errado. Ela é a base e o ímpeto por trás das vidas transformadas e dos estilos de vida piedosos. A graça para a santificação aponta para o fato de que o próprio poder de Deus está em operação dentro de nós, capacitando-nos para sermos as pessoas que ele

O perigo dos extremos

nos chamou para ser e fazermos as coisas que ele nos ordenou fazer. A graça para santificação mostra que não temos que realizar isso à parte de Deus, mas encontramos o poder para obedecer-lhe e honrá-lo quando cooperamos com o seu poder e graça que trabalham dentro de nós.[7]

Entre os que promovem o engano do liberalismo, encontram-se também aqueles que, de modo irresponsável, usam a premissa de "uma vez salvo, sempre salvo", de modo que acabam induzindo os fiéis a acreditarem que não há necessidade de zelo ou dedicação na vida cristã. O esforço não deve ser confundido com mérito nem substituir a força capacitadora que só a graça divina oferece. Contudo, certamente deve ser a nossa responsabilidade na interação com o favor divino. Russell Shedd, citando Thielicke, afirma: "Presumir que o privilégio de ser justificado vem junto com a liberdade para satisfazer os desejos da nossa carne, dissolvendo todo compromisso com o autor da lei, não passa de perversão".[8] Charles Swindoll comenta os efeitos trágicos dessa mentalidade equivocada:

> Tenho visto pessoas irem ao fundo do poço a ponto de convencer a si mesmas de que não há problema em desobedecer às declarações ou princípios específicos das Escrituras, acabar com seu casamento, romper compromissos anteriores e optar por outro parceiro. Quando lhes é perguntado como poderiam justificar tal comportamento irresponsável, quase sem exceção se referem à graça, como se ela fosse a cobertura geral dada por Deus para tudo aquilo que as agrada. Torcer as Escrituras para que se acomodem aos nossos desejos não tem nada a ver com a graça.[9]

Lamentamos reconhecer que os mesmos estragos também se fazem presentes na igreja brasileira. Pelo menos, boa parte desse cenário deve ser creditado à equivocada mentalidade de, em nome da graça, negar ou relativizar a obediência às leis divinas. No entanto, este é apenas um dos

---

[7] COOKE, **Graça:** o DNA de Deus, p. 173-174.
[8] Apud SHEDD, **Lei, graça e santificação**, p. 29.
[9] SWINDOLL, **O despertar da graça**, p. 151.

aspectos desse erro; o outro é a confusão da obra já realizada por Cristo com aquilo que nós devemos fazer.

Confundir o que já foi feito por Cristo com aquilo que devemos fazer

Afirmamos que há três etapas distintas no processo da santificação. Na santificação inicial, somos livres da *condenação* do pecado; na santificação progressiva, somos livres do *poder* do pecado; na santificação final, seremos livres da *presença* do pecado. A compreensão das etapas da santificação, distintas e complementares, é fundamental. Sem essa clareza, não distinguimos o que Deus, em Cristo Jesus, já fez por nós daquilo que ainda precisa ser feito — no presente e no futuro. Além disso, sem esse reconhecimento não se identifica qual é a responsabilidade divina e qual é a humana; não há diferenciação.

A confusão de alguns, de deduzirem que, após a conversão, tudo já está pronto e realizado — sem que se requeira do homem interação alguma com a obra divina — deriva-se de uma análise parcial das declarações bíblicas. A ideia de que tudo já está feito em relação à servidão do pecado (com a dedução lógica de que não há mais nada a ser feito) baseia-se em afirmações como esta: "Pois sabemos que o nosso velho homem *foi crucificado* com ele, para que o corpo do pecado seja destruído, e não mais sejamos escravos do pecado" (Romanos 6.6). Percebemos, nesse versículo, que a conjugação verbal se encontra no passado, o que indica que a ação já foi realizada: "o nosso velho homem *foi crucificado* com ele". Contudo, o mesmo escritor, movido pelo mesmo Espírito Santo que o inspirou na epístola aos Romanos, declara aos santos de Éfeso: "Quanto à antiga maneira de viver, vocês foram ensinados a *despir-se do velho homem*, que se corrompe por desejos enganosos" (Efésios 4.22).

A questão é que se, por um lado, há versículos que falam de uma obra já feita, por outro, há versículos que tratam do mesmo assunto e que indicam que ainda devemos fazer algo a respeito. Não significa que devemos escolher um lado. Isso relativizaria tanto a inspiração da Bíblia como sua aplicação. O que se conclui é que temos aspectos que, embora sejam distintos, também são complementares. O texto que fala de algo já realizado aponta para o que Cristo fez por nós e é uma realidade no mundo espiritual.

Trata-se de uma *provisão*. O que temos a fazer em relação ao que Cristo fez não é uma espécie de complemento ou aperfeiçoamento; trata-se da *apropriação*. A realidade do que Cristo já fez em nosso favor não pode, em absoluto, ser negada. Contudo, é preciso admitir que não tem efeito automático na nossa vida. O que foi provisionado deve ser apropriado; esta é a razão pela qual Paulo declarou a Timóteo: "Tome posse da vida eterna, para a qual você foi chamado e fez a boa confissão na presença de muitas testemunhas" (1Timóteo 6.12). Ele não se dirigia a um descrente que ainda necessitava de conversão. O apóstolo falava com alguém que já havia feito confissão pública de sua fé. Isso indica que a apropriação do que Jesus fez por nós é ato contínuo e progressivo.

Alguns ainda confundem a obra de Cristo, já consumada na cruz, com as nossas obras. Tal confusão, propagada em nome da graça, acaba por diminuir e até mesmo anular a importância das obras na nossa conduta cristã. Embora não sejamos salvos *pelas* obras, é fato que fomos salvos *para* elas. Ou seja, na perspectiva bíblica, as boas obras não são o meio da salvação, mas, com certeza, são sua consequência. Elas devem ser compreendidas como *efeito*, não como a *causa* da salvação.

LEGALISMO

Já constatamos que, da antiga aliança para a nova aliança, houve mudança, mas não eliminação da lei. Vimos também que a graça é uma força capacitadora que nos dá poder para a obediência aos mandamentos de Cristo. Vale ressaltar, ainda, que os padrões divinos da graça para o comportamento humano não baixaram; pelo contrário, foram elevados. Basta olhar para o Sermão do Monte e observar o contraste que Jesus faz, várias vezes, entre "vocês ouviram o que foi dito" (referência à Lei mosaica) e "Mas eu digo" (os mandamentos de Cristo aos discípulos). O que o Mestre nos propõe é um nível de exigência maior do que a Lei de Moisés. A diferença entre Lei e graça não está no rebaixamento dos padrões, mas, sim, na capacitação que recebemos para a obediência em um nível maior de exigência do que aquele que já demonstrara ser impossível aos homens.

Dito isto, destacamos que, ao usar o termo "legalismo", não falamos contra o fato de que ainda há leis divinas a serem obedecidas. O problema do legalismo é que ele confunde efeito com causa. Enquanto as Escrituras nos ensinam a obedecer porque *fomos* justificados, o legalismo, por sua vez, sugere obedecer *para ser* justificado. A diferença entre ambos é imensa! Na graça, a obediência é efeito, não causa. Trata-se de uma correspondência e de uma interação com o favor imerecido. Caso, de algum modo, o crente tente tornar tal favor merecido, acaba anulando-o.

Não se nega, porém, a importância da obediência (para a qual a graça nos capacita), tampouco a santificação progressiva. Tudo isso está vinculado à responsabilidade humana de interagir com Deus. Entretanto, também não se pode negar que, mesmo orientando a obediência e o aperfeiçoamento da santidade, Paulo também advertia acerca de conceitos e processos errôneos na busca desse progresso espiritual. O apóstolo, escrevendo aos irmãos de Colossos, aponta que a santidade não é mera observância de ordenanças:

> Já que vocês morreram com Cristo para os princípios elementares deste mundo, por que, como se ainda pertencessem a ele, **vocês se submetem a regras**: "Não manuseie!", "Não prove!", "Não toque!"? Todas essas coisas estão destinadas a perecer pelo uso, pois se baseiam em **mandamentos e ensinos humanos**. Essas regras têm, de fato, aparência de sabedoria, com sua pretensa religiosidade, falsa humildade e severidade com o corpo, **mas não têm valor algum para refrear os impulsos da carne** (Colossenses 2.20-23).

Consideremos algumas lições importantíssimas apresentadas nesse texto, pois ele nos ajuda a entender dois tropeços grotescos cometidos pelos legalistas.

Acréscimo de mandamentos humanos aos divinos

Quero destacar, em primeiro lugar, a expressão "mandamentos e ensinos humanos". A clara diferença entre a obediência bíblica e o legalismo aparece nessa expressão. A característica inicial do legalismo está relacionada, antes de mais nada, com ensinos ou doutrinas humanos. Já sustentamos que as ordenanças divinas devem ser obedecidas; obviamente, isto é inquestionável.

Entretanto, o ponto a ser considerado aqui não é se tais ordenanças são orientações práticas ou pesadas e difíceis de serem executadas. Dizemos isso porque, na definição de alguns, o legalismo é um fardo pesado. No entanto, a questão, a nosso ver, não é o peso de tais preceitos; se assim fosse, bastaria aliviá-los que o problema supostamente estaria resolvido! O que devemos discernir é que tal atitude também retrata, à semelhança da quebra dos mandamentos divinos, uma *violação* das Escrituras.

O Altíssimo proveu em sua Palavra tudo aquilo que a humanidade precisa; quer seja a instrução positiva, do que deve ser feito, quer a negativa, do que não deve ser feito. Quando o homem começa a adicionar regras que o Criador nunca deu, está cometendo, no mínimo, dois grandes erros. O primeiro equívoco é declarar, com tal atitude, que o Eterno não sabia quais mandamentos deveria ter dado: um insulto tanto à soberania quanto à sabedoria divinas. O segundo lapso é a arrogância incrustada no coração de quem cria ou promove esses preceitos humanos, porque, quando o homem toma suas próprias doutrinas e as põe em pé de igualdade com os mandamentos divinos, está, dessa forma, não apenas se igualando a Deus, como também usurpando seu lugar de legislador. O problema da altivez não se limita aos que promovem os mandamentos humanos; atinge, ainda, os que, com motivação errada, decidem praticá-los. Falaremos do desdobramento do orgulho mais adiante.

Método ineficaz

O segundo desvio pode ser detectado no versículo 23: "Essas regras têm, de fato, aparência de sabedoria, com sua pretensa religiosidade, falsa humildade e severidade com o corpo, mas não têm valor algum para refrear os impulsos da carne". Esse desvio carrega a marca da *inutilidade*, embora tenha "aparência de sabedoria" em sua "severidade com o corpo". Esta é a razão pela qual o apóstolo classifica como "falsa humildade" a *grande severidade com o corpo* (a Nova Almeida Atualizada traduziu por "tratamento austero do corpo" a mesma expressão). A santidade nunca foi um processo de fora para dentro. Já demonstramos que, durante a Lei de Moisés, isso não funcionou. O homem jamais poderia controlar sua carnalidade pela força da própria carne!

A verdadeira santidade começa do lado de dentro para depois transbordar para o lado de fora. Poucos versículos depois de condenar o tratamento austero do corpo, sustentando que isso não tem valor algum na luta contra as inclinações da carne, Paulo apresenta a instrução eficaz no combate contra a sensualidade:

> **Assim, façam morrer tudo o que pertence à natureza terrena de vocês**: imoralidade sexual, impureza, paixão, desejos maus e a ganância, que é idolatria. É por causa dessas coisas que vem a ira de Deus sobre os que vivem na desobediência, **as quais vocês praticaram no passado, quando costumavam viver nelas.** Mas, agora, **abandonem todas estas coisas**: ira, indignação, maldade, maledicência e linguagem indecente no falar. Não mintam uns aos outros, visto que vocês já se despiram do velho homem com suas práticas e se revestiram do novo, o qual está sendo renovado em conhecimento, à imagem do seu Criador (Colossenses 3.5-10).

Nesses versículos que são, sem dúvida, uma continuidade do raciocínio da inutilidade dos preceitos e ensinos humanos, o apóstolo destaca que a velha natureza precisa morrer e indica que se trata de responsabilidade humana. Notemos que ele não confunde a *provisão* da obra da cruz (vista na afirmação dos v. 9,10: "visto que vocês já se despiram do velho homem com suas práticas e se revestiram do novo"), obra divina, com a *apropriação* (vista na afirmação do v. 8: "abandonem todas estas coisas"), que é encargo humano. A expressão-chave é "façam morrer tudo o que pertence à natureza terrena". A graça se manifestou justamente para nos libertar da velha natureza com seu comportamento rebelde. Ela nos foi dada para capacitar-nos a cumprir os mandamentos divinos, e a única forma efetiva de experimentar isso é despojando-se da natureza terrena e revestindo-se da nova natureza, manifesta na nova criação.

O legalismo, entretanto, despreza a capacitação do favor divino, para exaltar a habilidade humana. Isso nunca funcionou e jamais funcionará. É, portanto, uma tentativa inútil e sempre deixará um rastro de decepção. Não sei dizer quantas vezes já ouvimos, ao longo de três décadas de ministério, de pessoas que se desviaram da fé, a expressão: "eu tentei e não consegui". E o problema não foi terem tentado, mas fazer isso do jeito errado!

O perigo dos extremos

Essas pessoas, hoje frustradas, tentaram mudar seu comportamento de fora para dentro e ignoraram que os mandamentos não mudam a natureza humana. É a mudança de natureza que nos capacita a cumprir as ordenanças. O Senhor Jesus também sustentou, em seus ensinos, que a santidade é de dentro pra fora, não o contrário:

> "Guias cegos! Vocês coam um mosquito e engolem um camelo. Ai de vocês, mestres da lei e fariseus, hipócritas! **Vocês limpam o exterior** do copo e do prato, mas por dentro eles estão cheios de ganância e cobiça. Fariseu cego! **Limpe primeiro o interior** do copo e do prato, **para que o exterior também fique limpo.** Ai de vocês, mestres da lei e fariseus, hipócritas! Vocês são como sepulcros caiados: **bonitos por fora, mas por dentro** estão cheios de ossos e de **todo tipo de imundície**. Assim são vocês: **por fora parecem** justos ao povo, **mas por dentro** estão cheios de hipocrisia e maldade" (Mateus 23.24-28).

Jesus revelou que viver a justiça de Deus não se restringe a controlar os atos exteriores (Mateus 5.21,27,33,38,43), mas ter um coração cheio de Deus. O padrão divino, revelado na graça de Jesus Cristo, é superior ao padrão da Lei, entregue a Moisés. É justamente por isso que a santidade só é possível pela graça divina! Este é o motivo de afirmações como a de Paulo: "com santidade e sinceridade provenientes de Deus, não de acordo com a sabedoria do mundo, mas de acordo com a graça de Deus" (2Coríntios 1.12). Pedro também destacou que, para viver a santidade planejada por Deus, precisamos esperar inteiramente na graça:

> Portanto, estejam com a mente preparada, prontos para agir; estejam alertas e **ponham toda esperança na graça** que será dada a vocês quando Jesus Cristo for revelado. Como filhos obedientes, **não se deixem amoldar pelos maus desejos de outrora, quando viviam na ignorância.** Mas, assim como é santo aquele que os chamou, sejam santos **vocês também em tudo o que fizerem,** pois está escrito: "Sejam santos, porque eu sou santo" (1Pedro 1.13-16).

Os legalistas, além de trocar os mandamentos divinos pelos humanos, substituem a capacitação divina para a obediência, que se dá por mero empenho humano. Ambos os desvios dos princípios divinos levam a um terceiro tropeço: o orgulho. Como declarou o dr. Russell Shedd: "Deus condena o legalismo por causa do orgulho, a mais pura manifestação de amor-próprio".[10]

Orgulho da obediência

Além da bizarra altivez dos homens que acreditam poder equiparar os seus próprios mandamentos e regras aos divinos, a soberba também se manifesta quando, com a motivação errada, os homens adentram "o orgulho da obediência". Isso pode nos levar a tropeçar em várias outras questões. Observemos o que ocorreu com o apóstolo Pedro:

> No dia seguinte, por volta do meio-dia, enquanto eles viajavam e se aproximavam da cidade, Pedro subiu ao terraço para orar. Tendo fome, queria comer; enquanto a refeição estava sendo preparada, caiu em êxtase. Viu o céu aberto e algo semelhante a um grande lençol que descia à terra, preso pelas quatro pontas, contendo toda espécie de quadrúpedes, bem como de répteis da terra e aves do céu. Então uma voz lhe disse: "Levante-se, Pedro; mate e coma". Mas Pedro respondeu: "De modo nenhum, Senhor! Jamais comi algo impuro ou imundo!" A voz lhe falou segunda vez: "Não chame impuro ao que Deus purificou". Isso aconteceu três vezes, e em seguida o lençol foi recolhido ao céu (Atos 10.9-16).

Deus, em uma visão, ordenou ao apóstolo que ele matasse e comesse alguns tipos de animais. Pedro reconheceu que era o próprio Deus falando, mas, com ousadia, respondeu: "De modo nenhum, Senhor!". A razão pela qual não obedeceu à ordem divina não foi por falta de reconhecimento de *quem* lhe falava. Não! Foi justamente o histórico da obediência de Pedro ao mandamento da Lei que proibia contato com aqueles animais. Até aí, não é difícil entender Pedro. Não sabemos se ele chegou a imaginar que estivesse sendo testado, entretanto Deus disse claramente para não considerar imundo

---

[10] Shedd, **Lei, graça e santificação**, p. 52.

o que o Senhor havia purificado. Mesmo depois desse esclarecimento do próprio Criador e Legislador, Pedro ainda se negou a obedecer por mais duas vezes. Esse episódio — que o Eterno fez questão de deixar registrado em sua Palavra — me impressiona.

É fato que o orgulho da obediência — ou de uma suposta obediência, que pensamos ter — pode nos levar a agir cegamente e tropeçar em outros princípios. Vejamos esta ilustração bíblica:

> A alguns que **confiavam em sua própria justiça** e **desprezavam os outros**, Jesus contou esta parábola: "Dois homens subiram ao templo para orar; um era fariseu e o outro, publicano. O fariseu, em pé, orava no íntimo: 'Deus, eu te agradeço porque não sou como os outros homens: ladrões, corruptos, adúlteros; nem mesmo como este publicano. Jejuo duas vezes por semana e dou o dízimo de tudo quanto ganho'. Mas o publicano ficou a distância. Ele nem ousava olhar para o céu, mas, batendo no peito, dizia: 'Deus, tem misericórdia de mim, que sou pecador'. Eu digo que este homem, e não o outro, foi para casa justificado diante de Deus. Pois quem se exalta será humilhado, e quem se humilha será exaltado" (Lucas 18.9-14).

A religiosidade é terrível! Podemos defini-la como orgulho da obediência. Mais que deixar-nos cegos, tal orgulho desencadeia outros tropeços. Aquele fariseu errava ao confiar em si mesmo, errava ao desprezar os outros —, mas não enxergava nada disso. Triste! Pode acontecer com qualquer um de nós, a menos que entendamos que a obediência só é possível pela graça. O entendimento do favor divino que nos capacita para a obediência remove o orgulho, que, por sua vez, se baseia no mérito. Paulo atribuía seu sucesso ministerial à graça divina, não às suas próprias habilidades (1Coríntios 15.9,10). Já o fariseu da parábola transcrita confiava em si para praticar a Lei, não nos recursos celestiais. O resultado? Além de roubar para si a glória que deveria ser de Deus, tal equivocada conclusão o fazia sentir-se melhor que os outros e o introduzia no próximo erro: desprezar os outros. Como bem disse Agostinho de Hipona: "Se o Espírito da graça estiver ausente, a lei estará presente, mas somente para nos acusar e matar".[11]

---

[11] SHEDD, **Lei, graça e santificação**, p. 50.

UMA LIÇÃO INESQUECÍVEL

Anos atrás, aprendi uma lição e, com ela, entendi como isso pode se dar de forma sutil, sorrateira. Tomei conhecimento de um tropeço de certo ministro (por causa da disciplina pública que lhe fora aplicada); por algum motivo além da minha capacidade de explicação, antecipei os desdobramentos futuros daquele processo em uma reunião com os pastores da nossa equipe e disse-lhes que poderiam escrever o que sucederia nos próximos meses. O curioso é que não errei no prognóstico: o rumo que o processo tomou, o tempo decorrido e os outros detalhes que me desagradaram (até porque, com as minhas convicções, eu teria direcionado as coisas de modo diferente).

No ano seguinte, fui, com a minha equipe pastoral, participar de um evento de capacitação ministerial. Ao chegar à cidade, tomei conhecimento de um culto, programado para celebrar a restauração daquele ministro. Eu deveria ter me alegrado, certo? Infelizmente, fiquei triste, porque as coisas tinham acontecido da forma que eu havia previsto e discordado. Eu não disse nada a respeito a *ninguém*. Apenas pensei e resmunguei, na minha mente, algumas coisas para Deus. Como já era tarde, fiz o *check-in* no hotel e fui dormir.

Na manhã seguinte, encontrei um pastor de uma das nossas igrejas, no caminho para o café da manhã, e ele me disse que queria me contar o sonho que tivera naquela noite. Puxei uma cadeira, sentei-me e convidei-o a fazer o mesmo para que compartilhasse o sonho. Ele foi direto ao assunto e disse: "Sonhei com você e com fulano" e mencionou o nome daquele ministro cujo retorno ao ministério estava sendo celebrado. Na verdade, nenhum de nós o conhecia pessoalmente, e eu nunca disse nada a respeito do assunto a esse irmão; apenas à equipe da minha igreja local.

Ele prosseguiu: "Vocês estavam em uma sala, e você tentava expulsar um demônio dele". Naquela hora, parecia que eu já sabia, no íntimo, muita coisa do sonho. Então, eu o interrompi, com uma pergunta afirmativa: "Mas ele não estava endemoninhado, estava?". Sorrindo, esse meu amigo disse que não e que todos no sonho, eu inclusive, sabíamos disso. Portanto, entendi que, embora tivesse julgado aquele precioso irmão nos meus pensamentos, o Pai celestial tinha "ouvido tudo". Então, o pastor me disse que, no sonho, outra pessoa entrou na sala em que estávamos e que, a julgar pelo porte, semblante e glória que ele manifestava, entendeu se tratar de um anjo de Deus. Detalhou-me, ainda, que esse visitante estendeu uma das mãos em nossa direção e que, naquele exato momento, eu e aquele ministro que eu havia julgado fomos literalmente arremessados alguns metros para trás.

Interrompi o meu amigo para, de novo, fazer outra pergunta afirmativa: "Esse foi o momento em que o fulano sumiu do sonho e só sobrou eu, certo?". Impressionado, ele brincou que parecia que eu "havia assistido ao filme". O fato, porém, é que eu não fazia ideia do final da história. Então, prosseguiu ele, "você levantou do chão tentando arrumar a roupa do corpo que, além de suja, com o tombo, tinha também alguns pequenos rasgos".

Confesso que, naquela hora, gelei. O simbolismo de vestes sujas e/ou rasgadas na Bíblia está relacionado a pecados, e imediatamente entendi no meu espírito que o caso tinha se virado contra mim e contra as minhas falhas. A mensagem não dizia respeito à queda *antiga* daquele ministro, mas aos *meus* tropeços do *presente*. O meu amigo concluiu: "Aquele ser que estendeu a mão na direção de vocês virou-se para mim enquanto você tentava se arrumar depois de levantar-se do chão, um pouco desconcertado, e disse, apontando para você: 'Ele é um homem de grande integridade. No entanto, quando faz da própria integridade um escudo de justiça própria, ele se torna tão pecador quanto qualquer outro que ele tenha condenado'".

Àquela altura, eu sabia que o sonho tinha terminado. O testemunho do Espírito Santo me atingiu com força por dentro, e desabei. Arrependi-me e escolhi aprender a lição recebida: nenhum de nós tem direito de se orgulhar de nada nem mesmo da obediência. Sem a graça, não teríamos condição alguma de obedecer à lei divina. Se é pela graça que somos capacitados a obedecer, que motivo teríamos para nos orgulhar? O orgulho é a celebração da nossa própria capacidade e a ostentação do que alcançamos pelo nosso próprio empenho. Evidentemente que isso é contraditório!

Creio que Deus almeja restaurar o nosso entendimento e a nossa prática de obediência plena a ele; no entanto, isso deve acontecer sem que nos tornemos propensos ao orgulho. É por isso que precisamos entender que obedecer ao Senhor não significa fazer algum favor a ele. Na realidade, estamos apenas cumprindo a nossa obrigação e respeitando os termos do compromisso que assumimos como discípulos — e servos — dele.

Obedecer *é fazer apenas aquilo que deve ser feito*. Não somos melhores por obedecer, principalmente por obedecer com os recursos divinos. Jesus referiu-se a um servo que, depois de fazer só o que era obrigado a fazer, não merecia nenhum louvor ou reconhecimento (Lucas 17.7-9). E emendou: "Assim também vocês, quando tiverem feito tudo o que for ordenado, devem dizer: 'Somos servos inúteis; apenas cumprimos o nosso dever' " (Lucas 17.10). Resumindo, nada temos de que nos gloriar. Paulo tratou desse assunto com os irmãos da igreja em Corinto:

> Irmãos, pensem no que vocês eram quando foram chamados. Poucos eram sábios segundo os padrões humanos; poucos eram poderosos; poucos eram de nobre nascimento. Mas Deus escolheu o que para o mundo é loucura para envergonhar os sábios e escolheu o que para o mundo é fraqueza para envergonhar o que é forte. Ele escolheu o que para o mundo é insignificante, desprezado e o que nada é, para reduzir a nada o que é, **a fim de que ninguém se vanglorie diante dele** (1Coríntios 1.26-29).

O apóstolo apresenta uma única razão para justificar o fato de Deus ter escolhido as coisas loucas em vez das sábias; as fracas em vez das fortes; as humildes e desprezadas, as que nada são em vez das que são. O motivo claro, registrado nas Escrituras, é incontestável: "a fim de que ninguém se vanglorie diante dele". No final de tudo, ninguém poderá se apresentar perante o Criador e dizer que até ele precisa admitir que tal pessoa foi "o crente" (ou "a crente"). Não, um milhão de vezes "não"!

No final das contas, haverá *um único* desfecho possível: cada um de nós, ciente do favor imerecido, que não apenas nos resgatou das trevas, como também nos capacitou a permanecer na luz, terá apenas um motivo para se gloriar. É quando se cumprirá a passagem citada por Paulo (em provável referência a Jeremias 9.24): "[...] para que, como está escrito: 'Quem se gloriar, glorie-se no Senhor' " (1Coríntios 1.31). Nesse dia bendito, perante o Juiz Eterno, apenas nos regozijaremos nele e diremos: "Foi a graça, somente a graça, que nos permitiu chegar até aqui!".

Abracemos, portanto, a preciosa e bendita graça do nosso Senhor Jesus Cristo. Que nenhum de nós se deixe inclinar aos extremos do liberalismo

O perigo dos extremos

ou do legalismo. Que a graça se torne em nós mais do que o remédio para os pecados já cometidos; que ela seja a capacitação para vencer as tentações e que nem mesmo cheguemos a pecar. Que, mais do que poder para nos fazer levantar das quedas, ela seja a força que nos mantém de pé. Fujamos, portanto, da permissividade e da religiosidade e experimentemos a ação plena e poderosa da *graça transformadora!*

A graça do Senhor Jesus seja com todos. Amém. (Apocalipse 22.21)

SINOPSE DO CAPÍTULO EM TÓPICOS

1. Quando se fala de doutrina bíblica, não se pode ignorar a importância da macrovisão. Não podemos abordar apenas alguns aspectos de algo que se define pela soma, não pela fração, dos seus diferentes (e complementares) aspectos. Portanto, ao estudarmos a graça, assim como outras doutrinas, é preciso ter uma visão completa.

2. Há dois extremos que podem se originar da falta de um entendimento acurado do que é a graça. São eles: 1) o *liberalismo* (ou libertinagem); 2) o *legalismo* (ou religiosidade). Se não encontrarmos o equilíbrio correto entre ambas as áreas, iremos nos inclinar a um extremo ou outro.

3. Um dos grandes equívocos na interpretação do que é a graça é pensar que ela veio anular completamente a ideia de obediência às leis divinas. O *liberalismo* alega que a fé, revelada por meio do evangelho, não requer obediência. Grande engano!

4. A graça não veio meramente nos libertar da Lei, mas se revelou para nos libertar da *incapacidade* de obedecer à Lei. O evangelho não veio substituir a obediência que o homem deve a Deus. Pelo contrário! A graça é a *força capacitadora* que nos foi dada não apenas para perdoar os pecados cometidos, como também para nos ajudar a evitar cometê-los.

5. Há três etapas distintas no processo da santificação. Na santificação inicial, somos livres da *condenação* do pecado; na santificação progressiva, somos livres do *poder* do pecado; na santificação final, seremos livres da *presença* do pecado. A compreensão das etapas da santificação, distintas e complementares, é fundamental. Sem essa clareza, não distinguimos o que Deus, em Cristo Jesus, já fez por nós, daquilo que ainda precisa ser feito — no presente e no futuro.

6. O que Cristo fez por nós é uma realidade no mundo espiritual; trata-se de uma *provisão*. O que temos a fazer em relação ao que Cristo fez não é uma espécie de complemento ou aperfeiçoamento; trata-se da *apropriação*. A realidade do que Cristo já fez em nosso favor não pode, em absoluto, ser negada. Contudo, é preciso admitir que

não tem efeito automático na nossa vida. O que foi *provisionado* deve ser *apropriado*.

7. O problema do *legalismo* é que confunde efeito com causa. Enquanto as Escrituras nos ensinam a obedecer porque *fomos* justificados, o legalismo, por sua vez, sugere obedecer *para ser* justificado.

8. Na graça, a obediência é efeito, não causa. Trata-se de uma correspondência e de uma interação com o favor imerecido. Se o cristão tentar tornar tal favor merecido, acaba anulando-o.

9. A característica inicial do *legalismo* está relacionada, antes de mais nada, com ensinos ou doutrinas de homens.

10. Outra característica do *legalismo* é que ele carrega a marca da *inutilidade*, embora tenha "aparência de sabedoria" em sua "severidade com o corpo". A santidade nunca foi um processo de fora para dentro. O homem jamais poderia controlar sua carnalidade pela força da própria carne! A verdadeira santidade começa do lado de dentro para depois transbordar para o lado de fora.

11. Os legalistas, além de trocar os mandamentos divinos pelos humanos, substituem a capacitação divina para a obediência, que se dá por mero empenho humano. Ambos os desvios dos princípios divinos levam ao terceiro tropeço: o *orgulho*.

PERGUNTAS PARA REFLEXÃO

1. Qual a importância da macrovisão bíblica?

2. Como você definiria os dois extremos, o *liberalismo* e o *legalismo*, praticados pelos que não entendem corretamente a graça?

3. De que maneira podemos evitar esses extremos?

4. Por que podemos denominar a graça como *transformadora*?

APÊNDICE

UMA PARÁBOLA REVELADORA

> As doutrinas da Bíblia não são isoladas, mas
> inter-relacionadas; portanto, o ponto de vista acerca
> de uma doutrina necessariamente afetará o ponto
> de vista aceito a respeito de outra.
>
> *A. A. Hodge*

Apresento, no final deste livro, uma perspectiva didática e profética da parábola do bom samaritano que nos ajuda a entender um panorama da redenção que, aliás, destaca os três períodos distintos da história da humanidade que estudamos no primeiro capítulo. Não se trata de espiritualizar o texto e construir uma doutrina com base em analogias ou simbolismo. Na verdade, fizemos o caminho oposto. Com base em fundamentos claros da doutrina cristã, a maioria exposta ao longo do livro, interpretaremos as figuras apresentadas na parábola. Não ignoramos a resistência de muitos às alegorias e podemos dizer que compartilhamos a preocupação com aqueles que, alegorizando demais — ou criando interpretações particulares —, acabam produzindo dano em vez de clareza doutrinária.

Contudo, não podemos negar a força das alegorias bíblicas. Quer no simbolismo profético da Lei, largamente citado nas epístolas, quer nas parábolas de Cristo. A solução, a nosso ver, está em não descartar a tipologia e concomitantemente precaver-se com respeito a espiritualizações desnecessárias. Esta é a razão de termos deixado este assunto por último e em caráter de apêndice. Justamente por entendermos a importância da macrovisão bíblica, convidamos o leitor a refletir nas verdades aqui tratadas, mais como recapitulação do que como conclusão.

Em suas parábolas, Jesus conseguia comunicar tanto as verdades explícitas e literais daquilo que se propunha a ensinar como, de modo implícito e simbólico, sabia expressar um volume ainda maior de ensino e informações que acompanhavam aquilo que já havia sido compreendido. A parábola do bom samaritano é um desses exemplos. Ela surge de uma discussão entre Jesus e um intérprete da lei, que quis pô-lo à prova:

> Certa ocasião, um **perito na lei** levantou-se **para pôr Jesus à prova** e lhe perguntou: "Mestre, o que preciso fazer para herdar a vida eterna?" "O que está escrito na Lei?", respondeu Jesus. "Como você a lê?" Ele respondeu: " 'Ame o Senhor, o seu Deus, de todo o seu coração, de toda a sua alma, de todas as suas forças e de todo o seu entendimento' e 'Ame o seu próximo como a si mesmo' ". Disse Jesus: "Você respondeu corretamente. Faça isso e viverá". Mas ele, querendo justificar-se, perguntou a Jesus: **"E quem é o meu próximo?"** (Lucas 10.25-29).

Depois de Jesus responder bem ao homem, focando a importância de amar a Deus e ao próximo, o questionador, querendo se justificar, volta a perguntar: "E quem é o meu próximo?". Para uma pergunta direta, Cristo poderia ter dado uma resposta igualmente direta, como: "O próximo não tem a ver com relacionamento ou parentesco, mas com oportunidade". Ou, em uma linguagem mais moderna, poderia ser algo do tipo: "É a bola da vez", o que significaria "O primeiro que aparecer". Entretanto, em vez disso, o Mestre conta uma parábola bem estruturada, cheia de símbolos e figuras. Acaso? Coincidência? Não creio! Penso que o Verbo encarnado sabia exatamente o que queria comunicar. A resposta prática está nos últimos dois versículos (v. 36,37); no entanto, nos versículos 30-35 encontramos a analogia que queremos analisar.

Em resposta, disse Jesus: "**Um homem descia de Jerusalém para Jericó**, quando caiu nas mãos de **assaltantes**. Estes lhe tiraram as roupas, espancaram-no e se foram, deixando-o **quase morto**. Aconteceu estar **descendo pela mesma estrada um sacerdote**. Quando viu o homem, passou pelo outro lado. E **assim também um levita**; quando chegou ao lugar e o viu, passou pelo outro lado. Mas um **samaritano**, estando de viagem, chegou onde se encontrava o homem e, quando o viu, teve piedade dele. **Aproximou-se, enfaixou-lhe as feridas, derramando nelas vinho e óleo.** Depois colocou-o sobre o seu próprio animal, **levou-o para uma hospedaria** e cuidou dele. No dia seguinte, deu dois denários ao **hospedeiro** e lhe disse: '**Cuide dele. Quando eu voltar,** pagarei todas as despesas que você tiver'. "Qual destes três você acha que foi o próximo do homem que caiu nas mãos dos assaltantes?" "Aquele que teve misericórdia dele", respondeu o perito na lei. Jesus lhe disse: "Vá e faça o mesmo". (Lucas 10.30-37)

Na nossa opinião, essa parábola resume o propósito eterno de Deus para a humanidade, começando da queda do homem, passando pelos três períodos distintos da humanidade (que já definimos) e destacando a salvação disponível no último período. Neste, por sua vez, Cristo acrescenta informações de sua morte, da igreja gentílica, da obra do Espírito Santo e menciona até mesmo seu período de ausência até sua segunda vinda! Tudo isso em uma parábola. A Palavra de Deus é fascinante!

O início do problema: a queda

Jesus começa com um exemplo que aponta para **a queda do homem**: "Um homem descia de Jerusalém para Jericó". Notemos que o nosso Senhor se refere a "um homem", usando o artigo indefinido. A palavra traduzida por "homem", no original grego, é *tis* (τις), um pronome indefinido enclítico; significa: "alguém, uma certa pessoa; algo, algum, certo tempo". Vemos aqui uma referência impessoal, portanto genérica. Pelo contexto da alegoria, esse homem representa toda a humanidade, uma vez que a queda de todos nós se deu com a queda de um único homem: Adão (Romanos 5.12).

O termo "descia" é utilizado porque há um grande desnível entre uma cidade e outra. A elevação de Jerusalém (Cidade Velha) é de aproximadamente 760 metros acima do nível do mar. Jericó, por sua vez, está a 258 metros abaixo do nível do mar. É uma diferença de altitude de mais de um quilômetro! Contudo, o declínio da jornada em questão não é apenas geográfico, embora até mesmo esse aspecto seja significativo. Acrescente-se a esse desnível literal a simbologia bíblica.

Jerusalém é retratada, nas Escrituras, como um lugar de bênção: "É como o orvalho do Hermom quando desce sobre os montes de Sião. *Ali o Senhor concede a bênção* da vida para sempre" (Salmos 133.3). Onde é que o Senhor ordena a sua bênção? Sião fica em Jerusalém. Não estamos sacralizando o local, mas é inegável que, em meio aos eventos futuros, não podemos negar que Jerusalém é, nas palavras do próprio Cristo, "a cidade do grande Rei" (Mateus 5.35).

Jericó, em contrapartida, figura um lugar de maldição. Foi condenada à destruição, e seus bens foram considerados anátema (Josué 6.17,18). Josué proibiu sua reconstrução e amaldiçoou quem viesse a reedificar a cidade: "Naquela ocasião Josué pronunciou este juramento solene: '*Maldito seja diante do Senhor o homem que reconstruir a cidade de Jericó*: Ao preço de seu filho mais velho lançará os alicerces da cidade; ao preço de seu filho mais novo porá suas portas!' " (Josué 6.26).

Séculos mais tarde, nos dias de Acabe, a Bíblia relata o seguinte acontecimento:

> Durante o seu reinado, Hiel, de Betel, reconstruiu Jericó. Lançou os alicerces à custa da vida do seu filho mais velho, Abirão, e instalou as suas portas à custa da vida do seu filho mais novo, Segube, de acordo com a palavra que o Senhor tinha falado por meio de Josué, filho de Num (1Reis 16.34).

Portanto, Jericó é retratada como lugar de maldição. Tal informação espiritual, aliada ao declínio geográfico, define a queda da humanidade, que, por causa do pecado, transitou de um lugar de bênção para um de maldição.

Consequências da queda

Na lógica que se segue, na narrativa, temos o resultado da queda. O homem "caiu nas mãos de assaltantes. Estes lhe tiraram as roupas, espancaram-no e se foram, deixando-o quase morto". Esse "homem" foi roubado, espancado e deixado *quase morto* (v. 30). O Diabo é chamado nas Escrituras de ladrão, que veio para roubar, matar e destruir (João 10.10); podemos dizer que o resultado da queda resultou em perdas, dores e desconexão com o Criador, causadas pelo pecado promovido por Satanás, que levou vantagem nesse acontecimento (2Coríntios 2.11).

A expressão "quase morto" aparece uma única vez na Bíblia; somente nesse texto. Do grego *hemithanes* (ημιθανης), o adjetivo tem um único significado: "semimorto".[1] Normalmente, tratamos do estado de alguém como estando ou não morto, não como *quase* morto. Contudo, a figura nos remete, por um lado, a uma incapacidade do homem de levantar-se por si mesmo, e, por outro, à expectativa de que ainda não era o fim, deixando acesa a chama da esperança. Essa figura retrata as consequências da queda: morte espiritual, perdas e dores, e também a expectativa de uma reversão do quadro, embora, ao homem, fosse impossível reverter, por si mesmo, a própria condição.

Jesus entra em cena

Em vez de seguir a ordem apresentada por Cristo na parábola, que menciona três pessoas passando pelo homem caído, e tratar de cada uma delas em ordem de aparecimento, saltemos para a personagem que tipifica o próprio Jesus nessa alegoria: o samaritano. Acredito que isso nos ajudará na construção lógica. Se o homem caído representa a queda da humanidade pelo pecado, e somente o samaritano ofereceu ajuda, fica evidente quem ele representa.

Sabemos que o único que pode salvar os homens é Jesus Cristo (Atos 4.12; 1Timóteo 2.5). O texto sagrado ainda revela que, ao oferecer ajuda, o samaritano aplicou nas feridas do homem "vinho e óleo" (v. 34). Ambos figuram elementos presentes na redenção.

---

[1] STRONG, **New Strong's Exhaustive Concordance of the Bible**.

O óleo simboliza a ação do Espírito Santo; Paulo, falando de Cristo, afirmou a Tito: "ele nos salvou pelo lavar regenerador e renovador do Espírito Santo" (Tito 3.5).

O vinho, elemento conhecido na ceia do Senhor, aponta para o sangue de Jesus, outro elemento presente na redenção: "Em seguida tomou o cálice, deu graças e o ofereceu aos discípulos, dizendo: "Bebam dele todos vocês. Isto é o meu sangue da aliança, que é derramado em favor de muitos, para perdão de pecados. Eu digo que, de agora em diante, não beberei deste fruto da videira até aquele dia em que beberei o vinho novo com vocês no Reino de meu Pai" (Mateus 26.27-29).

Os três períodos

A parábola fala de três pessoas que passam pelo homem semimorto: um sacerdote, um levita e o samaritano. Os dois primeiros passaram de longe e não ofereceram ajuda. O terceiro, que já sabemos representar Cristo, o samaritano, foi quem ofereceu ajuda. Por quê? Porque era o único que poderia ajudar a humanidade! Ninguém mais teria condições para tal; as Escrituras também são claras quanto a isso: "Homem algum pode redimir seu irmão ou pagar a Deus o preço de sua vida, pois o resgate de uma vida não tem preço. Não há pagamento que o livre" (Salmos 49.7,8).

Quem o sacerdote e o levita representam?

Se o samaritano figura Jesus, seria correto que os outros também representassem pessoas? Não. O samaritano, como veremos com mais detalhes, representa um *tempo* determinado. O período em questão envolve da primeira à segunda vinda de Cristo. Notemos que, na parábola, o samaritano começa a cuidar do homem caído, mas depois transfere o cuidado ao hospedeiro e pede, de forma explícita, que este cuide do homem. Ele adianta o pagamento de dois denários (o equivalente a dois dias de trabalho) e diz que, se o hospedeiro gastasse mais, ele pagaria quando voltasse (v. 35). Fica evidente que o samaritano se ausentaria por um tempo, mas que, no final, regressaria. Portanto, o samaritano simboliza um período que vai da primeira até a segunda vinda do nosso Senhor. Dá para perceber como as figuras se encaixam?

Logo, os outros dois que vieram antes do samaritano também representam dois *períodos*. Que períodos são esses? Já os definimos biblicamente; o primeiro período vai de Adão até Moisés, e o segundo vai de Moisés até a primeira vinda de Jesus.

O sacerdote representa o que escolhemos denominar de período do "autossacerdócio". Até a chegada de Arão, não havia um padrão preestabelecido por Deus para os sacerdotes. Os homens simplesmente pareciam sacerdotes, sem regras predeterminadas ou ordenação específica. Os patriarcas sacrificavam livremente ao Senhor (Gênesis 4.3-5; 8.20; 12.7,8; 14.18-20; 26.25; 35.1-3); depois de Moisés, isso já não era mais permitido.

Por que o sacerdote não ajudou o homem caído? Porque não podia. A Bíblia diz que ele vinha "descendo pela mesma estrada" (v. 31), ou seja, estava na mesma condição. Como já vimos em Salmos 49.7,8, nenhum ser humano desse período poderia socorrer seu irmão.

Então, Jesus introduz o levita na ilustração. Se a pessoa do sacerdote estava relacionada ao primeiro período, o levita, por sua vez, estava associado ao segundo período: o da Lei de Moisés. O texto afirma que esse também descia pelo mesmo caminho, o que retrata a mesma impossibilidade de ajudar por estar na mesma condição do homem caído.

A situação do homem caído não pode ser resolvida nos dois primeiros períodos; somente no terceiro, com a vinda de Jesus. No entanto, ainda é necessário entendermos melhor a figura do samaritano.

Entendendo o samaritano

Qual é a mensagem que Jesus queria comunicar ao escolher justamente um samaritano para a sua alegoria? O Evangelho de João nos revela que judeus e samaritanos não se davam, porque eram rivais. Observemos a resposta da mulher samaritana, junto ao poço de Jacó, quando Jesus lhe pediu água: "A mulher samaritana lhe perguntou: 'Como o senhor, sendo judeu, pede a mim, uma samaritana, água para beber?' (Pois os judeus não se dão bem com os samaritanos.)" (João 4.9). Ao escolher justamente a figura de um samaritano para representá-lo, Cristo apontava profeticamente para o fato de que os judeus não o aceitariam, mas iriam rejeitá-lo (João 1.11).

Por que os judeus não aceitavam os samaritanos?

É necessário voltar vários séculos na história dos hebreus para entendermos isso. Na época do reino dividido, que se inicia com Roboão, filho de Salomão, que governou apenas duas tribos, Judá e Benjamin, as quais passaram a chamar-se reino de Judá (ou Reino do Sul), as outras dez tribos formaram o reino de Israel (ou Reino do Norte). Nos dias de Onri, pai de Acabe, o monte de Samaria foi adquirido (1Reis 16.23-28) e veio a transformar-se na capital do Reino do Norte. Posteriormente, no reinado de Oseias, a Assíria invadiu Israel e levou os israelitas para o cativeiro (2Reis 17.6). Para ocupar o lugar dos israelitas, o rei da Assíria levou para Samaria pessoas de diversos outros lugares:

> O rei da Assíria trouxe gente da Babilônia, de Cuta, de Ava, de Hamate e de Sefarvaim e os estabeleceu nas cidades de Samaria para substituir os israelitas. Eles ocuparam Samaria e habitaram em suas cidades (2Reis 17.24).

A partir de então, começou a acontecer a mistura racial de judeus com gentios, algo que a Lei claramente proibia (Josué 23.12,13).

Os judeus nunca mais olharam para os samaritanos como "irmãos"; antes, os viam como uma *mistura* entre judeus e gentios. Entendemos que isso também é simbólico e figura profética. Jesus Cristo é apresentado pelo apóstolo Paulo, na carta aos Efésios, como aquele que veio unir em um só corpo judeus e gentios:

> "Portanto, lembrem-se de que anteriormente vocês eram gentios por nascimento e chamados incircuncisão pelos que se chamam circuncisão, feita no corpo por mãos humanas, e que, naquela época, vocês estavam sem Cristo, separados da comunidade de Israel, sendo estrangeiros quanto às alianças da promessa, sem esperança e sem Deus no mundo. Mas agora, em Cristo Jesus, vocês, que antes estavam longe, foram aproximados mediante o sangue de Cristo. Pois ele é a nossa paz, o qual de ambos fez um e destruiu a barreira, o muro de inimizade, anulando em seu corpo a Lei dos mandamentos expressa em ordenanças. O objetivo dele era criar em si mesmo, dos dois, um novo homem, fazendo a paz, e reconciliar

com Deus os dois em um corpo, por meio da cruz, pela qual ele destruiu a inimizade" (2.11-16).

Nesse momento da parábola, Cristo esclarece que, diante da rejeição dos judeus, os gentios seriam incluídos no plano de redenção (João 1.11-13).

O hospedeiro e a hospedaria

É interessante notar, ainda, que o samaritano apenas iniciou os primeiros socorros. Em seguida, levou o homem caído a uma hospedaria e o entregou aos cuidados do hospedeiro até que ele voltasse. Evidentemente, isso retrata a continuidade da obra começada por Jesus.

Se o samaritano figura Cristo, quem é o hospedeiro? Basta questionarmos da forma correta para entender essa figura: a quem Jesus, ao ausentar-se (até a sua segunda vinda), confiou o cuidado de seu povo? Ao Espírito Santo!

Vemos, no Evangelho de João, nosso Senhor anunciando aos discípulos sua ausência e seu futuro retorno:

> Não se turbe o vosso coração; credes em Deus, crede também em mim. Na casa de meu Pai há muitas moradas. Se assim não fora, eu vo-lo teria dito. Pois vou preparar-vos lugar. E, quando eu for e vos preparar lugar, voltarei e vos receberei para mim mesmo, para que, onde eu estou, estejais vós também (João 14.1-3, ARA).

Pouco depois dessa declaração, Jesus afirmou:

> E eu rogarei ao Pai, e ele vos dará outro Consolador, a fim de que esteja para sempre convosco, o Espírito da verdade, que o mundo não pode receber, porque não o vê, nem o conhece; vós o conheceis, porque ele habita convosco e estará em vós. Não vos deixarei órfãos, voltarei para vós outros (João 14.16-18, ARA).

Cristo confiou a continuação dos cuidados da humanidade *ao Espírito Santo*. Ele é o responsável por estender e continuar os cuidados restauradores até que o nosso Senhor retorne. O hospedeiro tem seu próprio lugar de trabalho: a hospedaria. Penso que isso figure a igreja. Não é empolgante como um único texto tenha a capacidade de sistematizar todo o propósito divino para a humanidade? Da queda à plenitude da redenção, que se concretiza com a vinda de Jesus!

Recapitulando: após a criação do homem, veio a queda. Foi quando entrou o pecado no mundo e, por meio dele, a morte, que passou a todos os homens. A queda tanto nos roubou espiritualmente quanto nos deixou incapazes de nos "reerguermos" por conta própria. Então, chegou ao fim o primeiro período, de Adão até Moisés, sem que a humanidade recebesse a ajuda de que precisava. Depois disso, houve um segundo período, a Lei, de Moisés até a primeira vinda de Jesus, durante o qual a humanidade permaneceu na mesma condição. Até que, no terceiro período, na graça, após a encarnação de Cristo, a ajuda finalmente chegou. Em Jesus, recebemos o socorro que, durante sua ausência, é continuado na obra do Espírito Santo em nós. Isso perdurará até que ele volte.

Esse resumo profético da parábola do bom samaritano nos leva a entender que a mesma Escritura Sagrada, que possui informações de todo o propósito de Deus — espalhado ao longo de milhares de páginas —, também espera que tenhamos a capacidade de reuni-las em uma visão clara e objetiva. Isso é macrovisão bíblica.

Encerro enfatizando que a continuidade da obra iniciada por Jesus, no homem caído, pelo Espírito Santo, não retrata o perdão dos pecados cometidos. Esse assunto foi completamente resolvido na conversão e não necessita de acréscimos ou renovação. Logo, o ministério do Espírito, como é chamada a nova aliança (2Coríntios 3.5), envolve a missão de *transformação* do cristão na imagem de Cristo (2Coríntios 3.18). O Espírito da Graça, como é denominado nas Escrituras (Hebreus 10.29), tem o papel de promover mudança, crescimento espiritual, santificação. E faz isso por meio da *graça transformadora*.

Desfrute-a sem moderação!

BIBLIOGRAFIA

ANDERSON, Neil T.; SAUCY, Robert L. **Santificação**: como viver retamente em um mundo corrompido. São Paulo: Vida, 2000.

ARMÍNIO, Jacó. **As obras de Armínio**. Rio de Janeiro: CPAD, 2015.

BERKHOF, Louis. **Teologia sistemática**. São Paulo: Cultura Cristã, 2012.

BEVERE, John. **Kriptonita**: destruindo o que rouba a sua força. Rio de Janeiro: Luz às Nações, 2017.

BEVERE, John. **Um coração ardente**. Rio de Janeiro: Luz às Nações, 2016.

Bíblia de estudo John Wesley. São Paulo: Sociedade Bíblica do Brasil, 2020.

BONHOEFFER, Dietrich. **Discipulado**. São Paulo: Mundo Cristão, 2016.

BOUNDS, E. M. **Os tesouros da oração**. Curitiba: Orvalho.Com, 2020.

BRUNELLI, Walter. **Teologia para pentecostais**: uma teologia sistemática expandida. Rio de Janeiro: Central Gospel, 2016.

BURTNER, Robert W.; CHILES, Robert E. (Orgs.) **Coletânea da teologia de João Wesley**. Rio de Janeiro: Igreja Metodista: Colégio Episcopal, 1995.

CHAFER, Lewis Sperry. **Teologia sistemática**. São Paulo: Hagnos, 1976.

CHAMPLIN, Russell Norman. **O Novo Testamento interpretado versículo por versículo**. São Paulo: Hagnos, 2014.

CLEMENTE et al. **Os pais apostólicos**. São Paulo: Mundo Cristão, 2017.

COOKE, Tony. **Graça:** o DNA de Deus. Campina Grande: Rhema Brasil, 2015.

DUNNING, H. Ray. **Graça, fé & santidade:** uma teologia sistemática wesleyana. Lisboa: Literatura Nazarena Portuguesa, 2018.

FERGUSON, Everett. **História da igreja.** Rio de Janeiro: Central Gospel, 2017.

FIGUEIRA, Danilo. **Liderança acima da média.** Ribeirão Preto: Selah Produções, 2020.

GRUDEN, Wayne; PURSWELL, Jeff. **Manual de doutrinas cristãs.** São Paulo: Vida, 2005.

HAGIN, Kenneth. **A arte da oração.** Campina Grande: Rhema Brasil, 2018.

HORTON, Stanley M. **Teologia sistemática:** uma perspectiva pentecostal. Rio de Janeiro: CPAD, 2018.

KEELEY, Robin (Org.). **Fundamentos da teologia cristã.** São Paulo: Vida, 2000.

KLAIBER, Walter; MARQUARDT, Manfred. **Viver a graça de Deus:** um compêndio da teologia metodista. São Bernardo do Campo: Editeo, 1999.

LEWIS, C. S. **O problema do sofrimento.** São Paulo: Vida, 2006.

LIRA, Edilson de. **Não transforme a graça em libertinagem.** Disponível em: <https://pastoredilson.com/word/view/45>.

LOPES, Hernandes Dias. **Comentário expositivo do Novo Testamento.** São Paulo: Hagnos, 2019.

LUCADO, Max. **Graça:** mais do que merecemos, maior do que imaginamos. Rio de Janeiro: Thomas Nelson Brasil, 2012.

LUTERO, Martinho. **Martinho Lutero:** uma coletânea de escritos. São Paulo: Vida Nova, 2017.

ODEN, Thomas C. **O poder transformador da graça.** Cuiabá: Palavra Fiel, 2019.

Bibliografia

RODRIGUES, Zwinglio. **Graça resistível**. São Paulo: Reflexão, 2016.

SHEDD, Russell P. **Lei, graça e santificação**. São Paulo: Vida Nova, 1990.

STRONG, Augustus Hopkins. **Teologia sistemática**. São Paulo: Hagnos, 2007.

STRONG, James. **New Strong's Exhaustive Concordance of the Bible**. Nashville: Thomas Nelson Publishers, 1990.

SUBIRÁ, Luciano. **Até que nada mais importe**. Curitiba: Hagnos, 2018.

SUBIRÁ, Luciano. **O impacto da santidade**. Curitiba: Orvalho.Com, 2018.

SWINDOLL, Charles. **O despertar da graça**. São Paulo: Mundo Cristão, 2009.

TOZER, Alden Wilson. Verdadeiras profecias para uma alma em busca de Deus. São Paulo: Editora dos Clássicos, 2001.

VINE, W. E.; UNGER, Merril F.; WHITE JR., William. **Dicionário Vine**. Rio de Janeiro: CPAD, 2002.

YANCEY, Philip. **Maravilhosa graça**. São Paulo: Vida, 2007.

WESLEY, John. **Sermões pelo rev. João Wesley**. São Paulo: Imprensa Metodista, 1954.

WILLARD, Dallas. **A grande omissão**: as dramáticas consequências de ser cristão sem se tornar discípulo. São Paulo: Mundo Cristão, 2009.

Esta obra foi composta em *Minion Pro*
e impressa por Geográfica sobre papel
Pólen Natural 70 g/m² para Editora Vida.